La cuisine du Monde entier

Couverture
- Photo:
  RAYMOND MARTINOT
- Maquette:
  GAÉTAN FORCILLO

Maquette intérieure
- Conception graphique:
  JEAN-GUY FOURNIER

DISTRIBUTEURS EXCLUSIFS:

- Pour le Canada:
  AGENCE DE DISTRIBUTION POPULAIRE INC.*
  955, rue Amherst, Montréal H2L 3K4 (tél.: 514-523-1182)
  *Filiale de Sogides Ltée

- Pour la France et l'Afrique:
  INTER-FORUM
  13, rue de la Glacière, 75013 Paris (tél.: 570-1180)

- Pour la Belgique, la Suisse, le Portugal, les pays de l'Est:
  S.A. VANDER
  Avenue des Volontaires 321, 1150 Bruxelles (tél.: 02-762-0662)

jehane benoit

La cuisine au Monde entier

LES ÉDITIONS DE L'HOMME *

CANADA: 955, rue Amherst, Montréal H2L 3K4

*Division de Sogides Ltée

© 1982 LES ÉDITIONS DE L'HOMME,
DIVISION DE SOGIDES LTÉE

Tous droits réservés

Ce livre a été publié en anglais
sous le titre de *Madame Benoit's, World of Food*,
chez McGraw-Hill Ryerson Limited.

Copyright Jehane Benoit 1980

Bibliothèque nationale du Québec
Dépôt légal — 1er trimestre 1982

ISBN 2-7619-0220-3

Avant-propos

Écrire ce livre a été pour moi un voyage avec des gens exceptionnels, dans des endroits peu communs où j'ai découvert et dégusté avec un plaisir gourmand des plats qui ne s'oublient pas. Il y eut parfois des anecdotes amusantes, quand je m'informais de l'origine d'un plat ou que je demandais des recettes. Par exemple, un jour où j'avais déjeuné dans un petit "pub" à Perth, en Écosse, le chef me donna sa recette écrite dans la langue de sa grand-mère, le gaélique. De retour chez-moi, je dus d'abord trouver le génie qui pouvait me la traduire et j'ai dû ensuite faire trois fois la recette du *Jugged lamb* ou "Agneau en pot" avant de savoir ce que sa grand-mère signifiait par "grosse poignée" (ce n'était qu'une bonne cuillerée), "un petit souffle" (une pincée de sel) et "un plein bonnet d'épinard". Pour ce dernier, j'ai dû demander à son petit-fils quelle quantité cela pouvait bien représenter — "Ma grand-mère", me dit-il, "avait un grand jardin. Pour cueillir ses légumes elle prenait un vieux bonnet de laine qu'elle bourrait du légume choisi, ce qui était toujours suffisant pour la recette du jour!"

Il y eut aussi notre hôtesse au pays de Galles qui nous affirmait qu'un repas de Noël dans son pays se décrivait en quatre mots — "arroser", "cuire", "se chamailler" et "boire". En me présentant ses recettes elle ajouta, à propos de ses *Shortbread* (sablés au beurre): "c'est ma seule concession aux étrangers (les Écossais)". Voilà qui peut vous donner une petite idée du tempérament gallois.

Est-il possible de voyager sans chercher les bonnes tables, sans s'entretenir avec les hôtes et les cuisiniers et s'en faire des amis, sans se souvenir, longtemps après, des meilleurs moments? Je ne crois pas que ce soit possible, d'autant que c'est souvent à table que l'on découvre les moeurs et les coutumes d'un pays. J'admets qu'une pomme de terre est toujours une pomme de terre, quel que soit le pays. Mais la manière de la cuire et de la servir est une particularité propre à chaque pays.

Quiconque s'intéresse à l'histoire de la table se rend bien vite compte que ce n'est pas l'agriculture mais bien les coutumes sociales et historiques de chaque pays qui donnent à chaque cuisine son caractère particulier. Depuis des siècles les jardiniers du monde entier ont cherché à cultiver des fruits et des légumes de plus en plus parfaits, ce qui prouve qu'ils s'intéressent autant à l'aspect de ces produits qu'à leur saveur. Quand on pense aux aliments de cette manière, on établit une relation intime, tant par les yeux que par le goût, avec ce que l'on mange. Voilà sûrement des pensées qui sont stimulantes pour l'imagination de toute bonne cuisinière et qui peuvent peut-être aussi inspirer ceux qui sont indifférents à la bonne table. Après tout, bien cuisiner n'est pas un art difficile à maîtriser pourvu qu'on le voit comme une aventure amusante et créative.

Je fus témoin, il y a quelques années à Londres, en Angleterre, d'un parfait exemple de créativité, d'imagination et de présentation. J'étais invitée à déjeuner dans un club privé très élégant où c'était "le jour des Dames". Mon hôte avait la réputation d'être un distingué gastronome. Avec le scotch à l'eau (sans glace) on nous servit sa version de "Sardines et fromage". Le maître d'hôtel s'approcha avec sa table roulante où étaient placés les ingrédients nécessaires à ses "amuse-gueules". Après avoir montré chacun des ingrédients à notre hôte, il se mit à préparer les canapés selon les désirs de chacun.

Les petites sardines dorées de Norvège étaient égouttées sur plusieurs épaisseurs de papier absorbant. Chaque sardine était placée sur un doigt de pain de blé entier tartiné de beurre doux en crème. Ensuite, un peu de fromage Parmesan bien vieilli était râpé devant nous, de manière à recouvrir la sardine. Notre maître d'hôtel les amenait alors au gril du bar pour les faire dorer dans un four à 350°F (180°C). Au retour, les canapés chauds étaient placés sur un plat de service avec des quartiers de citron et un bol de ciboulette finement hachée que chacun utilisait à son gré. Je vous assure que le tout était un véritable plaisir de gourmand! Ceci prouve que les aliments, même les plus simples (après tout, ce n'était que du pain brun, des sardines et du fromage) peuvent être élégants et savoureux.

On me demande toujours comment je fais pour écrire tant de recettes. Voilà qui est difficile à répondre, puisque je procède plus par intuition qu'en suivant des règles. Si vous commencez par penser "qu'une rose est une rose" et une pêche est une pêche et que vous associez la saveur de pêche aux amandes, il est alors facile de créer un dessert. Il s'agit seulement de mettre le tout ensemble: peler la pêche, la mettre dans une jolie coupe de cristal, parsemer de quelques pétales de roses sauvages roulés dans du sucre fin et y jeter quelques amandes émincées et grillées. Si vous désirez vous aventurer davantage, ajoutez quelques gouttes de jus de citron frais pour obtenir la sensation de fraîcheur et le mordant de l'acidité. Si, par contre, vous désirez une sensation de vraie fraîcheur, garnissez de givre de café glacé. C'est facile à faire: glacez votre café assez fort au congélateur, puis au moment de servir, passez-le au robot culinaire pour obtenir une neige de café que vous saupoudrez sur les pétales de roses. Et vous aurez chaque fois un dessert surprenant et facile à faire. J'admets qu'il faut avoir des roses sauvages et des pêches fraîches, mais les deux sont faciles à trouver en juillet!

Si je n'aime pas un certain plat ou un aliment, j'essaie de savoir pourquoi. Par exemple, je n'aimais pas les graines de carvi. Un jour, en lisant un bouquin sur les plaisirs du jardinage, j'ai appris que le carvi était de la même famille que le persil! Et il n'y a pas de semaine où je n'emploie pas un gros bouquet de persil. De plus, on disait que la fleur ressemblait à la "Dentelle de la Reine Anne" qui est ma fleur sauvage préférée. Pour finir, je lus que la racine se mangeait et qu'elle avait une délicate saveur de panais. Ce dernier item me présentait un défi, car j'aime beaucoup les panais. Enfin on disait que la Hollande était le plus important producteur de carvi et que les Hollandais l'utilisaient dans la fabrication de leurs fromages que j'ai si souvent appréciés avec mon pain grillé du matin. Je décidai donc, après cette lecture, que les graines de carvi devraient entrer dans mon répertoire culinaire. La première chose que je découvris fut la sensation de fraîcheur que le carvi donnait aux aliments lourds et à partir de ce jour, les graines de carvi firent partie de ma vie culinaire.

Au cours d'un voyage en Écosse, j'appris que les Romains avaient importé la graine de carvi dans les landes écossaises. C'est pourquoi les Écossais nomment encore leurs gâteaux pour le thé "Carvi cakes" ou gâteau à la graine de carvi. Alors, par respect envers l'histoire de la table, je me suis dit que la graine de carvi ferait un excellent arôme pour les gâteaux quatre-quarts, en souvenir des Romains. Pour continuer, j'ai pensé aux Chinois qui, il y a des siècles, nous ont donné les racines de gingembre fraîches et le citron, jaune et vert. J'ajoute donc quelquefois à mon gâteau quatre-quarts un peu de gingembre frais moulu et le zeste et le jus d'un citron, jaune ou vert. Et voilà comment j'ai trois façons différentes de faire mon gâteau, grâce à l'histoire de la cuisine!

J'espère que les bons moments passés à table dans mes voyages et la découverte de fruits ou de légumes nouveaux vous amuseront et vous aideront à créer des variantes de vos propres recettes ou des miennes qui, en somme, sont celles d'un peu tout le monde.

Je serai toujours reconnaissante envers tous ceux que j'ai rencontrés dans mes voyages et qui m'ont permi d'écrire ce livre.

Bien amicalement,
Jehane Benoit

L'Angleterre

Dans cette introduction à la cuisine anglaise, je désire témoigner de la perfection de la cuisine britannique. À titre d'exemple, je me souviens d'un repas à Londres... à ma grande honte, je dois avouer que j'ai oublié le nom de l'endroit, mais pas les aliments. On nous avait servi des pétoncles exquis cuits à la vapeur de vin blanc, roulés dans du persil émincé, et flambés au whisky irlandais. Ce plat avait été suivi d'un carré d'agneau Southdown (celui que je préfère) accompagné de petits pois frais cuits avec un bouquet de menthe fraîche; et pour terminer, du Stilton, des noix de Grenoble entières et du porto rafraîchi. Depuis lors, cette dernière combinaison est demeurée pour moi la façon idéale d'achever un repas parfait. Il n'y a qu'un seul restaurant au Canada (à Toronto) où l'on serve le Stilton chambré, et non pas froid et dur, le porto rafraîchi et les noix joliment présentées dans un panier.

Un autre atout de la cuisine anglaise, c'est le petit déjeuner et le *high tea*. Les Anglais sont les maîtres de ces deux repas traditionnels. À l'heure du déjeuner, beaucoup de pubs à travers le pays offrent des mets particuliers. Ces repas m'ont toujours plu, servis par un garçon vêtu d'une chemise blanche, d'un gilet rouge et coiffé d'un chapeau melon brun ou noir. Très anglais! Allez prendre une chope de la délicieuse bière anglaise à Waterman's Arm Pub à Londres — un des meilleurs.

Avez-vous jamais observé le maître-dépeceur à Simpson's-in-the-Strand dans la pratique de ce que je considère le "grand art" du dépeçage? Sur son chariot à dôme d'argent, il découpe à votre table, avec dextérité, cette immense pièce de boeuf selon votre goût, en tranches très minces ou épaisses.

Et connaissez-vous la célèbre *Devonshire Cream* de renommée universelle (crème épaisse, caillée) qui est utilisée comme crème de table? Lorsqu'elle est servie sur les exquises petites fraises ou les grosses fraises sucrées anglaises, c'est "divin"!

Et la *Dover Sole*? C'est dans le Devon que j'ai pour la première fois goûté à la véritable sole de Douvres, mijotée doucement dans la crème du Devonshire.

Et le saumon fumé écossais provenant des rapides rivières glacées? Le *plum pouding*? La *hard sauce* remplie de brandy? Ce ne sont là que quelques exemples. Partout en Grande-Bretagne, de multiples restaurants, pubs et auberges vous régalent de la délicieuse et authentique cuisine anglaise.

Si vous désirez l'essayer lors d'un voyage en Angleterre, procurez-vous le livre de poche *A Taste of England* de Josy Argy et Wendy Riches, écrit en collaboration avec l'Office du tourisme de l'Angleterre. On vous y indique où trouver les mets traditionnels anglais, et on vous en donne même le mode de cuisson.

"Taste of England" est la devise de l'Office du tourisme anglais. Cette devise est affichée dans les endroits que l'Office désigne comme étant ceux qui présentent les véritables plats traditionnels apprêtés selon la tradition. Ma fille Monique et son mari, lors d'un voyage en Angleterre il y a quelques années, s'arrêtèrent à plusieurs de ces endroits; ils furent enchantés des repas. Alors, croyez-moi, il est facile de trouver de la bonne cuisine anglaise en Angleterre.

Canapés (Savories) et hors-d'oeuvre favoris

Il y a déjà très longtemps, j'avais vingt et un ans, j'ai passé une semaine à Londres au Savoy Hotel entre un séjour en France et mon retour au Canada. Je savais que cet hôtel avait été ouvert par le grand chef Escoffier qui avait laissé son empreinte dans la cuisine. À cette époque, Escoffier était au Carlton Hotel de Londres et une fois par semaine, il donnait une conférence sur les mets délicats de la cuisine anglaise. On n'y assistait que sur invitation spéciale, mais ma carte d'étudiante de l'université m'y donnait libre accès, et je me considérais privilégiée de pouvoir en profiter. Il parla des *savories* (canapés) qu'il avait créés ou rendus célèbres au Savoy.

Canapés au bacon

Préparer de 12 à 24 heures d'avance, couvrir et conserver au réfrigérateur jusqu'à la cuisson, au moment de servir.

Beurre au bacon

1/2 lb (250 g) de bacon coupé en dés
1/2 tasse (125 mL) de beurre
2 oignons verts hachés fin
1/4 de c. à café (1 mL) de sarriette ou de sauge
1/4 de tasse (60 mL) de persil frais haché

Cuire le bacon à feu moyen jusqu'à ce qu'il soit croquant et doré. Mettre en crème le beurre et les oignons verts jusqu'à ce qu'ils soient bien mélangés. Ajouter la sarriette ou la sauge et le persil et remuer jusqu'à ce que le beurre ait une teinte verte. Ajouter le bacon ainsi que son gras et mélanger de nouveau.

13

Enlever la croûte de toutes les tranches de pain dont vous avez l'intention de vous servir. Beurrer généreusement chaque tranche avec le beurre au bacon et faire des piles de 2.

Les couper en languettes ou en 4. Les poser sur une plaque de cuisson et réfrigérer. Au moment de servir, chauffer le four au préalable à 400°F (200°C) et cuire les carrés de pain au bacon pendant 20 à 25 minutes. Le dessus doit être doré et croustillant, le centre mou et savoureux.

Ce beurre est délicieux servi avec des pommes de terre au four.

Donne 1 tasse (250 mL) de beurre au bacon.

Canapés au fromage Cheshire

C'est une création d'Escoffier, à qui on demandait souvent le célèbre *Welsh Rarebit*. Il était très friand des pommes anglaises, particulièrement celles du comté de Kent, de même que de fromage Cheshire qui demeure l'un des mieux connus des fromages anglais. Pendant bien longtemps, je m'en suis procurée au "Old English Cheese Shop" à Montréal. C'est un fromage doux qui peut être rouge, blanc ou bleu. Escoffier mélangeait les couleurs pour produire un bel effet. Le cheddar remplace bien le Cheshire et, quant aux pommes, ce sont les McIntosh que je préfère.

2 c. à soupe (30 mL) de beurre doux
2 pommes McIntosh
1 c. à café (5 mL) de jus de citron frais
1 tasse (250 mL) de fromage cheddar râpé
Poivre frais moulu

Faire fondre le beurre dans une casserole en acier épais et de taille moyenne. Peler, épépiner et trancher les pommes. Les ajouter au beurre avec le jus de citron. Mijoter à feu moyen pour ramollir les pommes, mais ne les laissez pas dorer. Ajouter le fromage râpé et le poivre et remuer juste assez pour mélanger le tout et ramollir le fromage. Couvrir des petites rondelles de pain grillé avec ce mélange et les placer sur une plaque de cuisson. Couvrir et conserver dans un endroit frais jusqu'au moment de servir.

Pour servir, placer sous le gril à 3 po (7,5 cm) de la source de chaleur. Griller jusqu'à ce qu'elles soient dorées. (Faire bien attention, elles deviennent dorées très vite.)

Donne 6 portions.

Roulés au boeuf de Priddy

J'avais déjà fait plusieurs voyages en Angleterre avant de connaître le Somerset. Au retour d'un voyage romantique dans le Devon, nous avions choisi de prendre la route du Somerset. Tôt dans la soirée, alors que nous étions fatigués et affamés, l'enseigne d'un charmant pub, "The Miners Arms", attira notre attention. Nous venions d'atteindre Priddy qui était justement la destination que nous nous étions fixée. Entrés dans la "salle de réunion", ainsi nommée par le propriétaire, on me demanda si je désirais "une blonde, une forte ou une brune"? Un peu perplexe, par mesure de prudence, je répondis "une blonde". On m'apporta un immense bock de bière fraîche (j'en bois généralement une demi-tasse à la fois). On nous servit en même temps une assiettée de pain noir tranché mince, cuit à la vapeur et les délicieux roulés au boeuf. Le chef (dont, bien entendu, je fis la connaissance) était l'épouse du barman; elle me dit que les roulés sont meilleurs s'il sont préparés la veille. Il valent bien le coût de la viande et du pâté.

2 c. à soupe (30 mL) de beurre mou
1 c. à café (5 mL) de moutarde sèche
1 c. à café (5 mL) de sel
1/4 de c. à café (1 mL) de poivre
2 lb (1 kg) de filet de boeuf
1 tasse (250 mL) de pâté de foie ou de foie gras
Persil et ciboulette, ou oignons verts
(la partie verte seulement) hachés fin

Mettre en crème le beurre avec la moutarde, puis ajouter le sel et le poivre. Étendre sur la viande. Chauffer au préalable le four à 400°F (200°C). Mettre la viande sur une grille et rôtir 25 minutes, sans couvrir. Laisser refroidir 30 minutes sur la grille, puis

15

envelopper hermétiquement dans un papier d'aluminium. Conserver au réfrigérateur jusqu'au lendemain.

Le lendemain, trancher la viande aussi mince que possible. Vous aurez besoin d'un couteau bien affilé ou demandez à votre boucher de le faire avec son tranchoir, de la même façon qu'il procède pour trancher le bacon mince.

Mettre en purée le pâté jusqu'à consistance molle et étendre sur chaque tranche de viande. Rouler en serrant bien. Tremper chaque extrémité dans le persil et la ciboulette émincés que vous avez mélangés ensemble. Si nécessaire, fixer les roulés à l'aide de curedents. Mettre dans un récipient ou sur une assiette, les côtés joints en dessous. Couvrir et conserver au réfrigérateur jusqu'au moment de servir.

Donne de 10 à 14 canapés.

Crevettes en pot

Cette spécialité anglaise se prépare de bien des façons, mais je considère que la meilleure est celle du restaurant Ivy de Soho, de renommée mondiale, où les célébrités et les mets succulents se disputent la vedette. C'est un mélange de purée de crevettes et de crevettes entières qui se sert comme apéritif ou, en petite quantité, comme canapé.

1 tasse (250 mL) de beurre doux
1 gousse d'ail écrasée
1 lb (500 g) de petites crevettes cuites
1/4 de c. à café (1 mL) d'estragon ou de thym
1/2 c. à café (2 mL) de poivre
1/8 de c. à café (0,5 mL) de macis

Faire fondre 3/4 de tasse (190 mL) de beurre, puis ajouter l'ail et la moitié des crevettes. Chauffer complètement, mais brièvement, à feu doux; ne pas laisser mijoter. Ajouter les assaisonnements, et mettre en purée à l'aide d'un mélangeur ou d'un robot culinaire pendant 30 secondes, "arrêt et marche", ou avec une fourchette — peu importe la méthode que vous utilisez, un mélange crémeux doit être obtenu.

Chauffer le reste des crevettes dans le 1/4 de tasse (60 mL) de beurre qui reste et ajouter au mélange en purée. Remuer délicatement jusqu'à ce que le mélange commence à refroidir — c'est plus rapide si le bol est entouré de cubes de glace.

Tasser le mélange dans un pot de terre cuite ou des petits plats et couvrir avec un papier d'aluminium ou une pellicule de plastique. Conserver au réfrigérateur jusqu'au moment de servir; il se garde 3 à 4 jours. Quoiqu'il soit bon servi avec des toasts Melba ou des tranches minces de pain brun beurrées, au Ivy il est étendu sur des tranches minces de saumon fumé et saupoudré avec du poivre.

Donne 6 petits pots.

Délice londonien

Lors d'une promenade à Londres rue Germyn, à l'été 1972, je m'arrêtai pour contempler un magnifique étalage de poissons et de mollusques frais. Le marchand de poisson, devinant mon intérêt, sortit et m'enseigna cette façon succulente, et si facile, de cuire les pétoncles.

1 lb (500 g) de pétoncles
1/2 à 3/4 de lb (250 à 375 g) de flèche de lard
Chutney

Si possible, utiliser des pétoncles frais. Si vous utilisez ceux qui sont congelés, les faire décongeler et les sécher. Placer côte à côte dans le fond d'une rôtissoire, et mettre le bacon sur la grille posée au-dessus des pétoncles. Cuire au four à 450°F (230°C) jusqu'à ce que le bacon soit croquant et doré — environ 5 minutes.

Enlever la grille et le bacon, cuire les pétoncles pendant 4 minutes, puis les placer sur un plat de service chaud. Saler et poivrer au goût, les entourer avec le bacon et servir avec un bol de chutney. Un véritable délice servi avec un pain "Hovis" grillé ou un pain de blé entier.

Donne de 2 à 4 portions.

Viande en gelée (Brawn)

Durant un séjour en Angleterre en 1963, je décidai de me rendre dans le Devon et en Cornouailles. Dans le Devon, j'étais logée au Beacon Hill Hotel. Par une belle journée de printemps, nous décidâmes d'aller en pique-nique, ce qui, à notre avis, faisait très anglais. L'hôtel nous prépara le goûter dans un panier, et c'est dans les bois, environnés du parfum des violettes, que j'ai savouré pour la première fois cette viande froide en gelée appelée *brawn*. La saveur et la texture de cette gelée du Norfolk me plut à tel point que, dès ce moment, je me mis à collectionner des recettes de *brawn* des différentes régions d'Angleterre. Je ne les ai pas toutes dégustées dans cette même atmosphère de violettes sauvages, mais en fermant les yeux je pouvais chaque fois en rêver.

À l'époque édouardienne, ce mets était le plat principal des petits déjeuners dans les grandes maisons de la campagne anglaise, servis parfois sur la terrasse, ou avant ou après la chasse... *Norfolk Brawn, Lancashire Brawn, Oxford Brawn, Ayrshire Mold*, pour n'en nommer que quelques-uns.

On ne saurait dire pourquoi, mais cette viande en gelée semble avoir perdu de son attrait. Pour certains, elle ne représente qu'une accumulation de petits restes dans une gelée incolore, et l'on n'en fait plus. Néanmoins, une viande en gelée bien apprêtée est tout aussi délicieuse qu'un pâté, et aussi très économique.

La préparation en est facile; la viande est mijotée longuement, à feu doux, et ne demande pas à être remuée. C'est là le secret de la perfection de ces recettes. Quelques minces tranches de viande froide moulée, disposées sur un lit de laitue ou garnies de cresson, arrosées d'un peu de jus de citron, et voilà une jolie entrée rafraîchissante de repas estival. Les recettes suivantes se conserveront toutes de huit à quinze jours au réfrigérateur.

Viande en gelée d'Oxford

Le boeuf en gelée moulée est un art qui tend à disparaître, bien que ce soit l'un des meilleurs plats froids au boeuf. L'utilisation de consommé en boîte (ma façon) élimine le long procédé de préparation du bouillon en gelée.

1 tasse (250 mL) d'eau chaude
1 1/2 lb (750 g) de paleron de boeuf désossé
1 enveloppe de gélatine non aromatisée
1/3 de tasse (80 mL) de céleri haché
1 oignon moyen haché fin
1/4 de tasse (60 mL) de cornichons surs ou à l'aneth, hachés
1 boîte de 10 onces (284 mL) de consommé de boeuf
Piment rouge
Bouquet de persil
1/2 c. à café (2 mL) de sel
1 c. à café (5 mL) de raifort préparé
1 c. à café (5 mL) de câpres

Verser l'eau chaude sur le boeuf, couvrir et mijoter à feu doux jusqu'à ce que la viande soit tendre. (Ceci est important dans la recette. La viande doit cuire tranquillement, sans réduction de l'eau; ceci peut prendre de 1 heure à 1 heure et demie). Refroidir, puis enlever la viande et garder le bouillon. Placer la viande dans un robot culinaire, en utilisant le couteau de métal. Ou hacher avec un couteau affilé — ceci est la méthode anglaise et celle que je préfère. Vous devriez obtenir 2 tasses (500 mL) de viande hachée.

Saupoudrer la gélatine sur 1/4 de tasse (60 mL) du bouillon refroidi. Ajouter le céleri et l'oignon au bouillon qui reste, mijoter 10 minutes, puis passer au tamis. Garder le bouillon et ajouter le céleri, l'oignon et les cornichons surs ou à l'aneth à la viande hachée. Ajouter assez de bouillon au consommé non dilué pour en faire 2 tasses (500 mL). Chauffer, ajouter la gélatine et remuer jusqu'à ce qu'elle soit diluée. Verser une mince couche du mélange de gélatine dans un moule d'une pinte (1 L) ou dans un moule à pain de 9 x 5 po (22,5 x 12,5 cm) bien huilé et réfrigérer jusqu'à ce qu'il devienne ferme, 30 à 40 minutes. Décorer la gélatine prise avec des languettes de piments rouges et des têtes de persil.

Ajouter le reste du bouillon en gélatine, le sel, le raifort et les câpres au mélange de boeuf et, par cuillerées, mettre doucement ce mélange sur la gélatine prise. Conserver au réfrigérateur jusqu'à ce que le tout soit ferme et servir démoulé sur un plat de service, avec une salade verte ou des tranches de tomates.

Donne de 6 à 8 portions.

Viande en gelée du Norfolk

À Norwich, Angleterre, ils appellent ce plat "Rose et blanc" ou fromage de porc fumé. Quel qu'en soit le nom, servez-le froid avec la sauce à la moutarde pour viande en gelée. Un régal!

Un jambon "cottage" fumé de 3 lb (1,5 kg)
2 petites pattes de porc
8 tasses (2 L) d'eau froide
1 tranche épaisse de citron non pelé
1 c. à café (5 mL) de grains de poivre écrasés
1 c. à café (5 mL) de sauge
Sauce à la moutarde pour viande en gelée (voir ci-après)

Mettre le jambon "cottage", les pattes de porc et l'eau dans une casserole, amener à ébullition, puis écumer si nécessaire. Ajouter la tranche de citron, couvrir et mijoter à feu doux jusqu'à ce que la viande tombe des os, ce qui peut prendre de 2 à 3 heures.

Refroidir et égoutter, garder le bouillon. Enlever les os et laisser la viande en morceaux, puis tremper légèrement chaque morceau dans un mélange de poivre et de sauge (seul un saupoudrage est requis). Placer dans un moule de 2 pintes (2 L) ou dans des moules individuels, huilés.

Faire bouillir les os et le bouillon de nouveau, sans couvrir, à feu vif, pour réduire le liquide à 3 tasses (750 mL). Lorsque le tout est encore chaud, égoutter au-dessus de la viande, couvrir et réfrigérer pendant 8 à 10 heures.

Pour servir, démouler et garnir avec du cresson ou de la laitue et napper de sauce à la moutarde.

Sauce à la moutarde pour viande en gelée

2 c. à soupe (30 mL) de cassonade
3 c. à soupe (50 mL) de vinaigre de cidre ou de vin
1 c. à café (5 mL) de moutarde forte préparée (anglaise)
Une pincée de sel, une de poivre, et une de clous
*   de girofle moulus*
4 c. à soupe (60 mL) d'huile végétale

Battre ensemble tous les ingrédients pendant 2 minutes avec un batteur. Verser dans une saucière.

Rôtis, grillades et les meilleurs pâtés au boeuf et aux rognons: les plats de résistance

Sole Connaught

À Londres, l'hôtel Connaught, place Carlos, est mon "trois étoiles" préféré. Les boissons y sont toujours parfaites et la cuisine succulente... qu'il en soit toujours ainsi! Au printemps, une des spécialités est la sole (Dover fraîche, bien entendu) et les asperges.

1 lb (500 g) d'asperges fraîches
Sel
1/8 de c. à café (0,5 mL) de poivre
Zeste râpé d'un demi-citron
4 filets de sole
3 c. à soupe (50 mL) de beurre
2 c. à soupe (30 mL) de jus de citron
2 oignons verts émincés
1 c. à café (5 mL) de moutarde de Dijon

Nettoyer les asperges et les couper en longueurs de 2 à 3 po (5 à 7,5 cm). Laisser tomber dans de l'eau bouillante et bouillir rapidement, sans couvrir, pendant 5 minutes. Mélanger le sel, le poivre et le zeste de citron. Répartir également sur chaque filet de sole.

Placer quelques asperges à l'extrémité de chaque filet. Enrouler et fixer à l'aide de cure-dents ou de ficelle. Placer les roulés côte à côte dans une casserole beurrée généreusement.

Faire fondre le beurre, ajouter le reste des ingrédients et bien mélanger, puis verser sur le poisson. Cuire au four à 400°F (200°C) durant 10 à 15 minutes, en arrosant deux fois.

Servir avec des nouilles minces au beurre persillé.

Donne 4 portions.

Pâté au boeuf et aux rognons de l'Embassy Club

Cette recette me vient du chef de l'exclusif Embassy Club de Londres. Au déjeuner, ce pâté est servi froid, tranché mince. Le soir, en petits pâtés individuels, il est servi chaud comme entrée.

1 rognon de boeuf coupé en dés
1 lb (500 g) de boeuf à ragoût, coupé en dés
1 tasse (250 mL) de gras de rognon, coupé en dés
3 oignons hachés
3 tasses (750 mL) d'eau chaude
1 c. à café (5 mL) de sel
1/2 c. à café (2 mL) de poivre
1 c. à café (5 mL) de moutarde sèche
1/2 tasse (125 mL) de farine, brunie*
1/2 tasse (125 mL) d'eau froide

---

* Pour brunir la farine, simplement l'étendre sur une plaque de cuisson et chauffer doucement dans un four à 300°F (150°C) de la même façon que vous procéderiez pour faire des toasts Melba. Cuire jusqu'à ce que la farine soit légèrement brunie, en brassant quelques fois. Passer au tamis pour éliminer les grumeaux. (Pour la conserver, la garder dans un bocal de verre et placer dans un endroit frais.) La farine brunie peut aussi être achetée dans les magasins d'alimentation.

Faire fondre le gras du rognon jusqu'à ce qu'il soit croquant; aucun autre gras ne doit être utilisé. Ajouter peu à peu le rognon et le boeuf à ragoût, et rissoler à feu vif pendant 2 minutes après que toute la viande ait été ajoutée. Ajouter les oignons et continuer à brunir. Verser l'eau chaude et les assaisonnements sur la viande et les oignons et amener à ébullition. Couvrir et cuire à feu doux pendant 2 heures, ou jusqu'à ce que le rognon soit tendre. Lorsque le tout est cuit, épaissir le bouillon en ajoutant la farine brunie mélangée à l'eau froide.

Tapisser un plat à tarte en terre cuite avec la pâte à tarte à l'eau chaude (recette ci-après) et y verser le boeuf et le rognon en crème. Couvrir avec la pâte à tarte et cuire pendant 1 heure au four à 375°F (190°C).

Donne de 6 à 8 portions.

Pâte à tarte à l'eau chaude

1/4 de tasse (60 mL) d'eau
1/2 tasse (125 mL) de saindoux
2 tasses (500 mL) de farine tout-usage
1/2 c. à café (2 mL) de sel
1/2 c. à café (2 mL) de sarriette
1/4 de c. à café (1 mL) de sauge
1/2 c. à café (2 mL) de poudre à pâte

Amener l'eau à ébullition et ajouter le saindoux. Enlever du feu et remuer jusqu'à consistance crémeuse et lisse. Mélanger dans un bol le reste des ingrédients. Bien malaxer, former une boule, envelopper et réfrigérer pendant 1 heure. Abaisser sur une surface enfarinée et utiliser tel qu'indiqué.

Donne une croûte double pour 1 tarte.

Rosbif anglais et pommes de terre cuites autour du rôti

Les Anglais aiment leur cuisine simple, car il leur importe que la saveur des mets soit celle des aliments qui les constituent, et que seules les garnitures qui en rehaussent la saveur sans la déguiser soient utilisées.

N'est-ce pas l'Angleterre qui a donné au monde les meilleurs biftecks et rosbifs? La Grande-Bretagne demeure le pays du boeuf de qualité supérieure, même si les animaux de races anglaises Hereford, Shorthorn et Aberdeen Angus (mes préférés) se retrouvent dans les pâturages du monde entier. Les Anglais ont mis des siècles pour faire le choix du meilleur mode de cuisson de leurs viandes, des meilleures coupes et de la meilleure façon de préparer et de garnir leurs plats de viande traditionnels.

Il y a de nombreuses années, dans un pub du Sussex, André, un chef anglais au nom français, m'enseigna la cuisson d'un rôti de mon boeuf préféré, l'Aberdeen Angus. En Angleterre, ils recommandent pour la cuisson "sans surveillance", la méthode moyenne de rôtissage, qui donne un fini plus léger. Une façon parfaite pour tout rôti de choix.

Une pièce de boeuf à rôtir de 3 à 5 lb (2 à 4 kg)
de votre choix
Suif de boeuf de la grosseur d'un oeuf
Farine, sel et poivre
6 à 10 pommes de terre

Essuyer la viande avec un linge trempé dans un vinaigre de cidre ou de vin ou dans du scotch. Hacher finement le suif.

Frotter tout le rôti avec la farine, puis mettre la viande sur un trépied, le côté charnu vers le bas, et déposer dans une rôtissoire. Saler et poivrer au goût. Couvrir le dessus avec le suif haché. Laisser reposer 20 minutes avant de mettre le rôti dans un four chauffé au préalable à 400°F (200°C).

Peler les pommes de terre et les couper en deux dans le sens de la longueur. Les mettre dans une casserole et y verser l'eau bouillante. Faire bouillir 5 minutes à feu vif. Égoutter, en gardant l'eau. Y ajouter une poche de thé et garder pour faire la sauce. Placer les pommes de terre, le côté coupé vers le dessous, sous le trépied soutenant le rôti.

Après que le rôti fut au four 30 minutes, baisser la chaleur.

375°F (190°C) pour un rôti de 3 lb (1,4 kg); rôtir 15 minutes de plus.

325°F (160°C) pour un rôti de 4 lb (1,8 kg); rôtir 22 minutes de plus.

Pour un rôti de 5 lb (2,27 kg) — le même procédé qu'un rôti de 4 lb.

OU

Placer le rôti au centre d'un four chauffé au préalable à 375°F (190°C) et rôtir:

boeuf sur l'os: 15 minutes par lb

boeuf sans os: 20 minutes par lb

Peu importe la température que vous utilisiez, laisser reposer le rôti dans un endroit chaud durant 15 minutes avant de le servir. Faire la sauce avec l'eau des pommes de terre et le thé. Avant de dépecer, rouler les pommes de terre rôties dans une quantité généreuse de persil ou de ciboulette hachés fin et assurez-vous que la viande et les pommes de terre sont posées sur des plats de service et des assiettes très chauds.

Pouding Yorkshire de Simpson's-in-the-Strand

À dix-neuf ans, j'ai été très impressionnée par mon premier repas de bifteck à Simpson's-in-the-Strand accompagné d'un énorme carré de pouding Yorkshire. Le rôti, comme le pouding Yorkshire, est aujourd'hui encore tout aussi renommé. Une recette toute simple, mais différente des autres que je connaisse.

6 c. à soupe (90 mL) de farine
Une bonne pincée de sel
2 gros oeufs à la température ambiante
2 tasses (500 mL) de lait à la température ambiante
1 c. à café (5 mL) d'huile d'olive ou végétale
Graisse de rôti

Dans un bol de taille moyenne, mettre la farine et le sel et faire un creux au centre. Casser les oeufs dans le creux, puis ajouter graduellement le lait en battant constamment avec un fouet jusqu'à consistance épaisse et crémeuse. Ajouter l'huile d'olive ou végétale et *battre patiemment pendant 10 minutes* (oui, c'est long, mais c'est une nécessité pour réussir la perfection de Simpson's-in-the-Strand). *Couvrir et laisser reposer durant 1 heure.*

Au moment de cuire, battre pendant 2 minutes. Verser sur la graisse de rôti dans la même lèchefrite où vous avez cuit le rôti. (Elle grésillera lorsque elle y sera versée.) Cuire 20 minutes dans un four à 400°F (200°C).

Donne 6 portions.

Boeuf épicé

Ce boeuf est très anglais, mais aussi quelque peu écossais; il est délicieux chaud ou froid. Sa préparation prend neuf jours; le résultat en vaut bien le travail.

C'est une recette qu'on m'a souvent demandée et je suis heureuse de la présenter ici. Elle me vient de mon fidèle vieux boucher écossais qui m'a servie pendant vingt-trois ans; ses viandes étaient toujours impeccables. J'ai beaucoup appris de lui — entre autres, cette recette de boeuf épicé.

Une poitrine de boeuf roulée, maigre, de 5 lb (2,5 kg)
1 c. à soupe (15 mL) de baies de genièvre**
1 c. à café (5 mL) de macis et autant de poivre moulus
1/2 noix de muscade râpée
Une bonne pincée de poivre de Cayenne
1/2 tasse (125 mL) de cassonade
1/3 de tasse (80 mL) de gros sel
2 tasses (500 mL) de consommé de boeuf
1 petit oignon
2 carottes moyennes
2 feuilles de laurier
1 c. à café (5 mL) de thym
1 tige de céleri avec les feuilles
3/4 oz (21 g) de salpêtre*

Frotter toute la viande avec un peu de sel de table. Mettre dans une assiette et garder dans un endroit frais ou réfrigérer pour la nuit. Le lendemain, passer la viande vivement sous l'eau courante froide et bien essuyer.

Mélanger les baies de genièvre et les épices avec le sucre et faire pénétrer dans la viande. Remettre dans un endroit frais ou réfrigérer pendant 3 jours, en tournant la viande une fois. La quatrième journée, faire pénétrer le gros sel dans la viande et verser sur le dessus tout mélange de sucre qui aurait pu dégoutter — à ce moment, ce mélange aura la consistance d'un sirop. Remettre la viande dans un endroit frais ou au réfrigérateur et laisser 1 journée pour chaque livre (500 g) de viande, en la tournant une fois par jour.

Pour cuire, bien rincer la viande et, si nécessaire, l'attacher. Mettre la viande dans une grosse casserole et verser le consommé sur le dessus. Amener à ébullition, ajouter le reste des ingrédients, puis couvrir et mijoter à feu doux de 3 à 4 heures, ou jusqu'à ce que la viande soit tendre. Ajouter 2 tasses (500 mL) d'eau chaude après 2 heures de cuisson et tourner la viande à chaque heure. Servir chaude en tranches minces, avec des pommes de terre bouillies et des carottes.

Pour servir froid, mettre la viande dans une casserole creuse, y verser le bouillon cuit et réfrigérer 24 heures. Faire des tranches minces et servir avec des betteraves marinées et une salade de pommes de terre.

* Le salpêtre est facultatif. Il donne une teinte plus rouge à la viande, mais il la rend aussi plus sèche et grossière en texture.
** Voir note p. 169.

Foies de poulet du Devon

Dans bien des régions de l'Angleterre, le "Mothering Sunday" (le quatrième dimanche du carême) est encore observé. Au retour du pays de Galles, nous nous sommes arrêtés au Beacon Hill Hotel, dans le Devonshire. On y célébrait cette fête avec le souper traditionnel: une entrée de foies de poulet du Devon, un gigot d'agneau rôti à la broche avec sauce à la menthe fraîche, un pouding au suif, du chou marin et, bien entendu, le gâteau traditionnel, qui est un genre de gâteau aux fruits.

Les foies de poulet ei : ¿nt si bons qu'il fut décidé d'en faire une courte démonstration à la télé le lendemain. Et c'est donc depuis 1961 que je prépare les foies de poulet à la mode du Devon.

1 lb (500 g) de foies de volaille
3 c. à soupe (50 mL) de farine
1 c. à café (5 mL) de paprika
1/2 c. à café (2 mL) de sel et autant de poivre
1/3 de tasse (80 mL) de beurre ou de margarine
2 c. à soupe (30 mL) de cognac
1 gros oignon haché fin
4 pommes moyennes, épépinées et coupées en tranches
2 c. à soupe (30 mL) de cassonade

Nettoyer les foies de volaille et les couper en deux. Mélanger la farine, le paprika, le sel et le poivre et tourner les foies dans ce mélange jusqu'à ce qu'ils soient bien enrobés. Faire sauter les foies dans 4 c. à soupe (60 mL) de beurre à feu vif pendant 3 à 4 minutes, ou jusqu'à ce qu'ils soient dorés, en remuant constamment. Verser le cognac sur le dessus, remuer et mettre les foies dans une assiette chaude.

Ajouter l'oignon (mais pas de gras) dans la même lèchefrite et brasser à feu moyen jusqu'à ce qu'il soit doré. Ajouter aux foies.

Faire fondre le reste du beurre dans la lèchefrite; ajouter les pommes et la cassonade et brasser à feu moyen jusqu'à ce que les pommes commencent à ramollir, environ 5 minutes. Ajouter les foies et l'oignon, remuer pendant quelques secondes et goûter pour l'assaisonnement.

Donne de 4 à 5 portions.

Foie gras de poulet Mirabelle

Je ne puis séjourner à Londres sans prendre au moins un repas à l'élégant Mirabelle. Cette recette est une de mes entrées préférées au déjeuner. On l'accompagne d'un plat d'épaisses tranches de tomates arrosées de quelques cuillerées de brandy mélangé avec du curry et une pincée de sucre.

1 poitrine (entière) de poulet coupée en deux
3 c. à soupe (50 mL) de beurre
1 c. à café (5 mL) de sel
Poivre frais moulu
1/2 tasse (125 mL) de pâté de foie gras français
1/2 tasse (125 mL) de crème épaisse
1/2 tasse (125 mL) de persil ou de ciboulette, haché

Désosser et enlever la peau des poitrines et couper chacune en deux pour en faire 4 morceaux. Faire fondre le beurre jusqu'à ce qu'il soit brun noisette et faire sauter le poulet à feu moyen 20 minutes, ou jusqu'à ce qu'il soit tendre, en le tournant 3 à 4 fois. Saler et poivrer, enlever de la casserole et mettre les morceaux de poitrines côte à côte dans un plat de service.

Dans la casserole ajouter au beurre le pâté et la crème, et chauffer en brassant avec une cuillère en bois ou un fouet. Lorsque le tout est très chaud (ne pas bouillir), verser sur le poulet et refroidir.

Couvrir le plat avec un papier d'aluminium et réfrigérer jusqu'au moment de servir. Puis rouler chaque poitrine enrobée de sauce dans le persil frais ou la ciboulette fraîche et servir.

Donne 2 grosses portions ou 4 petites.

Grillade de saucisses du temps de guerre

Un mois après la fin de la Seconde Grande guerre, j'ai été invitée à me rendre en France pour un travail. Je m'embarquai sur le premier navire de passagers civils quittant le Canada à destination de l'Angleterre. Une véritable aventure! Je demeurai deux semaines à Londres avant de gagner la France. J'avais obtenu, par l'entremise de deux amies maintenant décédées, une chambre à l'élégant Dorchester Hotel. La pénurie d'aliments et le rationnement rendaient difficile la situation culinaire, même dans les meilleurs hôtels. Le premier matin, au petit déjeuner, on me proposa une grillade de saucisses, servie très chaude sur un magnifique plateau à dôme d'argent. Le couvercle soulevé, apparurent deux minces petites saucisses du temps de guerre, avec des pommes de terre en conserve et une demi-tranche de bacon; ce mets devint néanmoins si populaire qu'il est encore au menu à la table du petit déjeuner, mais avec des patates (douces) fraîchement cuites et les meilleures saucisses de porc.

1 lb (500 g) de saucisses de porc
1 boîte de patates (douces) bien égouttée
2 pommes non pelées. épépinées et en tranches de 1/4 po (0,5 cm)
2 c. à soupe (30 mL) de margarine fondue
1/2 c. à café (2 mL) de sel
1 c. à soupe (15 mL) de cassonade
6 à 8 chapeaux de champignons (facultatif)
4 tranches de bacon, tranchées en 2
Sel et poivre

Placer les saucisses dans un bol, verser de l'eau bouillante sur le dessus, puis laisser reposer pendant 2 minutes. Bien égoutter et les mettre sur une grille bien huilée d'une rôtissoire. Placer les patates et les pommes autour des saucisses. Badigeonner le tout avec un peu de margarine fondue, puis saupoudrer avec du sel et de la cassonade.

Griller, de 4 à 5 po (10 à 12,5 cm) de la source de chaleur, jusqu'à ce que les saucisses soient dorées sur un côté. Tourner le tout et badigeonner avec le reste de la margarine. Ajouter les champignons et le bacon, en huilant les chapeaux avec le gras de la rôtissoire. Saler et poivrer légèrement, puis griller jusqu'à ce que les saucisses soient dorées de l'autre côté.

Servir dans le style "Dorchester": placer chaque saucisse sur une tranche de pain grillé, taillée en languette, légèrement beurrée et saupoudrée avec un peu de poudre de curry. Entourer de patates, couronner avec le bacon et alterner les chapeaux de champignons et les tranches de pommes sur le bord de l'assiette. Le tout, évidemment, servi sur un plateau à dôme d'argent.

Donne 6 portions.

Old Compton Street Tomato Romance

Je crois que rien ne peut mieux rappeler le plaisir d'une journée, au cours d'un voyage, que le souvenir de la saveur ou de l'apparence d'un plat. Si, parfois, une certaine nostalgie m'envahit, je ferme les yeux et j'évoque avec un sourire "les bons moments". Cette salade de tomates, que je n'ai jamais vue ailleurs, m'a été servie dans une sombre petite boutique d'alimentation où étaient placées dans un coin deux tables et quatre chaises. L'arôme intéressant qui se dégageait de la boutique m'avait invitée à y entrer. C'est là que l'on m'a servie la délicieuse et renommée (je ne la connaissais pas encore) *Tomato Salata de Senor Ortega*. Une odeur d'épices, de poivre, etc., embaumait toute la boutique en plein coeur de Londres. Le chef prépara la salade et me fit choisir entre le basilic ou le romarin frais ("tout juste arrivés d'Italie", me dit-il) et l'ail pourpre ou blanc écrasé avec du gros sel, le tout préparé à ma table. Il devrait y avoir plus de Senor Ortega en ce monde!

4 tomates moyennes non pelées
3 c. à soupe (50 mL) de cognac
1/4 c. à café (1 mL) de poivre
Une pincée de sucre
1 c. à soupe (15 mL) d'huile d'olive
1 c. à café (5 mL) de vinaigre de vin
1 c. à soupe (15 mL) de basilic frais émincé ou
1/2 c. à café (2 mL) de romarin
1/2 c. à café (2 mL) de gros sel
1 gousse d'ail pelée

Couper les tomates en tranches et les placer dans un bol à salade. Verser le cognac dessus. Saupoudrer de poivre et de sucre. Couvrir et laisser reposer 1 heure. (Senor Ortega avait déjà fait cette partie de la salade.)

Mélanger l'huile, le vinaigre, le basilic ou le romarin et verser sur les tomates au moment de servir. Écraser l'ail et le gros sel à l'aide d'un mortier et d'un pilon, ou avec l'endos d'une cuillère en bois. Saupoudrer sur les tomates et servir.

Donne 4 portions.

Gelée au Porto

En Angleterre, cette gelée est de rigueur pour accompagner l'oie ou la dinde rôtie. Essayez-la pour remplacer les atocas.

1/2 tasse (125 mL) de sucre
1 tasse (250 mL) d'eau
Zeste râpé et le jus d'un citron
1 enveloppe de gélatine non aromatisée
1 tasse (250 mL) de vin de Porto

Amener le sucre, l'eau et le zeste de citron râpé à ébullition pendant 5 minutes et remuer jusqu'à ce que le sucre soit dissous. Dans l'intervalle, tremper la gélatine dans le jus de citron.

Verser le sirop bouillant dans le mélange de gélatine et remuer jusqu'à ce que la gélatine soit fondue. Laisser refroidir 20 minutes, puis ajouter le vin. Verser dans 3 bocaux à gelée ou dans un moule bien huilé, et réfrigérer jusqu'à ce que la gelée soit prise. Couvrir avec un papier d'aluminium jusqu'au moment de servir.

Donne 2 tasses (500 mL).

Douceurs pour l'heure du thé et autres gourmandises

Dans les années cinquante, la BOAC m'invita à faire un voyage à Londres pour apprendre l'art des pâtisseries anglaises. Je n'ai sans doute pas tout appris, mais on me conduisit d'abord chez Richard Hand de Londres, dont les brioches Chelsea sont renommées et j'ai profité de ses leçons. Les jolis noms de toutes leurs pâtisseries me fascinaient: *Banbury Tarts, Cornish Splits, Market Drayton Gingerbread, Bath Buns, Parkins, Chelsea Buns* et combien d'autres! On m'y donna d'abord deux minutes de leçon sur l'histoire des aliments.

"On a tendance à oublier les brioches et les gâteaux de la campagne anglaise, et pourtant on pourrait écrire un livre sur leur histoire et leurs traditions. Le pain d'épice, par exemple, était connu en Europe bien avant qu'il ne devienne un favori des Anglais au quinzième siècle. Mais, en Angleterre, des coutumes furent ajoutées et il fut connu sous une foule de noms: *Fairing, Parliamentary Gingerbread* ou *Parleys*; il y avait les *Gingerbread Husbands, Gingerbread Valentines, Devon's Widecombe Fair Gingerbread* et *Market Drayton Gingerbread.*

En Angleterre, il existe des douzaines de petits pains aux noms originaux: *sowens, farles* et *baps, Cornish splits, East Kent huffkins, manchets* et *shigs*, par exemple. De tous, les *muffins* anglais, les *crumpets* et les *Sally Lunn* ont été et sont toujours les plus populaires; ils sont connus dans le monde entier. Leur préparation facile ne demande que peu d'ingrédients, disponibles dans nos supermarchés. Les muffins anglais se font à la levure et ne contiennent pas de poudre à pâte comme les muffins nord-américains qui ne leur ressemblent guère d'ailleurs.

Les pains, comme les gens, ont certaines caractéristiques; les *crumpets* sont servis à l'heure du thé, le *Sally Lunn* est préféré pour accompagner les salades, et ainsi de suite.

Au début du siècle, la préparation du pain passa graduellement de la cuisine à la boulangerie; aujourd'hui, il existe un fort mouvement de retour à la cuisine. Je le comprends, car on ne peut trop souligner la satisfaction que l'on éprouve lorsqu'on réussit un pain ou des muffins.

Les Buns Chelsea de Richard Hand

Richard Hand Company de Londres est reconnue comme la fabrique originale des *Buns Chelsea*. C'est une entreprise familiale qui remonte à quatre générations. Elle est toujours située sur Pimlico Road. Tâchez de vous y rendre lors d'un prochain séjour à Londres. Le propriétaire me donna cette recette avec la permission de la présenter à la télévision de Radio-Canada. Nous reçûmes par la suite des centaines de demandes pour cette recette.

4 tasses (1 L) de farine tout-usage
1/2 c. à café (2 mL) de sel
3 c. à soupe (50 mL) de sucre

3 c. à soupe (50 mL) de beurre
2 c. à soupe (30 mL) d'eau tiède
1 enveloppe de levure sèche active
1 1/2 tasse (375 mL) de lait
4 oeufs
3 c. à soupe (50 mL) de beurre
3 c. à soupe (50 mL) de sucre
1/4 de c. à café (1 mL) de clous de girofle
1/2 c. à café (2 mL) de toute-épice
1 c. à café (5 mL) de cannelle
1/2 c. à café (2 mL) de coriandre (facultatif)
4 c. à soupe (60 mL) de raisins de Corinthe
Mélange pour badigeonner: 1 oeuf battu avec
1 c. à soupe (15 mL) d'eau froide

Mélanger les 4 premiers ingrédients avec vos doigts ou une fourchette, pour en faire un mélange farineux. Dans un autre bol, mélanger 1 c. à café (5 mL) de sucre dans de l'eau tiède, ajouter la levure et laisser reposer 10 minutes. Faire chauffer le lait puis le laisser refroidir jusqu'à ce qu'il soit tiède. Battre les 4 oeufs et mélanger avec le lait et la levure. Ajouter graduellement la farine, juste assez pour en faire une pâte lisse. Pétrir 5 minutes, couvrir et laisser lever dans un endroit chaud jusqu'à ce qu'elle double de volume.

Faire dégonfler la pâte et pétrir de 3 à 5 minutes. Abaisser la pâte pour en faire un carré pour de gros buns; pour en faire de plus petits, diviser la pâte en deux, abaisser chaque moitié pour en faire un carré et utiliser la moitié des quantités suivantes pour chaque carré.

Mettre en crème le beurre avec le sucre et étendre sur la pâte. Plier la pâte en deux et de nouveau abaisser pour en faire un carré. Mélanger les épices, saupoudrer sur la pâte, puis ajouter les raisins. Rouler la pâte bien serré et couper en tranche de 1 1/2 po (3,75 cm).

Mettre les tranches côte à côte sur une plaque de cuisson graissée et laisser reposer 30 minutes. Badigeonner avec le mélange d'oeuf battu, puis saupoudrer généreusement avec du sucre. Cuire dans un four à 375°F (190°C) de 20 à 30 minutes, ou jusqu'à ce que le dessus soit doré. Enlever de la plaque de cuisson et laisser refroidir sur une grille.

Donne 12 gros buns ou 24 petits.

Cornish Splits

Ce sont des brioches servies chaudes, ouvertes en deux et fourrées à la confiture et à la crème sure, à défaut de la riche et épaisse crème du Cornouailles.

1 c. à café (5 mL) de sucre
2 c. à soupe (30 mL) d'eau chaude
1 enveloppe de levure sèche active
1 tasse (250 mL) de lait
3 c. à soupe (50 mL) de beurre
3 à 4 tasses (750 mL à 1 L) de farine tout-usage
1 c. à café (5 mL) de sel

Remuer le sucre dans l'eau chaude, ajouter la levure et laisser reposer 10 minutes. Faire chauffer le lait avec le beurre et laisser refroidir jusqu'à ce que le tout soit tiède. Tamiser 3 tasses (750 mL) de farine avec le sel.

Mélanger la levure et le lait, puis ajouter graduellement la farine tamisée, bien battre. Ajouter lentement plus de farine jusqu'à ce que la pâte soit molle. Pétrir 5 minutes, ou jusqu'à ce que la pâte soit lisse, couvrir et laisser lever dans un endroit chaud jusqu'à ce qu'elle double de volume.

Faire dégonfler la pâte, pétrir délicatement et abaisser jusqu'à 1/2 po (1,25 cm) d'épaisseur. Tailler avec un emporte-pièce rond et mettre les rondelles sur une plaque de cuisson, couvrir et laisser reposer 30 minutes.

Cuire dans un four à 400°F (200°C) de 15 à 20 minutes, puis couper en deux, garnir et servir encore chaudes.

Donne de 12 à 16 brioches.

Buns Chelsea de Maria Floris

C'est en 1968 que j'ai eu le très grand plaisir de faire la connaissance de Maria Floris. Hongroise de naissance, elle s'était établie en Angleterre et elle était rapidement devenue propriétaire et directrice d'une pâtisserie de renom. J'ai toujours admiré sa joie de vivre, ses critères professionnels et son amour du travail. Elle faisait d'excellents *Buns Chelsea*. Voici sa recette, différente de celle de Richard Hand, car elle ne contient pas d'épices et sa texture est plus délicate. À Pâques, ces *buns* sont très populaires et on les voit à l'étalage sur des plateaux d'argent entourés de fleurs printanières.

1/4 de tasse (60 mL) de lait
1/2 tasse (125 mL) de margarine
1 enveloppe de levure sèche active
1/4 de tasse (60 mL) d'eau tiède
1 c. à café (5 mL) de sucre
2 à 3 tasses (500 à 750 mL) de farine tout-usage
1/2 c. à café (2 mL) de sel
1/2 tasse (125 mL) de sucre
1 oeuf légèrement battu
Le jus et le zeste râpé d'un citron
1 tasse (250 mL) de sucre en poudre tamisé
2 c. à café (10 mL) de jus de citron frais
2 c. à café (10 mL) d'eau

Faire chauffer le lait, retirer du feu, puis ajouter la margarine et laisser refroidir. Dans un petit bol, mélanger la levure, l'eau et 1 c. à café (5 mL) de sucre et laisser reposer 10 minutes.

Dans un grand bol, mélanger 2 tasses (500 mL) de farine avec le sel et la 1/2 tasse (125 mL) de sucre. Ajouter le lait tiède, le mélange de levure bien brassé, l'oeuf et le jus et le zeste râpé du citron. Bien battre et ajouter assez de la farine qui reste pour en faire une pâte molle.

Renverser la pâte sur une surface enfarinée et pétrir environ 10 minutes, jusqu'à ce que la pâte soit lisse et élastique. Mettre dans un bol graissé, couvrir et laisser lever dans un endroit chaud jusqu'à ce qu'elle double du volume, environ 1 heure et demie.

Brasser pour dégonfler la pâte, pincer des morceaux et les façonner en petits pains de 1 1/2 po (3,75 cm) de diamètre. Les placer, espacés de 2 po (5 cm) sur une plaque de cuisson graissée et laisser lever environ 30 minutes, jusqu'à ce qu'ils doublent de volume. Puis les faire cuire dans un four chauffé au préalable à 400°F (200°C) de 10 à 12 minutes ou jusqu'à ce qu'ils soient légèrement dorés; les poser immédiatement sur une grille pour refroidir.

Mélanger le reste des ingrédients pour faire une glace au citron et, en gouttelettes, arroser environ 1 c. à soupe (15 mL) de ce mélange sur chaque bun. Servir chauds.

Donne 1 douzaine et demie de buns.

Bath Buns

Lors d'une visite à la biscuiterie renommée Frott's of Bath, qui se pique d'avoir fait les premiers *Bath Buns*, on m'en offrit à l'heure du thé, sortant tout chauds et odorants des grands fours. Le thé était un thé chinois rare et les brioches présentées dans un attrayant bol de terre cuite étaient servies avec cette épaisse et délicieuse crème du Devon pour remplacer le beurre. Un tel régal ne s'oublie pas.

1 c. à café (5 mL) de sucre
2 c. à soupe (30 mL) d'eau chaude
1 enveloppe de levure sèche active
1 tasse (250 mL) de lait
1/2 tasse (125 mL) de beurre mou ou de margarine
4 c. à soupe (60 mL) de sucre
3 oeufs battus
3 à 4 tasses (750 mL à 1 L) de farine tout-usage
1/2 c. à café (2 mL) de sel
1 c. à soupe (15 mL) de zeste d'orange et autant de citron confit
1 oeuf battu avec 2 c. à soupe (30 mL) d'eau

Remuer le sucre dans l'eau chaude, ajouter la levure et laisser reposer 10 minutes. Faire chauffer le lait et laisser tiédir. Mettre en crème le beurre avec le sucre puis y incorporer les oeufs battus. Tamiser 3 tasses (750 mL) de farine avec le sel.

Brasser la levure avec le lait tiède et les ajouter au mélange d'oeufs avec les fruits confits. Ajouter graduellement la farine tamisée jusqu'à ce que la pâte soit molle. Pétrir jusqu'à ce que la pâte soit satinée et lisse, puis couvrir et laisser lever dans un endroit chaud jusqu'à ce qu'elle double de volume.

Façonner la pâte en petits pains et mettre sur une plaque de cuisson graissée. Badigeonner avec le mélange d'oeuf et saupoudrer le dessus avec du gros sucre ou 2 petits morceaux de fruit confit sur chacun. Couvrir et laisser lever dans un endroit chaud de 30 à 40 minutes. Cuire dans un four à 375°F (190°C) de 20 à 25 minutes et refroidir sur une grille.

Donne de 12 à 14 buns.

Muffins anglais

Un muffin anglais doit toujours être ouvert pour être grillé. Il est difficile, chez-soi, de réussir à faire des muffins semblables à ceux du commerce, tous identiques de forme et de dimension. Ceux-ci seront peut-être irréguliers, mais tellement bons! À Londres, vous pouvez toujours vous en régaler à l'heure du thé chez Fortnum and Mason.

1 enveloppe de levure sèche active
1/2 tasse (125 mL) d'eau chaude
1 c. à café (5 mL) de sucre
1 tasse (250 mL) d'eau chaude du robinet
3 c. à soupe (50 mL) de beurre à la température ambiante
1 c. à soupe (15 mL) de sucre
1 c. à café (5 mL) de sel
1/2 tasse (125 mL) de lait écrémé en poudre instantané
4 à 5 1/2 tasses (1 L à 1,4 L) de farine tout-usage
1 oeuf
Farine de maïs

Dans une tasse, mélanger les 3 premiers ingrédients. Laisser reposer 10 minutes. Bien mélanger les 5 ingrédients suivants avec 3 tasses (750 mL) de la farine dans un grand bol; puis ajouter le mélange de levure. Battre à vitesse moyenne, avec un batteur électrique, pendant 2 minutes (3 minutes à la main). Tout en battant, ajouter l'oeuf et bien mélanger.

Commencer à ajouter le reste de la farine, 1/4 de tasse (60 mL) à la fois, jusqu'à ce que la pâte soit une masse rugueuse qui s'enlève des côtés du bol. Étendre, au moins, 1/2 tasse (125 mL) de farine pour enfariner la surface de travail. Renverser la pâte sur cette surface et pétrir à la main durant 5 à 8 minutes. (Si votre batteur est muni d'un crochet à pâte, battre durant 6 minutes.)

Puis placer la pâte dans un bol huilé. Couvrir avec une pellicule plastique ou un linge et laisser lever, environ 1 heure, dans un endroit chaud jusqu'à ce qu'elle double de volume.

Puis faire dégonfler la pâte et pétrir, dans le bol, pendant 30 secondes; laisser la pâte reposer 10 minutes. Saupoudrer la surface de travail avec la farine de maïs — quelques cuillerées suffiront. Renverser la pâte sur cette surface et abaisser à 1/4 po (0,625 cm) d'épaisseur. Si la pâte résiste au rouleau et s'étend difficilement, laisser reposer 2 minutes, puis recommencer à abaisser. Finalement, tailler en rondelles de 3 po (8 cm). Saupoudrer les rondelles de chaque côté avec de la farine de maïs et les mettre sur la table côte à côte. Couvrir avec un linge et laisser reposer, environ 15 à 20 minutes, jusqu'à ce qu'elles aient environ 1/2 po (1,25 cm) d'épaisseur.

Pour cuire: Faire chauffer une plaque à crêpe ou un poêlon en fonte. (Le poêlon est prêt lorsqu'un morceau de papier journal placé au centre devient brun.) Avec une spatule, placer délicatement les muffins sur la plaque en laissant de l'espace entre chacun. Cuire chaque côté pendant 2 minutes, en tournant avec la spatule. Réduire à feu très doux, et cuire chaque côté de 5 à 6 minutes de plus. S'ils commencent à brûler, baisser la chaleur. Avec une cuisinière électrique, il est suggéré d'enlever le poêlon de la source de chaleur pendant 1 minute, après avoir cuit les muffins pendant 2 minutes de chaque côté. Calculer le temps de cuisson comme si le poêlon était encore sur la chaleur.

Refroidir sur une grille métallique. Pour griller, les ouvrir en deux avec une fourchette ou avec vos doigts. Les muffins se conservent de 3 à 4 mois au congélateur.

Donne 24 muffins.

Les Crumpets anglais à l'ancienne

C'est une fermière, très amusante, qui m'a donné cette recette, Mme Coggan du Berkshire. Elle me recommanda de ne pas oublier que c'est la pomme de terre qui fait toute la différence, et que l'on n'a pas trop de toute une vie pour apprendre à faire des *crumpets* à la perfection. J'essaie toujours et je crois que mes *crumpets* sont assez bons!

> *1 pomme de terre pelée*
> *2 tasses (500 mL) d'eau*
> *1 enveloppe de levure sèche active*
> *1 c. à café (5 mL) de sel*
> *2 tasses (500 mL) de farine tout-usage*

Trancher la pomme de terre et la faire bouillir dans l'eau jusqu'à ce qu'elle soit molle. Égoutter, en gardant l'eau; mettre la pomme de terre en purée et la laisser refroidir jusqu'à ce qu'elle soit tiède. Ajouter la levure et laisser reposer jusqu'à ce que le tout soit en bulles (environ 30 minutes) et y brasser l'eau réservée, le sel et la farine. Battre la pâte au moins 4 minutes et laisser lever dans un endroit chaud (environ 30 minutes). Battre 3 minutes et laisser lever. Répéter ce procédé 2 autres fois — ceci crée la texture poreuse des crumpets.

Pour faire cuire, graisser environ vingt cercles de crumpets de 3 1/2 po (9 cm) (utiliser des petites boîtes en métal qui ont été ouvertes aux deux extrémités et bien nettoyées ou acheter des cercles de flan au rayon des articles de cuisine — ils coûtent chers mais durent longtemps). Placer les cercles sur une plaque à crêpes graissée ou un grand poêlon en fonte. Verser la pâte dans les cercles jusqu'à 1/3 de pouce (1 cm) de profondeur. Faire cuire à feu moyen-doux environ 20 minutes, ou jusqu'à ce que les crumpets soient pleins de trous et plutôt secs sur le dessus. Ne pas les retourner — ils cuiront complètement et devront rester plats en dessous et légèrement arrondis sur le dessus.

Donne de 18 à 20 crumpets.

Les Crumpets

Au cours de l'été 1959, je voyageais dans la campagne anglaise avec une équipe de Radio-Canada pour y filmer la vie champêtre. Mon rôle, bien entendu, se rapportait à la cuisine. Un jour, nous avons pris le thé dans une charmante auberge anglaise du Surrey. Les crumpets, cuits dans l'âtre sur une plaque de pierre supportée par des anneaux de pierre sculptés, nous furent servis avec du beurre battu et un petit pot de confiture-maison de cassis. La propriétaire de l'auberge, qui les avait faits, m'en donna la recette. La plaque de pierre et la farine anglaise contribuent à leur perfection, mais à défaut de cela, ils sont quand même pour moi les meilleurs *crumpets*.

1 c. à café (5 mL) de sucre
1/4 de tasse (60 mL) d'eau tiède
1 enveloppe de levure sèche active
2 1/2 tasses (625 mL) de lait tiède
3 tasses (750 mL) de farine tout-usage
1/2 tasse (125 mL) de flocons de son
1/4 de tasse (60 mL) de germe de blé
1/2 c. à café (2 mL) chacune de sel et de soda
1 tasse (250 mL) d'eau tiède

Dissoudre le sucre dans l'eau tiède, ajouter la levure. Bien mélanger et laisser reposer 10 minutes. Brasser et ajouter le lait tiède.

Dans un grand bol, mélanger la farine et le mélange de levure. Ajouter les flocons de son et le germe de blé et battre jusqu'à ce que le tout soit bien mélangé. Couvrir et laisser lever dans un endroit chaud jusqu'à ce que la pâte soit pleine de bulles. Bien battre, couvrir et laisser lever de nouveau jusqu'à ce que la pâte soit pleine de bulles à nouveau. Répéter ce procédé une troisième fois. (Ceci est le secret d'un crumpet aéré et léger.)

Mélanger le sel, le soda et l'eau tiède. Ajouter le tout au mélange spongieux et bien battre. Couvrir et mettre dans un endroit chaud pendant 20 à 25 minutes.

Graisser des disques ou des cercles de crumpet (les couvercles de conserve peuvent être utilisés). Placer sur une plaque à crêpe chauffée à feu moyen-vif ou, si vous n'avez pas de plaque, dans un poêlon en fonte. Verser assez de pâte pour couvrir complètement le fond du cercle, mais juste assez pour le remplir à moitié. Cuire à feu moyen jusqu'à ce que le dessus soit pris et plein de bulles — ceci devrait prendre environ 10 minutes. Enlever les cercles, retourner les crumpets et les cuire légèrement de l'autre côté.

Note: La chaleur de la plaque à crêpe ou du poêlon en fonte est très importante pour permettre aux crumpets de dorer correctement de chaque côté tout en restant légers. En vérifier un ou deux lorsque vous les faites cuire pour la première fois.

Pain d'épice Market Drayton

Coupé en biscuits ou taillé en formes variées, ce pain d'épice est à son meilleur quand il est recouvert de glaçage. Autrefois, on cuisait des pavés de pain d'épice en disposant sur le dessus des clous de girofle en forme de fleur de lis; la tête de ces clous était trempée dans de l'or liquide. Il en fut ainsi jusqu'au dix-neuvième siècle. Encore de nos jours, à la période de Noël, on les trouve au marché Drayton du Devon et à travers l'Angleterre, couverts d'une mince couche d'or qui est comestible. Je suis certaine que cette pratique doit être originaire de Perse ou d'autres pays asiatiques. Elle est encore en usage de bien des manières au Maroc.

2 tasses (500 mL) de farine tout-usage tamisée
2 c. à café (10 mL) de gingembre moulu
1 tasse (250 mL) de cassonade foncée
1/2 tasse (125 mL) de beurre mou ou de margarine
1 c. à café (5 mL) de soda
1 c. à soupe (15 mL) de lait
1 oeuf
2 c. à soupe (30 mL) de miel

Dans un bol, mélanger la farine, le gingembre et la cassonade et y couper le beurre ou la margarine jusqu'à l'obtention d'une consistance farineuse. Dissoudre le soda dans le lait, y incorporer, en fouettant, l'oeuf et le miel. Ajouter au mélange farineux et mélanger avec les mains qui ont été trempées dans la farine (la pâte sera ferme).

Abaisser, puis tailler en rondelle de 1/2 po (1,25 cm) d'épaisseur. Faire cuire de 18 à 20 minutes au four à 350°F (180°C). Laisser tiédir sur la plaque de cuisson, puis les poser sur une grille pour refroidir.

Donne de 18 à 24 biscuits.

Gâteau aux pommes de Grassmere

La région des lacs est renommée, non seulement pour ses magnifiques panoramas, mais aussi pour le pain d'épice Westmorland et les excellents gâteaux Grassmere; les pains d'épice sont parfumés d'un mélange de zestes d'orange et de citron, en plus d'une bonne quantité de gingembre frais râpé. Essayez ce mélange dans votre recette préférée.

4 tasses (1 L) de farine tout-usage
1/2 c. à café (2 mL) de sel
1 c. à café (5 mL) de poudre à pâte
1/2 tasse (125 mL) de sucre
3/4 lb (375 mL) de beurre ou de margarine
2 oeufs battus
6 à 9 pommes
3/4 de tasse (190 mL) de sucre
1/2 c. à café (2 mL) de cardamome moulue et autant
*   de cannelle ou 1 c. à café (5 mL) de cannelle*
1 tasse (250 mL) de sucre à glacer, tamisé
Jus d'un demi-citron

Graisser un moule de 9 x 13 po (22,5 x 32,5 cm). Tamiser deux fois la farine avec le sel et la poudre à pâte. Ajouter la 1/2 tasse (125 mL) de sucre, y couper le beurre ou la margarine avec 2 couteaux ou avec un couteau à pâtisserie jusqu'à consistance farineuse. Ajouter les oeufs battus et mélanger avec les doigts. Diviser la pâte en deux et en abaisser la moitié dans le fond du moule.

43

Râper les pommes non pelées et les étendre sur la pâte dans le moule.

Mélanger 3/4 de tasse (190 mL) de sucre et les épices choisies. Saupoudrer sur les pommes, abaisser délicatement l'autre morceau de pâte. (Il ne faut pas l'abaisser autant que la pâte du fond car la texture serait trop lourde.)

Faire cuire 55 minutes au four à 325°F (160°C). Laisser refroidir dans le moule sur une grille à gâteau, puis glacer le dessus avec le sucre à glacer mélangé avec assez de jus de citron pour obtenir une consistance qui permet de l'étendre. Pour servir, couper en carrés.

Donne de 10 à 15 portions.

Tartelettes royales au mincemeat de l'hôtel Connaught

Mangez douze tartelettes au *mincemeat* entre Noël et le Jour de l'An si vous désirez que douze mois chanceux se succèdent, d'après un vieux dicton anglais. À moins que vous ne teniez compte des calories, il n'est pas du tout désagréable de les manger chaudes ou froides — elles sont toujours savoureuses.

À l'heure du thé, au Connaught, elles sont servies en miniatures — chacune est une délicieuse bouchée.

Pâte à tarte de votre choix
4 c. à soupe (60 mL) de beurre fondu
1/3 de tasse (80 mL) de sucre
4 jaunes d'oeuf
Zeste râpé et jus d'un citron
2 tasses (500 mL) de mincemeat *préparé*
4 blancs d'oeuf
1/3 de tasse (80 mL) de sucre

Abaisser la pâte à tarte, très mince, et couper 12 cercles, chacun étant assez large pour tapisser des moules à petits gâteaux de 2 po (5 cm).

Mélanger les 5 ingrédients suivants. Remplir les tartelettes aux 3/4, mais ne pas les couvrir. Les faire cuire à 350°F (180°C) de 25 à 30 minutes.

Pour faire une meringue, battre les blancs d'oeufs jusqu'à ce qu'ils soient fermes, en ajoutant graduellement le sucre et bien battre après chaque addition. Lorsque les tartelettes sont cuites, les retirer du four et les couronner avec un peu de meringue. Les remettre au four de 5 à 10 minutes, ou jusqu'à ce que la meringue soit dorée.

N'utilisez pas de meringue si vous désirez conserver les tartelettes (de 6 à 8 jours). Envelopper individuellement et conserver dans un endroit frais.

Donne 12 tartelettes.

Treacle Tart

Cette spécialité du Norfolk est conforme à la recette originale faite avec le sirop doré et le *treacle* noir anglais. Cette version ne contient pas de chapelure et se congèle très bien.

Pâte à tarte de votre choix
1 tasse (250 mL) de sirop doré importé*
2 c. à soupe (30 mL) de treacle*
2 c. à soupe (30 mL) de beurre
Zeste râpé d'un demi-citron
2 oeufs bien battus avec 3 c. à soupe (50 mL) de crème

Tapisser un plat à tarte de 8 po (20 cm) avec la pâte à tarte, la faire cuire et laisser refroidir.

Faire chauffer le sirop, puis ajouter le treacle . Retirer du feu, ajouter le beurre et le zeste râpé de citron et brasser jusqu'à ce que le beurre soit fondu. Bien y brasser le mélange des oeufs et de la crème. Verser dans la croûte refroidie et faire cuire dans un four à 350°F (180°C) jusqu'à ce que la crème soit prise, environ 15 à 20 minutes. Laisser refroidir, puis couronner de crème fouettée ou de noix de Grenoble hachées.

Donne de 4 à 6 portions.

* Le sirop doré et le treacle peuvent être remplacés par 1 1/4 tasse (320 mL) de mélasse pour un goût légèrement différent.

Gâteau aux fruits du Yorkshire

Du *porter* (bière brune forte; *stout*) dans le gâteau lui donne une couleur et une saveur distinctes. Il peut être remplacé par du lait ou toute autre bière, mais le gâteau perd alors son caractère du Yorkshire.

4 tasses (1 L) de farine
1/4 de c. à café (1 mL) de muscade et autant de sel
1/2 c. à café (2 mL) de cannelle et autant de clous de girofle
1 tasse (250 mL) de beurre mou
2 tasses (500 mL) de cassonade
1 tasse (250 mL) de raisins de Corinthe
1 tasse (250 mL) de raisins secs
1/2 tasse (125 mL) de raisins secs de Smyrne
1/2 tasse (125 mL) de fruits confits
1/2 tasse (125 mL) de noix de Grenoble ou d'amandes
4 oeufs, bien battus
1 c. à café (5 mL) de soda
1 c. à café (5 mL) de cerises glacées entières
1 tasse (250 mL) de porter

Tamiser ensemble 3 fois la farine, la muscade, le sel, la cannelle et le clou de girofle. Réserver 1/2 tasse (125 mL).

Mettre en crème le beurre et la cassonade jusqu'à consistance légère et très crémeuse. Ajouter graduellement le mélange de farine, en battant bien après chaque addition.

Placer dans un bol les raisins de Corinthe, les raisins secs, les raisins de Smyrne; les fruits confits, les amandes ou les noix de Grenoble; mélanger avec la farine réservée. Ajouter graduellement au mélange de farine, en battant entre chaque addition.

Ajouter aux oeufs battus le soda mélangé avec 1 c. à café (5 mL) de lait. Bien mélanger et verser sur le mélange de fruits. Ajouter les cerises et bien brasser le tout. Ajouter le porter et brasser de nouveau.

Verser la pâte dans 1 grand moule (ou dans 2 ou 3 moules plus petits) bien enduit de graisse végétale. (N'utilisez pas de beurre.)

Cuire dans un four chauffé au préalable à 250°F (120°C), 1 heure pour chaque livre de pâte. Vérifier la cuisson avec une paille.

Laisser refroidir dans le moule, puis mettre sur une grille à gâteau avant de démouler.

Pour préparer et servir ce gâteau selon la façon véritable du Yorkshire, envelopper le gâteau refroidi dans un linge trempé de porter. 12 à 24 heures avant de le servir, couper le gâteau en 4 étages avec un long couteau aiguisé. Étendre le *mincemeat* sans suif sur chaque étage. Remonter le gâteau et couronner le dessus avec une couche épaisse de pâte d'amande. Ne faire ceci qu'au moment de servir le gâteau ou 2 ou 3 jours auparavant.

Rhubarbe moulée du Devonshire

Il semble que toutes mes recettes de rhubarbe préférées proviennent de l'Angleterre. J'ai savouré celle-ci pour la première fois au milieu d'amis dans un jardin de roses dans l'Essex. La gelée rose, dans des coupes de cristal brillant au soleil, était entourée de délicates petites roses.

4 tasses (1 L) de rhubarbe en morceaux de 1/2 po (1,25 cm)
1 enveloppe de gélatine non aromatisée
1/2 tasse (125 mL) de sucre
Zeste râpé d'une orange

Faire mijoter la rhubarbe avec 3 c. à soupe (50 mL) d'eau dans une casserole couverte, pendant 8 à 10 minutes, ou jusqu'à ce que la rhubarbe soit tendre. Égoutter en réservant le jus, puis mélanger le reste des ingrédients et les ajouter au jus. Brasser, à feu doux, jusqu'à ce que le sucre soit dissous, puis ajouter la rhubarbe et bien remuer. Verser dans un moule d'une pinte (1 L) bien graissé et réfrigérer jusqu'à ce que le tout soit pris. Si vous désirez, servir avec un bol de sucre au romarin (recette ci-dessous).

Donne 4 portions.

Sucre au romarin

2 tasses (500 mL) de sucre
4 c. à soupe (60 mL) de romarin séché

Dans un mortier, à l'aide d'une cuillère de bois, mélanger le sucre et le romarin jusqu'à ce que celui-ci soit écrasé et bien incorporé au sucre.

Mettre dans un bocal de verre et fermer hermétiquement pendant 24 heures, en remuant 2 ou 3 fois pendant cette durée. La faible saveur de romarin est un délice avec n'importe quel plat à la rhubarbe.

Tarte à la rhubarbe pré-victorienne

Mme Emily Birkett, propriétaire d'un charmant pub anglais dans le Cumberland, se spécialise dans la recherche de recettes authentiques de la cuisine anglaise d'autrefois. Elle m'a offert cette recette magnifiquement écrite à la main. Pour le déjeuner, à son pub, elle servait un délicieux pâté de lièvre, avec des petits pains cuits sur une pierre chaude dans l'âtre, et apportés à table sur une planche de bois avec un gros bocal de cornichons variés.

Pâte à tarte pour une croûte double
1/2 tasse (125 mL) de farine d'avoine
1 c. à soupe (15 mL) de treacle *ou de mélasse*
6 à 8 tiges de rhubarbe en morceaux de 2 po (5 cm)
1/2 tasse (125 mL) de muscats ou de raisins secs sans pépins
1/2 tasse (125 mL) de sucre
Zeste râpé d'une lime ou d'un citron
Crème ou lait

Tapisser de pâte le fond d'une assiette à tarte de 8 po (20 cm), saupoudrer la farine d'avoine et verser le treacle ou la mélasse. Mélanger la rhubarbe, les raisins, le sucre et le zeste râpé et verser sur la farine d'avoine.

Recouvrir de pâte et badigeonner avec de la crème ou du lait. Faire cuire au four à 400°F (200°C) de 30 à 40 minutes, ou jusqu'à ce que le dessus soit bien doré.

Donne 6 portions.

Fabuleux plum pudding du Connaught

Cette recette me vient du chef pâtissier de l'hôtel Connaught de Londres. Il me l'a donnée lors d'un mémorable dîner de Noël, dans les années soixante. Ce pouding est rempli de fruits, mais sans farine, ce qui le rend léger et parfait. Il fut flambé de façon très spectaculaire avec le meilleur whisky. Le pouding chaud était posé au milieu d'une couronne de houx frais sur un plateau d'argent et surmonté d'un couvercle à dôme. Le grand dôme d'argent fut soulevé, et il suffit d'une petite alumette pour obtenir un éclatant spectacle. Tâchez vous aussi de le flamber avec du whisky.

1/2 tasse (125 mL) de pommes non pelées et râpées
1/2 tasse (125 mL) de suif de boeuf haché
1/4 de tasse (60 mL) de noix de Grenoble hachées
2 c. à soupe (30 mL) de zeste d'orange confit en dés
2 c. à soupe (30 mL) de zeste de citron confit en dés
2/3 de tasse (160 mL) de fruits confits
1 1/2 tasse (375 mL) de raisins secs sans pépins
1 tasse (250 mL) de raisins de Corinthe
1 c. à soupe (15 mL) de cannelle
1 1/2 c. à café (7 mL) de gingembre
1/4 de c. à café (1 mL) de muscade
1/2 c. à café (2 mL) de toute-épice
1/4 de c. à café (1 mL) de sel
1 tasse (250 mL) de sucre
1/3 de tasse (80 mL) de confiture d'abricots
2 tasses (500 mL) de chapelure
4 oeufs
2 c. à soupe (30 mL) de lait
1/3 de tasse (80 mL) de cognac ou de rhum
1/3 de tasse (80 mL) de vin blanc ou de jus d'orange

Dans un grand bol, combiner tous les ingrédients, sauf les 4 derniers, et bien mélanger. Battre les oeufs, puis les ajouter au reste des ingrédients. Ajouter au mélange de fruits et bien mélanger avec vos mains — une cuillère ne peut pas bien mélanger cette masse épaisse.

Huiler et saupoudrer de sucre un moule d'une pinte (1 L) ou deux moules d'une chopine (500 mL) chacun. Remplir aux 2/3, couvrir hermétiquement et faire cuire à la vapeur — la pinte (1 L) pendant 5 heures et demie, les chopines (500 mL) pendant 4 heures.

Donne de 8 à 10 portions.

Le pays de Galles

Je me souviendrai toujours d'une folle et charmante expérience qui m'est arrivé au coeur du pays de Galles, à Cardiff, dans les montagnes. Nous avions voyagé en autobus pour notre "Festin dans un foyer au pays de Galles", en route vers notre très divertissante hôtesse. Au cours du programme télévisé en direct, elle parla avec beaucoup d'humour des coutumes de Noël au pays de Galles. Elle travailla encore une fois avec moi, en direct, préparant sa délicieuse soupe aux poireaux qui est très différente de la vichyssoise française. Nous avions rôti une oie dont la farce, bien entendu, fut préparée avec des poireaux; beaucoup de poireaux car, vous le savez sans doute, ils sont pour ainsi dire de rigueur dans ce pays. Son dessert fut un magnifique sorbet, comme je n'en avais jamais goûté de meilleur, et des sablés, sa seule concession à ceux qu'elle appelait "les étrangers" (les Écossais). Je la remercie de ces souvenirs joyeux et agréables.

La beauté panoramique du pays de Galles vaut bien les frais d'un voyage.

Un festin dans un foyer
au pays de Galles

Soupe galloise aux poireaux

4 poireaux moyens à gros
2 c. à soupe (30 mL) de beurre
2 gros oignons hachés
4 pommes de terre moyennes pelées et coupées en dés
3 tasses (750 mL) d'eau chaude
2 c. à café (10 mL) de sel
Poivre
1 tasse (250 mL) de crème épaisse
2 tasses (500 mL) de lait chaud
1 c. à café (5 mL) de sherry sec pour chaque bol de soupe

Laver la partie blanche et environ 2 po (5 cm) de la partie verte des poireaux. Couper en tranches minces.

Dans un poêlon, faire fondre le beurre, ajouter les oignons hachés et remuer à feu moyen jusqu'à ce qu'ils soient dorés. Ajouter les poireaux et cuire 10 minutes de plus en brassant souvent. Ajouter les pommes de terre, l'eau chaude, le sel et le poivre. Couvrir et mijoter, environ 25 minutes, jusqu'à ce que les pommes de terre soient tendres.

Au moment de servir, ajouter le reste des ingrédients, sauf le sherry. Brasser jusqu'à ébullition.

Verser 1 c. à café (5 mL) de sherry dans chaque bol à soupe et remplir avec la soupe bouillante. Servir avec un panier de Cacen-Gri (scones grillés) gallois ou de biscuits soda carrés à l'ancienne beurrés chauds.

Donne 6 portions.

La "très sociable" oie rôtie de Galles

Dans la langue galloise, "très sociable" signifie "la meilleure", car une personne qui n'est pas aimée ou admirée est dite "non sociable". Et même l'oie bien rôtie se vaut cette appellation.

Une jeune oie de 6 à 8 lb (3 à 4 kg)
1 citron coupé en deux
6 poireaux lavés et hachés (les parties vertes et blanches)
2 c. à soupe (30 mL) de sauge fraîche ou séchée
1 c. à soupe (15 mL) de sel
1/2 c. à café (2 mL) de poivre
2 tasses (500 mL) de dés de pain sec
1/4 de c. à café (1 mL) de muscade
1 tasse (250 mL) de bouillon de poulet
4 c. à soupe (60 mL) de cognac

Dans une casserole, mettre les poireaux et y verser de l'eau bouillante pour les couvrir. Faire bouillir, sans couvrir, pendant 5 minutes. Égoutter et réserver 1 tasse (250 mL) de cette eau pour faire la sauce (si vous n'avez pas de bouillon de poulet).

Frotter l'oie, à l'intérieur et à l'extérieur, avec les moitiés de citron. Mélanger les poireaux bien égouttés, la sauge, le sel, le poivre, les dés de pain et la muscade. Bien mélanger le tout.

Farcir l'oie avec ce mélange. Trousser et piquer la peau avec la pointe d'un couteau à plusieurs endroits afin de laisser s'échapper le gras lors de la cuisson.

Placer sur une grille dans une rôtissoire. Ne pas couvrir. Faire cuire au four chauffé au préalable à 400°F (200°C) pendant 20 minutes, puis baisser la chaleur à 350°F (180°C) et continuer à faire rôtir de 20 à 25 minutes par livre (0,5 kg). Lorsque l'oie est cuite, placer sur une assiette de service chaude, couvrir avec un papier d'aluminium et laisser reposer environ de 20 à 30 minutes avant de la dépecer.

Pour faire la sauce, il faut tout d'abord écumer le gras à l'aide d'une cuillère (ceci est facile avec l'oie car le gras reste à la surface du jus brun. Certaines personnes adorent ce gras pour cuire ou pour étendre sur leurs toasts). Laisser un peu de gras sur le jus et y ajouter le bouillon de poulet ou l'eau réservée des poireaux et le cognac. Remuer à feu moyen en grattant le fond et les bords de la rôtissoire. Passer au tamis, mettre dans une saucière chaude et servir.

Donne 8 portions.

Magnifique "Welsh Rarebit"

Voilà une recette qui sort de l'ordinaire. À servir après le concert ou le théâtre accompagné de vin rouge, ou après une partie sportive, avec une chope de bière, ou pour un léger déjeuner avec une salade verte.

1 c. à café (5 mL) de beurre mou
1/2 c. à café (2 mL) de moutarde française ou allemande
4 tranches de pain français croûté
3 c. à soupe (50 mL) de vin rouge sec ou de porto
1/2 lb (250 g) de fromage cheddar fort

Mettre en crème le beurre et la moutarde. Beurrer le pain avec ce mélange. Dans 4 ramequins ou tasses allant au four, placer une tranche de pain. Couper le fromage en tranches très minces et en placer autant que vous désirez sur chaque tranche de pain.

Mettre dans un four chauffé au préalable à 375°F (190°C) environ 10 à 15 minutes jusqu'à ce que le fromage soit fondu et légèrement doré.

Servir avec des noix salées et un verre de porto ou un vin léger de Bordeaux.

Donne 4 portions.

Sorbet au gin et au pamplemousse

Ce sorbet peut être préparé de huit à dix jours d'avance, et conservé couvert au congélateur, d'où il faut le retirer quinze minutes avant de le servir. L'offrir dans des coupes à champagne, avec une carafe de gin sur la table; chacun en utilise à son gré.

Comme le faisait remarquer notre hôtesse, les Gallois ont la réputation d'aimer boire.

4 gros pamplemousses
3/4 de tasse (190 mL) de sucre
3/4 de tasse (190 mL) de gin sec
Zeste râpé d'un citron

Peler les pamplemousses en enlevant toutes les membranes et la partie blanche de la peau et couper en sections. Mettre dans un tamis placé au-dessus d'un bol et presser légèrement sur le fruit, puis laisser reposer pendant 1 heure.

Mesurer le jus, ajouter de l'eau pour faire 1 1/2 tasse (375 mL) de liquide. Mettre dans une casserole, ajouter le sucre et faire bouillir 5 minutes en remuant jusqu'à ce que le sucre soit dissous. Lorsque le tout tourne en sirop, verser dans un mélangeur et laisser refroidir, puis ajouter les sections de pamplemousses réservées, le gin et le zeste râpé du citron. Mélanger jusqu'à l'obtention d'un liquide épais. Verser dans un moule. Couvrir et congeler.

Donne 6 portions.

Plats de résistance

Pâté aux poireaux

Voici une merveilleuse recette qui changera des quiches que l'on sert si souvent. Elle n'est pas très bien connue ici, mais au pays de Galles c'est un plat de famille. Faites-en l'essai lors de votre prochain dîner-buffet. Servir ce pâté chaud, accompagné de tranches de poulet ou de dinde froide.

6 poireaux
1/2 tasse (125 mL) de bouillon de poulet
Jus et zeste râpé d'un demi-citron
2 c. à soupe (30 mL) de beurre
4 oeufs
1/4 de tasse (60 mL) de crème épaisse
2 tasses (500 mL) de fromage frais à petits grains
Sel et poivre
3 c. à soupe (50 mL) de chapelure fine
Pâte à tarte pour une croûte simple de 8 po (20 cm)

Nettoyer les poireaux et couper les parties blanches et vertes en morceaux d'un po (2,5 cm). Amener le bouillon de poulet à ébullition avec le jus et le zeste râpé de citron et le beurre. Ajouter les poireaux et cuire, sans couvrir, à feu moyen de 12 à 15 minutes. (Réserver le bouillon.)

Battre ensemble les oeufs, la crème et le fromage jusqu'à l'obtention d'un mélange crémeux. Ajouter 1/2 tasse (125 mL) du bouillon de poireaux, tout en brassant. Puis ajouter le mélange aux poireaux cuits et au reste du bouillon. Laisser mijoter pendant quelques minutes, en brassant jusqu'à l'obtention d'un mélange épais ayant la consistance d'une sauce légère à la crème. Ne pas laisser bouillir. Poivrer et saler au goût. Graisser une assiette à tarte et saupoudrer avec la chapelure fine. Puis tapisser de pâte et pincer les bords. Verser le mélange de poireaux. Faire cuire au four chauffé au préalable à 375°F (190°C) pendant environ 40 minutes, ou jusqu'à ce que le dessus soit doré et que le flan soit pris.

Donne de 4 à 6 portions.

Cacen-Gri (Scones écossais grillés)

Très semblables à nos biscuits chauds, ils sont plus légers et plus sucrés, et doivent être accompagnés de beurre doux.

Pour notre spectacle télévisé au pays de Galles, nous les avons fait cuire sur une plaque chauffée sur un poêle à bois. La plaque chauffait à feu doux durant la préparation de la pâte.

1/3 de tasse (80 mL) de beurre froid
2 tasses (500 mL) de farine tout-usage
1/2 tasse (125 mL) de germe de blé
1 c. à café (5 mL) de soda
1 c. à café (5 mL) de crème de tartre
Une bonne pincée de sel
4 c. à soupe (60 mL) de raisins de Corinthe
2 c. à soupe (30 mL) de sucre
1 tasse (250 mL) de babeurre ou de lait sur

Introduire le beurre dans la farine et le germe de blé, en utilisant le bout des doigts, jusqu'à l'obtention d'une consistance granuleuse. Ajouter le soda, la crème de tartre, le sel, les raisins et le sucre. Bien mélanger avec une cuillère pendant au moins 2 minutes. Ajouter le babeurre ou le lait sur pour faire une pâte à biscuits légère qui puisse être abaissée.

Tailler en rondelles de 3 po (8 cm) de diamètre et abaisser sur une surface légèrement enfarinée. Les poser sur une plaque chauffée (utiliser un poêlon de fonte épaisse lorsqu'une plaque n'est pas disponible).

Cuire de 4 à 5 minutes chaque côté, en les tournant une seule fois. Ils doivent être dorés sur les deux côtés.

Donne de 10 à 12 scones.

Note: Ils peuvent être cuits au four chauffé au préalable à 400°F (200°C) mais ils perdent leur saveur et leur qualité croustillante.

L'Écosse

L'Écosse est depuis longtemps renommée pour son pain. Les Écossais prétendent faire le meilleur pain des Îles britanniques.

En 1954, j'ai passé une semaine à Edimbourg pour suivre un cours de deux jours au Mrs. Macpherson's School, pour apprendre la préparation du pain écossais. Elle prétendait n'enseigner que les authentiques recettes des clans écossais et se disait "spécialiste des cuiseurs à combustible solidifié". Je me souviens de m'être demandée ce que cela pouvait bien signifier et de fait, c'est ce qui me porta à suivre le cours. Un "cuiseur à combustible solidifié" n'était qu'une cuisinière à gaz, dont elle était très fière. Le four avait une porte vitrée, et l'on voyait dorer ce qui s'y cuisait.

J'ai appris beaucoup durant ces deux jours et j'ai mangé assez de petits pains pour prendre du poids, j'en suis sûre.

Potage Cock-a-Leekie

J'ai mangé du *Cock-A-Leekie, Cockie-Leekie* et *Cock-A-Leeky*, qui semble avoir autant de noms qu'il y a de façons de l'apprêter. La base consiste en un potage de poireaux au poulet, qui contient parfois des pruneaux et des os de boeuf, séparément ou conjointement. La meilleure, à mon goût, fut celle d'un gentil hôtel familial de Selkirk. Nous nous dirigions vers Edimbourg par une belle et froide journée de 'anvier où le vent du nord soufflait. Le *Cock-a-Leekie* tout fumant nous a réchauffés bien vite. Après le repas, j'ai demandé la recette au chef et le lendemain, après mûres réflexions, il me dit qu'il me la donnerait, à titre de Canadienne. Je savoure donc ce potage à la mode de Selkirk depuis des années. Les pruneaux macérés dans le whisky étaient une spécialité de la maison; ils valent bien le temps de préparation requis et le coût additionnel.

4 à 6 poireaux
3 tranches de bacon
1 poulet à rôtir de 5 lb (2,5 kg)
10 tasses (2,5 L) d'eau
1/2 tasse (125 mL) de feuilles de céleri hachées
1/4 de tasse (60 mL) de tiges de persil hachées
1 feuille de laurier
1/8 de c. à café (0,5 mL) de thym
1 c. à soupe (15 mL) de sel
1/2 c. à café (2 mL) de poivre frais moulu
1/2 tasse (125 mL) de pruneaux cuits, dénoyautés et hachés
1/4 de tasse (60 mL) de whisky

Nettoyer les poireaux et couper la partie blanche et la partie verte tendre en morceaux de 1 po (3 cm). Mettre de côté.

Placer le poulet et ses abats dans une grande marmite. Ajouter l'eau, les feuilles de céleri, le persil, la feuille de laurier, le thym, le sel et le poivre. Couvrir et amener à forte ébullition à feu vif. Réduire la chaleur et laisser mijoter (sans bouillir), environ 1 heure à 2 heures 1/2, jusqu'à ce que le poulet soit très tendre.

Écumer le gras et passer la soupe. Hacher grossièrement la viande et les abats du poulet et revenir au bouillon. Y ajouter les poireaux et faire mijoter de nouveau, couvert, 30 minutes, ou jusqu'à ce que les poireaux soient tendres.

Tremper les pruneaux dans le whisky pendant la cuisson du poulet et ajouter à la soupe au moment de servir. Goûter pour l'assaisonnement et servir avec un panier de biscuits chauds.

Donne de 5 à 8 portions.

Poisson, agneau et volaille

Haddock fumé grillé "St. Andrew"

J'ignorais ce que pouvait être le véritable haddock fumé avant de manger du *Cullen Skink* à la ferme de mes amis en Écosse. On y appelle les haddocks *Finnan*. J'appris que le nom *Finnan* venait d'un petit village près d'Aberdeen. Autrefois, les haddocks étaient arrosés d'eau salée et fumés, puis séchés sur des herbes marines.

Nos ancêtres écossais nous apportèrent ces mets délicats, et je me souviens dans mon enfance que ma mère servait du "poisson écossais" au petit déjeuner. Durant la dernière guerre, j'ai mangé à Halifax du haddock fumé poché qui faisait concurrence au souvenir que je gardais du *finnan* écossais.

Le haddock fumé peut être grillé, étuvé, poché ou apprêté en pain. Il a une affinité avec le beurre, le lait et les pommes de terre. Il sied au budget et plaît même à ceux qui aiment plus ou moins le poisson. En Écosse, le haddock fumé du type "St-Andrew" est copieusement fumé et généralement servi grillé. Surmonté d'un oeuf poché, c'est un vrai régal.

1 lb (500 g) de haddock fumé divisé en 4 portions
1 tasse (250 mL) de lait chaud
3 c. à soupe (50 mL) de beurre doux ou de margarine
4 oeufs pochés (facultatif)
1/4 de tasse (60 mL) de persil émincé

Placer le poisson dans une casserole et verser le lait chaud, mais pas bouillant, sur le dessus. Couvrir et laisser reposer 4 heures (ceci afin d'attendrir le poisson et pour empêcher l'assèchement causé par la chaleur directe pendant la période du grillage). Retirer le poisson du lait et l'essuyer aussi bien que possible avec des papiers absorbants.

Mettre en crème le beurre et étendre 2 c. à soupe (30 mL) de ce beurre sur un côté du poisson. Placer sur une grille, le côté beurré

61

sur le dessus, et poser à 4 po (10 cm) de la source de chaleur. Griller 4 minutes, puis tourner, étendre le reste du beurre et griller 2 minutes.

Faire pocher les oeufs pendant la cuisson du poisson. Pour servir, mettre le poisson sur des assiettes chaudes, couronner chaque morceau avec un oeuf poché et saupoudrer avec le persil. Ajouter de 3 à 4 c. à soupe (50 à 60 mL) du lait utilisé pour tremper le poisson au beurre fondu dans le fond de la lèchefrite et verser sur le poisson.

Donne 4 portions.

Merlan doré croustillant

Le merlan est sans contredit une spécialité de la Manche et de la mer Baltique. De saveur délicate, il a une fine saveur et il se défait en lamelles.

Chez-moi, j'utilise la merluche argentée qui vient de Nouvelle-Angleterre et, à l'occasion, le filet de sole canadienne. En vous conformant bien à la recette, quel que soit le poisson utilisé, vous serez enchanté du résultat. La truite entière peut s'apprêter de cette façon.

4 filets de sole ou d'autre poisson
1 c. à café (5 mL) d'huile végétale
Sel et poivre
1 blanc d'oeuf battu légèrement
2 c. à soupe (30 mL) de farine
1 c. à café (5 mL) de paprika
Gras de bacon

Badigeonner le poisson sur les deux côtés avec l'huile. Saler et poivrer, puis tremper dans le blanc d'oeuf. Mélanger la farine et le paprika. En saupoudrer un côté du poisson. Dans un poêlon de fonte, faire fondre le gras de bacon. Ajouter le poisson, le côté enfariné sur le dessous. Saupoudrer le deuxième côté avec le reste de la farine et frire jusqu'à ce que le poisson soit croustillant et doré, en le tournant une seule fois. Ne pas trop cuire: 4 à 6 minutes devraient suffire.

Donne 4 portions.

Agneau en pot

J'ai mangé ce plat délicieux dans un petit pub à Perth, par une journée pluvieuse et brumeuse. Le chef me déclara tenir cette recette de sa grand-mère. Il me l'écrivit en gaélique, ce qui m'obligea à la faire traduire.

3 c. à soupe (50 mL) de beurre
2 oignons coupés en quartiers
3 lb (1,5 kg) de cous et de jarrets d'agneau
4 tomates pelées et hachées
1 tige de céleri coupée en dés
Sel et poivre
1 1/2 c. à soupe (25 mL) de farine
1 1/4 tasse (310 mL) de consommé
2 c. à soupe (30 mL) de jus de citron frais
2 c. à soupe (30 mL) de gelée de gadelles (groseilles)
1 c. à soupe (15 mL) de persil haché
1/3 de tasse (80 mL) de porto sec

Chauffer le four au préalable à 350°F (180°C). Faire fondre 1 c. à soupe (15 mL) du beurre dans un poêlon; brunir légèrement les oignons à feu moyen. Ajouter l'agneau et saisir avec les oignons. Mettre les tomates et le céleri dans une casserole beurrée. Ajouter la viande et les oignons. Assaisonner au goût.

Faire fondre le reste du beurre dans le même poêlon; lorsqu'il est doré, ajouter la farine et remuer jusqu'à ce que le tout soit bien mélangé, puis ajouter le consommé. Brasser jusqu'à consistance crémeuse, ajouter le jus de citron et verser sur la viande. Couvrir et faire cuire 2 heures. Dix minutes avant de servir, ajouter la gelée de gadelles, le persil et le porto. Bien mélanger. Servir très chaud dans une casserole, avec un riz persillé et des petits pois.

Donne 6 portions.

Pâté à l'agneau et au bacon

Ce plat inusité peut très bien être servi pour une réception. La croûte de ce pâté est la viande, garnie d'un savoureux mélange qui, à la cuisson, prend la consistance d'un flan crémeux.

4 oeufs
1/2 tasse (125 mL) de crème de table ou de lait
1 1/2 tasse (375 mL) de petits dés de pain
1 lb (500 g) d'agneau haché
Zeste râpé et jus d'un demi-citron
1 petit oignon émincé
1 c. à café (5 mL) de sel
1/2 c. à café (2 mL) de gingembre moulu
1/4 de c. à café (1 mL) de thym
5 à 6 tranches de bacon
1 tasse (250 mL) de fromage cheddar fort
1/2 tasse (125 mL) de céleri coupé en dés
2 tasses (500 mL) de lait
1/2 c. à café (2 mL) de sel et autant de sel de céleri
1/4 de c. à café (1 mL) de poudre d'ail

Battre un oeuf avec 1/2 tasse (125 mL) de crème ou de lait, y ajouter les dés de pain et laisser reposer 5 minutes. Ajouter l'agneau haché, le zeste râpé et le jus de citron et les 4 ingrédients suivants. Bien mélanger, puis utiliser ce mélange pour tapisser le fond et les côtés d'une assiette à tarte de 9 ou 10 po (22,5 ou 25 cm).

Faire frire le bacon jusqu'à ce qu'il soit croquant, émietter et saupoudrer sur la viande. Puis mélanger le fromage et le céleri et saupoudrer sur le bacon. Battre les 3 oeufs qui restent avec les 2 tasses (500 mL) de lait, ajouter la 1/2 c. à café (2 mL) de sel, celle de sel de céleri et la poudre d'ail et verser délicatement dans la coquille de viande.

Faire cuire au four à 400°F (200°C) pendant 15 minutes, réduire la chaleur à 350°F (180°C) et faire cuire 30 minutes, ou jusqu'à ce que le flan soit pris. Servir chaud ou froid, coupé en petites pointes.

Donne 6 portions.

L'oie du pauvre

Bien des Canadiens y reconnaîtront leurs pommes de terre en escalopes; ce qui en fait l'oie du pauvre ce sont les tranches de porc, le jus de citron frais et le fait surprenant que ce plat doive être servi avec de la compote de pommes chaude.

Lorsque j'ai été invitée à la fabrique de marmelade Dundee, au début des années soixante, on nous a servi pour le déjeuner l'oie du pauvre, le gâteau Dundee et du thé noir avec de la marmelade au lieu du sucre. Ils ont été surpris d'apprendre que je n'avais jamais mangé "l'oie", comme ils disaient, alors ils m'ont offert la recette suivante. Essayez-la, mais sans oublier la compote de pommes non sucrée.

1 lb (500 g) de côtelettes de porc épaisses
1 feuille de laurier
1 feuille de céleri
6 à 8 pommes de terre moyennes
1 c. à café (5 mL) de sauge, fraîche si possible
1 tasse (250 mL) de consommé
1 c. à soupe (15 mL) de jus de citron frais

Désosser les côtelettes. Les placer dans une casserole avec la feuille de laurier, la feuille de céleri, du sel, du poivre, les os et 1 1/2 tasse (375 mL) d'eau. Amener à ébullition, puis laisser mijoter 40 minutes. Passer et mesurer le consommé — vous devriez obtenir 1 tasse (250 mL).

Laver les pommes de terre — ne pas les peler — les faire bouillir 15 minutes. Égoutter, refroidir, peler et trancher.

Placer une rangée de pommes de terre dans le fond d'une assiette à tarte beurrée (en Écosse, ils utilisent un plat oval vert en grès, d'environ 4 po (10 cm) de profondeur et 8 po (20 cm) de long) et surmonter d'une rangée de côtelettes. Assaisonner avec du sel, du poivre et de la sauge. Continuer à alterner les rangées de pommes de terre et de viande jusqu'à ce que le tout ait été utilisé, en finissant avec une rangée de pommes de terre.

Ajouter le jus de citron au consommé réservé et verser sur les pommes de terre. Couvrir avec un papier d'aluminium ou un couvercle. Faire cuire au four chauffé au préalable à 350°F (180°C) pendant 30 minutes. Découvrir et faire cuire 10 minutes supplémentaires pour dorer le dessus. Servir avec la sauce aux pommes qui suit.

Donne 6 portions.

Sauce aux pommes

4 à 6 pommes
1/4 de tasse (60 mL) d'eau
1 c. à café (5 mL) de sucre
1 c. à café (5 mL) de jus de citron
2 c. à soupe (30 mL) de beurre

Peler et hacher les pommes; les mettre dans une casserole avec l'eau. Faire cuire à feu moyen jusqu'à ce que les pommes soient molles pour les battre en purée (maintenant je me sers de mon robot culinaire). Ajouter le reste des ingrédients, bien battre et servir. Souvent j'omets complètement le sucre lorsque j'ai des pommes sucrées.

Donne 1 1/2 tasse (375 mL).

La dinde à l'écossaise

Ne vous laissez pas troubler par l'étonnant mélange de pruneaux, de noix de Grenoble et de miel, auquel on ajoute aussi "un soupçon de bon scotch" dans la préparation pour le dîner de Noël.

Une jeune dinde de 8 à 10 lb (4 à 5 kg)
12 gros pruneaux ou 18 moyens
1/4 de tasse (60 mL) de whisky
2 tasses (500 mL) de thé noir chaud et fort
1 oignon moyen émincé
1 lb (500 g) de porc haché
1 oeuf
1 lame de macis brisée en petits morceaux
Sel et poivre
12 à 18 noix de Grenoble écalées
1/2 tasse (125 mL) de miel de bruyère (ou toute autre sorte)

Laver l'intérieur et l'extérieur de la dinde avec un linge qui a été généreusement trempé dans du whisky. Couvrir et conserver au réfrigérateur durant la nuit. Mettre les pruneaux dans un bocal de verre et verser le whisky et le thé chaud sur le dessus. Couvrir et garder, durant la nuit, sur le comptoir de la cuisine, pour permettre aux pruneaux de gonfler et faciliter ainsi l'enlèvement des noyaux.

Le lendemain, mettre dans un bol l'oignon, le porc haché, l'oeuf et le macis. Brasser jusqu'à ce que le tout soit bien mélangé. Saler et poivrer. Enlever les noyaux des pruneaux et remplacer les noyaux par les noix de Grenoble. Saucer les pruneaux dans le miel (placer le miel dans un bol d'eau chaude afin de le ramollir) et ajouter à la farce.

Remplir la dinde avec ce mélange, attacher les pattes et envelopper la dinde au complet avec une double épaisseur de papier d'aluminium fort. (En Écosse, ils l'enveloppent dans une toile épaisse, trempée dans du whisky; cependant la dinde est beaucoup plus difficile à manipuler et les résultats sont semblables.) Avant de fermer le papier d'aluminium, verser le 1/4 de tasse (60 mL) de whisky sur la dinde.

Placer la rôtissoire dans un four chauffé au préalable à 350°F (180°C). Faire rôtir 1 1/2 heure, puis ouvrir le dessus du paquet. Vérifier la cuisson et arroser la dinde avec le merveilleux jus aromatisé dans le fond. Verser sur le dessus le reste du miel. Ne pas refermer le papier d'aluminium. Ça peut prendre encore 20 à 30 minutes pour que le dessus dore et pour finir la cuisson.

Faire une sauce simple en utilisant un bouillon d'abats comme liquide, ou faire une sauce aux abats.

Donne de 8 à 10 portions.

L'heure du thé et ses variations

Baps d'Aberdeen

J'ai appris à les faire à l'école de Mme Macpherson. J'ai apporté quelques modifications aux quantités en fonction de la différence de notre levure, notre farine, etc., mais la saveur et la texture demeurent inchangées.

1 enveloppe de levure sèche active
1 c. à café (5 mL) de sucre
3 c. à soupe (50 mL) d'eau tiède
4 tasses (1 L) de farine tout-usage*
1 c. à café (5 mL) de sel
2 c. à soupe (30 mL) de gras de bacon, de saindoux ou de
margarine
1/2 tasse (125 mL) de lait chaud
1/2 tasse (125 mL) d'eau tiède

Dans un petit bol, mélanger la levure et le sucre. Ajouter 3 c. à soupe (50 mL) d'eau tiède. Laisser reposer 10 minutes jusqu'à ce que le tout soit crémeux et levé.

Dans l'intervalle, placer 3 tasses (750 mL) de la farine, le sel et le gras (chez Macpherson nous utilisions du saindoux) dans un grand bol, et couper le gras jusqu'à l'obtention d'une texture granulée. Mélanger ensemble le lait et la 1/2 tasse (125 mL) d'eau tiède. Brasser la levure, ajouter au liquide et verser sur la farine. Brasser pour obtenir une pâte molle, en ajoutant un peu de la farine qui reste si nécessaire. Couvrir et laisser lever dans un endroit chaud jusqu'à ce que la pâte double de volume — ceci prend environ 1 heure.

Étendre le reste de la farine sur la table. Faire dégonfler la pâte et la renverser sur la surface enfarinée. Pétrir légèrement, puis diviser en portions de formes carrée ou circulaire, en les façonnant avec vos mains. Tremper les dessus dans la farine. Secouer et placer sur une plaque de cuisson graissée. Couvrir et laisser reposer environ 20 minutes jusqu'à ce qu'ils doublent de volume. Faire cuire au four chauffé au préalable à 400°F (200°C) de 15 à 20 minutes, ou jusqu'à ce qu'ils soient dorés légèrement. Les servir chauds.

Donne de 12 à 16 baps, dépendant de la taille.

---

* Souvent j'ajoute 1/4 de tasse (60 mL) de germe de blé ou de son, à la farine, ce qui la rend plus semblable à la farine anglaise.

Strone Favorite Scones

Une autre recette Macpherson. Ces *scones* sont abaissés aux dimensions d'une crêpe et cuits sur une plaque chaude. Les premiers seront un peu délicats à faire, mais après quelques essais tout ira bien. Si vous préférez, laissez-les tomber d'une cuillère sur la plaque chaude. Servez-les avec du beurre battu, du miel de bruyère (ou autre) ou de la confiture-maison de fraises.

3 tasses (750 mL) de babeurre
1/2 tasse (125 mL) de crème légère
1 c. à café (5 mL) de soda
1/2 c. à café (2 mL) de poudre à pâte
2 c. à soupe (30 mL) de sucre
1 c. à café (5 mL) de sel
2 à 4 tasses (500 mL à 1 L) de farine

Mettre le babeurre et la crème dans un grand bol. Bien mélanger le soda, la poudre à pâte, le sucre et le sel. Ajouter le mélange au liquide, puis ajouter autant de farine que nécessaire pour faire une pâte qui soit un peu plus épaisse que de la pâte à crêpes. Bien mélanger.

Faire chauffer une plaque à crêpes ou graisser une plaque de cuisson. Saupoudrer généreusement la table de farine. Par cuillerées, verser la pâte sur la farine, former en crêpes avec vos mains enfarinées et taper la farine tout autour des crêpes. Les soulever avec une spatule et les placer tout de suite sur la plaque chaude. Faire dorer sur le premier côté, puis tourner pour laisser dorer l'autre côté (je peux en faire cuire 5 à 6 à la fois). Ils peuvent être cuits sur une plaque de cuisson au four chauffé au préalable à 400°F (200°C), pendant environ 15 minutes, ou jusqu'à ce qu'ils soient dorés. Servir chaud.

Donne de 6 à 8 gros scones ou de 10 à 12 petits.

Midlothian Oatcakes

Chez Macpherson, ils étaient minces ou épais ou en rondelles de 15 cm, et taillés en triangles une fois cuits. Bien que la recette soit toujours la même, la saveur des gâteaux varie selon le traitement.

Le secret de ces merveilleux gâteaux d'avoine est la grande quantité de beurre — seul le beurre doit être utilisé — et la qualité de la farine d'avoine — ne jamais employer le type à cuisson rapide; recherchez la farine d'avoine à l'ancienne.

Je fais cuire les miens au four car je trouve la chaleur de la plaque trop inégale sur une cuisinière électrique. Pourvu que Macpherson ne l'apprenne jamais!

1 tasse (250 mL) de farine d'avoine
1/2 tasse (125 mL) de farine
1/2 c. à café (2 mL) de sel
1 c. à café (5 mL) de sucre
1 c. à café (5 mL) de poudre à pâte
1/2 tasse (125 mL) de beurre
1/3 de tasse (80 mL) d'eau froide

Mettre la farine d'avoine dans un bol. Ajouter la farine, le sel, le sucre et la poudre à pâte. Bien brasser jusqu'à ce que le tout soit bien mélangé. Incorporer le beurre jusqu'à consistance fine, puis ajouter l'eau froide et mélanger jusqu'à l'obtention d'une pâte ferme.

Renverser sur une surface saupoudrée légèrement de farine d'avoine. Pétrir légèrement durant quelques secondes, puis abaisser à 1/4 po (0,625 cm) d'épaisseur. Utiliser un peu de farine si la pâte a tendance à coller, mais en utiliser aussi peu que possible. Tailler selon la forme désirée. Placer sur une plaque de cuisson non graissée. Faire cuire 20 minutes au four chauffé au préalable à 350°F (180°C) ou jusqu'à ce qu'ils soient légèrement dorés. Lorsqu'ils refroidiront, leur couleur deviendra plus foncée.

Donne de 20 à 25 portions.

Sablés d'Edimbourg

J'ai goûté à bien des sablés en Écosse et j'en ai fait de tous les genres au Canada. Mon préféré est le sablé d'Edimbourg. Tout grand chef écossais vous dira que le succès d'un bon sablé dépend de l'utilisation de beurre doux en grande quantité et, en second lieu, le sablé cuit doit être beige pâle — un excédent de cuisson atténue la délicate saveur du beurre.

Il y a longtemps, au moment où j'ai appris à les faire, on les battait à la main — une heure de travail tout au moins. J'utilise maintenant mon batteur électrique et la qualité du résultat est parfaite.

2 tasses (500 mL) de beurre à la température ambiante
2 tasses (500 mL) de sucre à fruits
3 tasses (750 mL) de farine
2 tasses (500 mL) de fécule de maïs
1 tasse (250 mL) de farine de riz

Placer le beurre dans un batteur électrique et battre à grande vitesse environ 10 minutes, jusqu'à l'obtention d'une consistance presque blanche et très crémeuse. Ajouter le sucre à fruits et battre de nouveau à haute vitesse pendant 5 autres minutes.

Tamiser 2 fois ensemble la farine, la fécule de maïs et la farine de riz. À la vitesse la plus basse de votre batteur, ajouter graduellement le mélange de farine, en nettoyant les côtés du bol avec une spatule et battre juste assez pour incorporer la farine.

Renverser la pâte sur une planche et pétrir délicatement avec le bout des doigts jusqu'à obtention d'une pâte lisse. Façonner en boule. Bien envelopper et réfrigérer de 12 à 24 heures.

Diviser la pâte en 4 portions. Abaisser chaque portion à 1/4 po (0,625 cm) d'épaisseur. Tailler selon la forme que vous désirez ou simplement en carrés. Les placer à 1/2 po (1,25 cm) d'intervalle sur une plaque de cuisson non beurrée. Piquer chaque sablé avec une fourchette, en l'enfonçant pour toucher la plaque de cuisson. Ceci n'est pas facile à faire — vous pouvez ne pas les piquer.

Faire cuire au four, chauffé au préalable à 350°F (180°C), de 18 à 20 minutes, ou jusqu'à l'obtention d'une teinte beige pâle. Laisser refroidir sur une grille.

Donne environ de 24 à 40 sablés, dépendant de leur taille.

Athol Brose

Une amie de Vancouver m'a donné cette recette en cadeau il y a plusieurs années. Depuis des générations, c'est la boisson traditionnelle de sa famille à Noël, en Écosse comme au Canada. Ça vaut largement la dépense.

1/2 tasse (125 mL) de miel liquide
4 tasses (1 L) d'eau tiède
1/2 lb (250 g) de farine d'avoine fine, type écossais
4 tasses (1 L) de whisky écossais
1 1/2 tasse (375 mL) de Drambuie
4 tasses (1 L) de crème légère

Bien mélanger le miel, l'eau et la farine d'avoine dans une cruche. Couvrir avec un linge et mettre de côté sur le comptoir de cuisine, durant 36 heures pour permettre la fermentation.

Écumer soigneusement le liquide qui est à la surface de la farine d'avoine et le mettre dans un autre bocal. Ajouter à ce liquide le whisky et le Drambuie. Bien mélanger et laisser reposer pendant quelques heures.

Au moment de servir, ajouter la crème — c'est meilleur à la température ambiante, mais si vous désirez une boisson froide, utilisez de la crème très froide ou servez sur des cubes de glace.

Donne de 18 à 22 verres.

L'Irlande

Bien que j'aie parcouru l'Angleterre presque en entier et l'Écosse et le pays de Galles en partie, je n'ai mis les pieds en Irlande qu'à l'aéroport Shannon, où une fois le mauvais temps nous a imposé un arrêt de dix heures. Toutefois je connais beaucoup de mets traditionnels, de coutumes et de dictons irlandais par l'entremise d'une gouvernante qui a pris soin de nous dans mon enfance. Elle se nommait Mary Feeney et son langage se composait en partie de gaélique, et en partie d'anglais; elle parlait très peu le français, ce qui pour nous, enfants, prêtait à confusion. Elle avait un langage imagé et racontait des histoires comme nulle autre. Mary s'intéressait plus à la cuisine qu'aux enfants, mais nous l'y suivions de bon gré, toujours prêts à goûter ses bons plats. Je me souviens de ses sandwiches car, avant sa venue, nous n'en avions jamais mangés, et bien que nos parents refusaient d'en manger, nous les trouvions excellents. "Rien de plus facile, disait-elle, on met une tranche de pain ou de fromage entre deux tranches de pain." Nous comprenions que ça ne pouvait pas être trois tranches de pain. C'est alors qu'elle nous disait toujours: "Mes enfants, partager, ça porte chance."

Un de ses grands plaisirs était de boire sa tasse de thé noir fort, vraiment fort, au coin du feu, tout en nous racontant ses histoires préférées. Elle s'asseyait toujours le dos au feu et lorsque nous lui

73

demandions pourquoi, elle répondait: "N'oubliez pas, mes enfants, que dans mon pays, les maisons ne sont chauffées que par les foyers, alors vous avez le coeur chaud et le derrière gelé, et le mien ne s'est jamais réchauffé."

Elle entrait souvent en discussion avec ma mère car on ne servait à la maison qu'un genre de pommes de terre au repas du soir, tandis qu'en Irlande, il y en avait toujours deux: rôties et en purée ou bouillies et autre.

Elle parlait sans trève des légumes extraordinaires qu'elle mangeait en Irlande et que, à son avis, nous n'avions pas au Canada. C'est que parfois elle les désignait sous des noms bizarres.

Ce que Mary Feeney m'a laissé de plus précieux, c'est son petit cahier de recettes qu'elle avait écrites pour moi avant de retourner en Irlande. Maman me le remit à mes quinze ans. Grâce à Mary Feeney, je connais quelques-uns des mets authentiques irlandais, et je crois avec les années avoir appris à les faire aussi bien qu'elle.

Je ne puis achever ces propos sans dire un mot sur l'excellence du restaurant de l'aéroport de Shannon. Sa spécialité est le poisson, et il est cuit à la perfection. Pour déjeuner, on nous servit une assiette comble de magnifiques pétoncles de l'île d'Aran, enrobés de très minces tranches de carrelet légèrement grillées et flambées au whisky irlandais; le tout simplement servi avec un panier de petits gâteaux d'avoine, rien d'autre. Du bon thé irlandais et de succulents fruits pour dessert.

Au dîner, il y eut comme entrée de minces tranches de cette truite et de ce saumon fumés de renommée universelle, garnies de quelques câpres. Puis un clair consommé à l'agneau accompagné d'une carafe de sherry très sec. Venait ensuite un coq du nord, entouré de pruneaux enrobés de bacon, et trois plats de pommes de terre au choix. Pour dessert, nous avons choisi *Murphy's Dream*, une salade de fruits frais taillés en petits dés. Je me souviens qu'il y avait des poires, des pêches, des morceaux d'oranges, et peut-être d'autres, le tout généreusement arrosé de la formidable liqueur Irish Mist. Une copieuse portion de ce mélange couvrait le fond d'une très élégante coupe en cristal (qui pouvait être du Waterford). Une boule de sorbet aux framboises et une autre de sorbet à l'orange étaient placées sur les fruits et recouvertes de crème glacée à la vanille, battue en crème avec du Irish Mist. Avec notre café, noir et non pas irlandais, nous avions un petit plat de gingembre confit, coupé en petits carrés, que nous trempions dans le café un à la fois. Lorsque le gingembre était chaud, nous le mangions en prenant une gorgée de café. Je trouvai cela beaucoup plus subtil et intéressant qu'un café irlandais. Quel plaisir d'écrire tout cela! Pour moi, c'est comme jouir une fois de plus de ce repas.

Quelques bons plats principaux

La perdrix de Mary Feeney

Mary avait écrit dans son petit cahier que les meilleures perdrix du monde venait du "Bog of Allen" où elle était née et avait été élevée. Elle me prévenait que seules les perdrix "convenables" devaient être mangées. Je n'ai jamais jusqu'à ce jour très bien compris ce qu'elle voulait dire.

Je crois que les femmes du Québec ont appris des premiers immigrants irlandais à faire la perdrix aux choux, un plat automnal quelque peu différent de la recette de Mary, mais de saveur semblable.

2 carottes moyennes coupées en tranches minces
2 oignons moyens coupés en tranches minces
2 c. à soupe (30 mL) de gras de bacon ou de beurre
2 perdrix dodues, nettoyées et attachées
1 chou moyen
1/2 tasse (125 mL) de bacon coupé en dés
1/2 lb (250 g) de saucisses de porc
2 feuilles de laurier
1/2 c. à café (2 mL) de thym
1 c. à café (5 mL) de sel
1/2 c. à café (2 mL) de poivre

3/4 de tasse (190 mL) de consommé
2 c. à soupe (30 mL) de beurre
2 c. à soupe (30 mL) de farine
3/4 de tasse (190 mL) de vin rouge

Faire chauffer le gras de bacon ou le beurre dans un poêlon de fonte. Faire dorer les perdrix sur tous les côtés à feu moyen. Les retirer du poêlon. Ajouter les carottes et les oignons au gras qui reste dans le poêlon et les faire dorer légèrement.

Couper le chou en 4 ou 6 morceaux; enlever le coeur dur. Mettre le chou dans une casserole avec le bacon, verser de l'eau bouillante sur le dessus — assez pour couvrir. Faire bouillir, sans couvrir, pendant 5 minutes. Égoutter.

Faire frire les saucisses (faire ceci dans le même poêlon utilisé pour les perdrix et les légumes) jusqu'à ce qu'elles soient dorées légèrement. Placer la moitié du chou dans une casserole, ajouter les saucisses et le bacon sur le dessus et y mettre les perdrix et entourer avec les carottes et les oignons. Ajouter les feuilles de laurier, le thym, le sel, le poivre et le consommé. Couronner avec le chou qui reste.

Placer un cercle de papier brun beurré sur la casserole; il doit être assez large pour dépasser les rebords de la casserole. Couvrir, et faire cuire au four à 300°F (150°C) pendant 2 heures.

Pour servir, placer les perdrix et les légumes sur un plat de service chaud. Mélanger le beurre et la farine et ajouter au jus dans la casserole de cuisson. Verser le vin rouge (au lieu du vin rouge, j'utilise 1/2 tasse (125 mL) de whisky irlandais). Brasser jusqu'à consistance crémeuse. La sauce devrait être assez chaude pour faire cuire la farine; sinon, remettre au four pendant 10 minutes. Brasser et verser sur les perdrix et le chou.

Donne 6 portions.

Coq rôti aux pruneaux

Bien que sa recette ait pour titre "coq rôti", Mary utilisait un beau chapon. Cette recette est inusitée et de fine cuisine.

Un poulet à rôtir de 4 à 6 lb (2 à 3 kg)
4 c. à soupe (60 mL) de farine
Jus d'un citron
1/4 de tasse (60 mL) de beurre
4 à 6 tranches de bacon
1/2 tasse (125 mL) de whisky irlandais
1 gousse d'ail écrasée et non pelée
1 c. à café (5 mL) de sel
1/4 de c. à café (1 mL) de poivre
1/2 c. à café (2 mL) de toute-épice
12 à 16 pruneaux mous et dénoyautés
3 c. à soupe (50 mL) de crème épaisse

Couper le poulet en morceaux. Frotter chaque morceau avec le jus de citron. Les saupoudrer ici et là avec la farine. Faire fondre le beurre dans un grand poêlon, faire frire le bacon, ajouter le poulet et le faire dorer à feu moyen. Lorsque tous les morceaux sont dorés, verser le whisky irlandais sur le dessus, flamber, et brasser le poêlon — la flamme s'éteindra vite.

Ajouter la gousse d'ail écrasée, le sel, le poivre et la toute-épice. Couvrir le poêlon et mijoter à feu doux jusqu'à ce que le poulet soit tendre; ceci devrait prendre de 40 à 50 minutes; le poulet formera sa propre sauce.

Pendant la cuisson du poulet, dénoyauter les pruneaux, les envelopper avec une demi-tranche de bacon, les poser sur une grille et les faire griller jusqu'à ce que le bacon soit doré.

Pour servir, placer le poulet sur un plat de service chaud. Ajouter la crème à la sauce dans le poêlon, brasser en grattant le fond du poêlon et verser la sauce sur le poulet. Entourer avec les pruneaux.

Donne 6 portions.

Corned Beef avec sauce moutarde au raifort

Vous disposez de peu de temps pour le déjeuner? Faites comme en Irlande, achetez votre *corned beef* en chemin, réchauffez-le et servez-le avec cette sauce piquante... Un régal!

1 c. à soupe (15 mL) de fécule de maïs
2 c. à café (10 mL) de sucre
1 c. à café (5 mL) de moutarde sèche
1/2 c. à café (2 mL) de sel
1 tasse (250 mL) d'eau
1 c. à soupe (15 mL) de beurre
1/4 de tasse (60 mL) de vinaigre de cidre
1/4 de tasse (60 mL) de raifort préparé ou
3 c. à soupe (50 mL) de raifort frais râpé
2 jaunes d'oeufs battus

Dans le haut d'un bain-marie, mélanger les ingrédients secs, ajouter l'eau et faire mijoter directement à feu moyen pendant 5 minutes. Brasser avec un fouet durant la première minute, ou jusqu'à ce que le mélange soit épais.

Retirer du feu et y incorporer le beurre, le vinaigre et le raifort. Y fouetter les jaunes d'oeufs battus, puis brasser, sur l'eau chaude, jusqu'à ce que le mélange soit crémeux. Laisser mijoter sur l'eau 10 minutes.

Donne 1 1/3 tasse (330 mL).

Chou-fleur soufflé

"Soufflé" implique ici un mélange léger de texture dorée. Cette recette bien équilibrée est en fait du chou-fleur en crème.

1 tête de chou-fleur
2 c. à soupe (30 mL) de beurre
2 c. à soupe (30 mL) de farine tout-usage
1 1/2 tasse (375 mL) de lait
1/2 tasse (125 mL) de crème
1/2 tasse (125 mL) de fromage cheddar moyen, râpé
1/2 c. à café (2 mL) de moutarde sèche
1 c. à café (5 mL) de sel
1/4 de c. à café (1 mL) de poivre
2 oeufs, séparés

Nettoyer et diviser le chou-fleur en fleurettes. Couvrir d'eau bouillante, puis faire bouillir, sans couvrir, à feu vif pendant environ 10 à 15 minutes, ou jusqu'à ce que les fleurettes soient tendres. Bien égoutter.

Faire une sauce blanche avec le beurre, la farine, le lait et la crème. Lorsque la sauce est lisse et crémeuse, mettre de côté 2 c. à soupe (30 mL) de fromage et ajouter le reste du fromage à la sauce avec la moutarde sèche, le sel et le poivre Retirer du feu et brasser jusqu'à ce que le tout soit bien mélangé.

Ajouter les jaunes d'oeufs à la sauce, un à la fois, tout en battant bien fort entre chaque addition. Battre les blancs d'oeufs jusqu'à ce qu'ils soient fermes et incorporer délicatement à la sauce. Placer le chou-fleur dans une casserole peu profonde et y verser la sauce. Saupoudrer le fromage qui reste sur le dessus et faire cuire de 25 à 30 minutes au four chauffé au préalable à 350°F (180°C). Le servir lorsqu'il sort du four.

Donne 6 portions.

Tarte au whisky

Lorsque Mary faisait cette tarte pour les grandes personnes, nous, les enfants, n'avions que des tartelettes grandes comme de gros sous. Elle prétendait que ça rendait les enfants "flous", quoi qu'elle ait voulu dire. C'est une tarte très savoureuse et inhabituelle.

1 tasse (250 mL) de lait
1 languette de zeste de citron de 2 po (5 cm)
1/2 tasse (125 mL) de chapelure fine
2 jaunes d'oeufs
4 c. à soupe (60 mL) de beurre fondu
2 c. à soupe (30 mL) de sucre
3 c. à soupe (50 mL) de whisky irlandais
Pâte à tarte pour une croûte simple de 8 po (20 cm)
3 c. à soupe (50 mL) de confiture de cassis
3 blancs d'oeufs
3 c. à soupe (50 mL) de sucre

79

Faire chauffer le lait avec le zeste de citron et faire mijoter pendant 5 minutes. Retirer le zeste et verser le lait chaud sur la chapelure.

Battre les jaunes d'oeufs jusqu'à ce qu'ils soient d'une couleur pâle et y ajouter la chapelure, puis ajouter le beurre fondu, le sucre et le whisky. Brasser jusqu'à ce que le tout soit bien mélangé.

Tapisser l'assiette à tarte avec la pâte. Étendre la confiture de cassis dans le fond et verser le mélange préparé sur le dessus. Faire cuire au four, de 35 à 40 minutes, chauffé au préalable à 350°F (180°C), ou jusqu'à ce que le dessus soit bien doré.

Battre les blancs d'oeufs, ajouter 1 c. à soupe (15 mL) de sucre, battre 2 minutes, ajouter les 2 c. à soupe (30 mL) de sucre restant et battre jusqu'à l'obtention d'une texture ferme de meringue. Couronner joliment la tarte cuite. Retourner au four jusqu'à ce que la meringue soit dorée. Servir froid.

Donne 6 portions.

Oranges sucrées à l'irlandaise

Un dessert très simple, mais juste ce qu'il faut après un repas copieux. Servir bien refroidi.

2 oranges pelées
3 c. à soupe (50 mL) de confiture d'oranges
2 à 4 c. à soupe (30 à 60 mL) de whisky irlandais

Couper les oranges en tranches minces et les poser sur une assiette de service.

Faire chauffer la confiture à feu très doux, puis ajouter le whisky. Bien brasser et verser sur les oranges. Couvrir et réfrigérer de 6 à 8 heures.

Donne 3 portions.

La Scandinavie

Nos connaissances de la cuisine scandinave s'étendent maintenant plus loin que les sardines norvégiennes ou que le bacon et le beurre danois. En voyageant au Danemark et en Norvège, je me suis vite rendue compte des très grandes différences entre les deux pays.

Je ne suis jamais allée en Finlande, bien que durant de nombreuses années, ce fût le pays que je désirais le plus visiter. J'aimais les goûts "équilibrés" des Finlandais, leurs dessins, leur savoir-faire avec la laine et leur sens de la qualité, et j'ai la chance d'avoir comme très bonne amie une élégante et intelligente Finlandaise, Marta. Elle prétend ne pas savoir faire la cuisine — ce qui n'est pas vrai. Je suis d'accord, elle ne fait la cuisine que quand elle en a vraiment envie (quelques femmes peuvent se le permettre). Mais lorsqu'elle cuisine, tout est délicieux et très attrayant — la présentation constituant un élément très important de la cuisine finlandaise. Elle possède un vieux livre de recettes finlandaises rempli de recettes traditionnelles et, durant l'été, nous les essayons ensemble et elle me les traduit. Ensuite, je les adapte et j'en fais des essais. J'ai trouvé de véritables trésors, tels que les crêpes aux épinards, le pouding au foie et la façon de fumer un gigot d'agneau. Je dis un très sincère merci à mon amie Marta qui m'a apporté la cuisine et les coutumes finlandaises, de même qu'à Lempi, qui a travaillé avec moi.

81

Pour la plupart des gens, une des caractéristiques principales de la cuisine scandinave est le *smörgasbord*. Au Danemark, il constitue des étalages spectaculaires, de même qu'un plaisir de festivité. Mais il n'est, en somme, qu'une petite portion de la bonne table scandinave. On le présente presque partout au touriste en buffet froid, souvent comme entrée. Pour moi, cela constitue une entrave à la jouissance du plat principal, alors j'ignore souvent le fameux smörgasbord.

Je préfère les buffets froids de la Suède et de la Norvège: beurre parfait, fromages inusités en tranches fines, hareng dans une légère sauce aux champignons ou aux tomates et un pain excellent. Il y a toujours l'*aquavit* ou *akvavit*, servi bien frappé, mais attention... tous les genres sont traîtres. C'est en Norvège que j'ai dégusté le plus sucré et le plus doux; il était d'un beau doré contrairement au blanc usuel, et servi dans un bloc de glace.

En général, je dirais qu'il est difficile de surpasser les pêcheurs et les marins norvégiens dans leur façon d'apprêter le poisson et les plats de gibier. Le Danemark est le pays scandinave le plus proche de l'Europe et le plus influencé par celle-ci. Par exemple, la plupart des plats danois sont accompagnés de sauce, tout comme en France. Néanmoins, les Danois utilisent une grande quantité de crème fouettée et de raifort, tandis que les Français préfèrent la crème épaisse et riche, non fouettée, et donnent du piquant à leurs sauces en y ajoutant du brandy ou un autre alcool.

La saveur scandinave

Hareng: on le trouve d'un bout à l'autre de la Scandinavie, frais, salé, mariné et cru. Le hareng frais est à son meilleur lorsqu'il est pêché au printemps dans les eaux glacées de la Norvège et de la Finlande.

Saumon: fumé, il est appelé *gravlax*. Au Danemark, on fuma une darne de saumon frais à notre table dans un fumoir spécial ressemblant à une élégante boîte noire. Comme j'en possède une, je puis répéter cette expérience de gourmet avec notre bon saumon canadien.

Porc: la viande préférée des Scandinaves; le jambon et le bacon danois en attestent la qualité.

Pommes de terre: une spécialité scandinave. Des espèces différentes sont utilisées pour être frites, en purée ou bouillies. Les pommes de terre nouvelles sont roulées dans le persil haché ou l'aneth frais et servies avec le parfait beurre doux.

Autres légumes: le chou est le plus populaire et il est apprêté de bien des façons inusitées. Le céleri-rave et le topinambour sont souvent utilisés, ni l'un ni l'autre n'étant d'usage courant en Amérique du Nord bien que la température et le sol soient propices à leur culture.

Assaisonnements: l'aneth, surtout frais, mais aussi séché, le gingembre moulu, la ciboulette fraîche, le quatre-épices, les câpres et la moutarde sont les assaisonnements de base.

Chicouté: un fruit sauvage ressemblant à nos fraises, mais de saveur plus délicate et plus prononcée. On en trouve en Amérique, en conserve. En Finlande, ce fruit est utilisé dans la fabrication d'une liqueur que l'on se procure difficilement ici. On trouve des chicoutés au nord du Québec, mais elles voyagent difficilement. De forte teneur en vitamine C, elles se conservent durant des mois sans sucre, ni autre agent de conservation.

Lingonnes: un autre fruit sauvage à forte teneur en vitamine C. Elles ressemblent à nos atocas mais elles sont plus petites et de saveur délicate. En Amérique du Nord, elles peuvent être achetées en confiture dans les boutiques spécialisées, ou dans d'autres magasins.

Biscuits croustillants: il en existe bien des sortes dans toute la Scandinavie. Je préfère le type finlandais ou suédois, rond et sec avec un trou au centre, avec ou sans graines de carvi. Ne faisant pas engraisser, croquants et savoureux, ils sont excellents avec du fromage.

Cuisine danoise: du buffet froid au café au brandy

Smørboller Soup

Smørboller désigne une boulette de pâte cuite dans un bouillon de boeuf ou de poulet. Dans toute l'Europe, on mange des boulettes dans la soupe, mais je n'en ai jamais mangées de meilleures que les danoises. Peut-être que l'ambiance romantique du Rose Garden Restaurant y a quelque peu contribué, avec ses massifs de roses et ses magnifiques plantes vertes qui nous donnaient l'impression d'être au milieu d'un jardin. Dans chaque assiette un pétale de rose flottait autour de la petite smørboller. Je ressentais une heureuse impression à l'idée qu'il avait pu tomber d'une rose, dans mon assiette.

1 tasse (250 mL) de beurre à la température ambiante
3 tasses (750 mL) de farine tout-usage
1 c. à café (5 mL) de sel
2 c. à soupe (30 mL) d'eau glacée
Un petit bol d'aneth frais, haché
Un petit bol de ciboulette fraîche, hachée
4 à 6 tasses (1 L à 1,5 L) de consommé

Mettre en crème le beurre jusqu'à ce qu'il soit léger et de couleur très pâle. Tamiser 1 tasse (250 mL) de farine avec le sel. Ajouter graduellement au beurre, tout en brassant, puis ajouter la deuxième tasse (250 mL) de farine de la même façon de même que l'eau glacée et juste assez de farine pour permettre de façonner la pâte en petites boules de la taille d'une noix de Grenoble.

Amener le consommé à ébullition, rouler chaque boule dans la farine et les mettre, une à la fois, dans le consommé bouillant. Lorsqu'elles ont toutes été ajoutées, couvrir et faire mijoter à feu doux pendant 10 à 12 minutes. Servir avec les bols d'aneth et de ciboulette.

Donne de 4 à 6 portions.

Salade de choucroute rose

Le rose, évidemment, provient de la betterave. Si vous aimez la choucroute, cette salade vous plaira. Je l'ai goûtée pour la première fois chez Oskar Davidson à Copenhague. On m'a dit que la fille de Per Davidson, Ida, propriétaire du Scandia Restaurant à Hollywood, considère que cette salade est une de celles qui ont eu le plus de succès.

4 pommes de terre moyennes
1 grosse betterave bouillie
3/4 de tasse (190 mL) de choucroute
1 cornichon à l'aneth de taille moyenne, coupé en dés
1 petit oignon émincé
4 c. à soupe (60 mL) d'huile végétale
2 c. à soupe (30 mL) de vinaigre de cidre ou de vin
1 c. à café (5 mL) de sucre
Sel et poivre
1/4 de tasse (60 mL) d'aneth frais émincé ou de
ciboulette fraîche émincée

Faire cuire les pommes de terre à la vapeur jusqu'à ce qu'elles soient tendres, puis les laisser refroidir et les peler. Peler et couper en dés la betterave. Dans un bol, brasser ensemble les légumes, l'huile, le vinaigre, le sucre, le sel et le poivre. Ajouter les pommes de terre tièdes coupées en dés, la betterave, le cornichon à l'aneth et l'oignon. Brasser délicatement jusqu'à ce que ce mélange soit bien enrobé avec la vinaigrette. Placer décorativement dans un bol. Couronner avec l'aneth ou la ciboulette. Ne pas réfrigérer. La salade se conserve ainsi de 2 à 3 heures.

Donne 4 portions.

Betteraves marinées d'Oskar Davidson

Davidsons's de Copenhague, reconnu dans le monde entier pour son *smörrebröd* danois, est un endroit impressionnant pour le déjeuner. Ce qui m'intéressa le plus fut le choix très vaste de cornichons. Les betteraves marinées étaient inhabituelles et très bonnes, servies sur un plateau étroit de porcelaine blanche sur un épais lit d'aneth frais.

> *2 tasses (500 mL) de vinaigre de cidre*
> *1 tasse (250 mL) d'eau*
> *1 c. à café (5 mL) de toute-épice entière*
> *1/2 tasse (125 mL) de jus de betterave**
> *1 tasse (250 mL) de sucre*
> *1/2 c. à café (2 mL) de sel*
> *6 tasses (1,5 L) de betteraves cuites et coupées en dés*
> *2 gros oignons jaunes ou rouges, coupés en tranches*

Faire bouillir ensemble durant 4 minutes le vinaigre, l'eau, le jus, la toute-épice, le sucre et le sel. Ajouter les betteraves cuites et les oignons tranchés. Baisser le feu et laisser mijoter 8 minutes. Retirer du feu et verser dans des bocaux stérilisés. Conserver au réfrigérateur.

* Utiliser le jus des betteraves en boîte ou n'importe quelle sorte de marinade de betterave. Si ni l'un ni l'autre ne sont disponibles, remplacer par une quantité égale d'eau. Le jus de betterave donne une couleur rouge plus foncée au produit apprêté.

Salade de légumes froide

Partout au Danemark, j'ai vu de savoureuses combinaisons peu communes de salades aux légumes. Au Canada, nous mettons rarement des betteraves crues ou cuites dans une salade; cependant, elles donnent une teinte rosée au mélange et sont attrayantes dans un anneau de cresson ou de feuilles de laitue, ou copieusement saupoudrées de persil frais haché. Le céleri-rave (appelé aussi céleriac) est disponible à la fin de l'automne ou au début de l'hiver. Il ressemble à un navet blanc à surface rugueuse et possède une délicate saveur de céleri. Le céleri-rave peut être pelé, râpé et mangé cru.

> *1 gros céleri-rave pelé et coupé en dés ou 2 petits*
> *céleri-raves pelés et coupés en dés*
> *2 betteraves cuites*

2 pommes pelées et coupées en dés
Jus et zeste râpé d'une demi-orange
1/4 de tasse (60 mL) de mayonnaise
Sel et poivre

Aussitôt que le céleri-rave est pelé et coupé en dés, verser de l'eau bouillante dessus. Faire bouillir 5 minutes et rincer sous l'eau froide courante.

Peler et couper en dés les betteraves. Peler et couper en dés les pommes et les mettre dans le jus d'orange. Vous devriez avoir des quantités égales de chaque légume.

Brasser ensemble délicatement le tout avec le zeste d'orange qui a été mélangé avec la mayonnaise. Saler et poivrer au goût. (Je préfère utiliser une spatule de plastique pour mélanger la salade.) Garnir un bol de verre avec des feuilles de laitue croustillantes et mettre la salade au centre. L'été, je saupoudre le dessus avec de la ciboulette fraîche émincée. Couvrir et conserver au réfrigérateur jusqu'au moment de servir.

Donne 6 portions.

Filet de porc fruité

C'est un plat magnifique, apprêté avec une délicieuse sauce, de telle façon qu'un seul filet fera quatre bonnes portions. À l'hôtel d'Angleterre où il m'a été servi pour la première fois, il était accompagné de petites pommes de terre dorées, cuites à la vapeur et copieusement enrobées de persil frais. C'était complet!

1 filet de porc
1 c. à café (5 mL) de sel
1/2 c. à café (2 mL) de poivre
1/2 c. à café (2 mL) de sarriette ou de sauge
8 à 10 pruneaux
1 tasse (250 mL) de café
2 pommes pelées, épépinées et coupées en tranches minces
3 c. à soupe (50 mL) de beurre
3 c. à soupe (50 mL) de crème sure

3 c. à soupe (50 mL) de crème épaisse
2 c. à soupe (30 mL) de vin rouge ou blanc

Couper le filet en 2 dans le sens de la longueur, envelopper chaque moitié dans du papier ciré et pilonner jusqu'à ce que la viande soit très mince (ceci n'est pas difficile car c'est une coupe de viande qui est très tendre).

Mélanger le sel, le poivre et la sarriette ou la sauge. En frotter une quantité égale sur chaque filet. Faire mijoter les pruneaux dans le café pendant 10 minutes. Les laisser refroidir, puis enlever les noyaux. Étendre sur chaque filet une quantité égale de tranches de pommes et de pruneaux dénoyautés qui ont été coupés en deux. Rouler chaque filet aussi serré que possible et les attacher de 3 à 5 ficelles à quelques pouces d'intervalle. (Avant de rissoler chaque roulé, on peut le couper en 2 ou 3 morceaux.)

Faire fondre le beurre dans un grand poêlon de fonte. Faire dorer soigneusement chaque roulé en le tournant délicatement. Ajouter la crème, la crème sure et le vin. Brasser et arroser chaque roulé. Réduire la chaleur à feu doux et couvrir. Faire mijoter de 25 à 30 minutes.

Mettre les roulés dans une assiette de service chaude. Bien brasser la sauce, puis faire mijoter à feu doux jusqu'à ce que la sauce soit réduite de moitié et épaissie. Bien brasser, et remettre les roulés dans la sauce et arroser quelques fois. Couvrir et laisser reposer, sans cuisson additionnelle, jusqu'au moment de servir. Si la viande et la sauce se sont refroidies, réchauffer à feu doux, juste assez pour les réchauffer, mais ne pas laisser bouillir.

Donne de 4 à 6 portions.

Casserole de jambon danois

Le jambon danois est savoureux. Je n'oublierai jamais mon petit déjeuner de pain blanc ou noir, fraîchement cuit, de beurre doux battu comme de la crème fouettée, un plateau de minces tranches de jambon danois, de très minces tranches de fromage danois Samsø ou Holsterner et de gros bocaux de gelée de cassis ou de confiture de fraises.

La casserole ci-dessous, avec sa sauce de tomates et cognac, devrait être faite avec du jambon cru. Elle est accompagnée de petits champignons entiers légèrement sautés au beurre.

2 tasses (500 mL) de macaroni
1 feuille de laurier
2 c. à soupe (30 mL) de beurre
1 tasse (250 mL) de jambon cru, coupé en dés
6 oignons verts tranchés (utiliser la partie verte aussi)
2 c. à soupe (30 mL) de feuilles de céleri émincées
1 tasse (250 mL) de fromage suisse râpé
4 oeufs légèrement battus
2 tasses (500 mL) de lait
1 c. à café (5 mL) de sel
1/2 c. à café (2 mL) de poivre

Faire cuire le macaroni avec la feuille de laurier dans de l'eau bouillante salée jusqu'à ce que le macaroni soit à peine mou. Égoutter et rincer sous l'eau froide courante. Égoutter de nouveau dans une passoire.

Faire fondre le beurre dans un poêlon, ajouter le jambon et remuer à feu moyen de 3 à 4 minutes. Ajouter les oignons verts et les feuilles de céleri. Brasser ensemble pendant 1 minute. Verser dans un bol, ajouter le fromage et le macaroni égoutté. Brasser délicatement pour mélanger. Verser dans un moule à pain beurré. Brasser ensemble les oeufs, le lait, le sel et le poivre. Verser sur le macaroni. Faire cuire, sans couvrir, de 40 à 45 minutes, au four chauffé au préalable à 350°F (180°C), ou jusqu'à ce que le flan soit pris et le dessus doré. Servir avec la sauce aux tomates et au cognac (recette ci-dessous).

Donne 6 portions.

Sauce aux tomates et au cognac

3 c. à soupe (50 mL) de beurre
3 c. à soupe (50 mL) de sauce chili ou ketchup
2 c. à soupe (30 mL) de cognac
1 gousse d'ail pelée et coupée en 2
1 c. à soupe (15 mL) de porto ou de vin de Madère

Faire fondre le beurre, puis ajouter la sauce chili ou ketchup, le cognac et l'ail. Faire mijoter 5 minutes, puis enlever l'ail. Ajouter le porto ou le Madère. Verser dans une saucière.

Gras danois épicé

J'en ai vu pour la première fois sur la table du buffet froid chez Davidson's. Lorsqu'on m'en expliqua la préparation, je doutais que ça me plaise, mais j'ai rapidement changé d'idée. On le sert sur du pain, pour remplacer le beurre, et on le recouvre de pâté ou de viande fumée.

1/2 lb (250 g) de saindoux pur
6 tranches de bacon
1 oignon moyen tranché
1 feuille de laurier
1/2 c. à café (2 mL) de thym
10 grains de poivre

Mettre le saindoux, le bacon et l'oignon dans un poêlon de métal épais. Brasser à feu moyen jusqu'à ce que le gras soit fondu. Faire cuire tranquillement jusqu'à ce que l'oignon commence à dorer puis ajouter le reste des ingrédients et faire mijoter à feu doux pendant 15 minutes. Laisser tiédir un peu, puis passer au tamis et mettre dans un pot de grès. Couvrir et conserver au réfrigérateur.

Potkäse

Un autre plat favori du buffet froid. Son intérêt provient du fait que ce sont des restes de fromage qui sont utilisés et plus il vieillit, meilleur il est. Servez-le avec de minces tranches de pain noir, des olives et des cornichons.

Râpez finement toute quantité désirée d'un ou de plusieurs fromages avec une quantité de porto suffisante pour amollir le mélange. Couvrir et laisser macérer 24 heures, à température ambiante. Remuer, ajouter un peu de rhum, du sel et du poivre au goût et quelques graines d'aneth. Bien mélanger. Mettre dans un pot de grès et arroser d'un peu de porto. Couvrir et réfrigérer. Retirer du réfrigérateur environ une heure avant de servir.

Pain noir

On appelle ce pain *surbrød* au Danemark. J'en ai mangé partout et je l'ai aimé sous toutes ses saveurs qui proviennent, paraît-il, des différents genres de bière et de farine de seigle utilisés. Il est facile à faire et se conserve bien. Essayez-le, copieusement tartiné de beurre doux et recouvert de viandes froides de choix ou d'une tranche de jambon.

1 enveloppe de levure sèche active
1 tasse (250 mL) d'eau tiède
1/2 c. à café (2 mL) de sucre
1 tasse (250 mL) de bière danoise, à la température
  ambiante
3 1/2 tasses (875 mL) de farine de seigle
1 tasse (250 mL) de farine tout-usage
1 c. à café (5 mL) de sel
1 c. à soupe (15 mL) de graines d'aneth
1/4 de c. à café (1 mL) de graines de carvi

Mélanger la levure, l'eau tiède et le sucre. Laisser reposer 10 minutes. Bien brasser, verser dans un grand bol, ajouter la bière et 2 tasses (500 mL) de la farine de seigle. Brasser pour obtenir un mélange homogène. Couvrir hermétiquement avec une pellicule plastique et laisser dans un endroit chaud de la cuisine pendant 8 à 12 heures. Ceci est l'éponge — en premier lieu elle lèvera et puis elle tombera; c'est ce procédé qui donne son goût sur au pain.

Au moment de mélanger, pétrir l'éponge, ajouter le reste de la farine de seigle, la moitié de la farine, le sel, les graines d'aneth et de carvi. Travailler le tout jusqu'à l'obtention d'un mélange homogène, en ajoutant plus de farine si la pâte est trop collante. Un mélangeur électrique avec un crochet pour pétrir peut être utilisé. Couvrir et laisser lever dans un endroit chaud, environ 1 heure, ou jusqu'à ce que la pâte double de volume. Saupoudrer la table avec de la farine, faire dégonfler la pâte, la renverser sur la table enfarinée et pétrir jusqu'à c ,ue la pâte soit lisse — 2 à 5 minutes devraient suffir.

Diviser la pâte en deux. Façonner les moitiés dans deux moules à pain beurrés de 9 x 5 po (22,5 x 12,5 cm). Couvrir avec un linge. Laisser lever, de nouveau, dans un endroit chaud jusqu'à ce qu'elles doublent de volume.

Chauffer au préalable le four à 375°F (190°C) et faire cuire les pains environ 50 à 60 minutes jusqu'à ce qu'ils soient dorés et qu'ils aient une forte croûte.

Démouler et refroidir sur une grille à gâteau. Conserver les pains en les enveloppant dans un linge de toile, comme on le fait au Danemark.

Donne 2 pains.

Petits gâteaux au géranium rose

Mr. Wernberg, pâtissier à l'hôtel d'Angleterre à Copenhague, est le meilleur en Scandinavie. J'ai fait sa connaissance lors d'une visite au Danish Catering Trade School. Il m'a offert ces petits gâteaux avec un café au brandy et m'a fait cadeau des deux recettes.

Depuis des années, je cultive un géranium rose dans mon jardin en été et dans un grand pot dans la maison en hiver. Ma grand-mère maternelle m'avait appris à m'en servir en cuisine. C'est donc avec plaisir et surprise que j'ai dégusté les petits gâteaux de Mr. Wernberg.

1/4 de tasse (60 mL) de beurre mou
1/2 tasse (125 mL) de sucre granulé fin
1 c. à café (5 mL) de jus de citron frais
2 jaunes d'oeufs
2/3 de tasse (160 mL) de farine tout-usage
1/4 de c. à café (1 mL) de sel
1/8 de c. à café (0,5 mL) de soda
2 blancs d'oeufs
Feuilles fraîches de géranium rose

Mettre en crème le beurre et le sucre. Ajouter le jus de citron et battre avec un batteur électrique pendant 5 minutes. Battre les jaunes d'oeufs jusqu'à ce qu'ils soient épais et de teinte jaune pâle, puis ajouter au mélange de beurre et battre à vitesse moyenne de 2 à 4 minutes. (Le battage est important car il n'y a aucun liquide, sauf le jus de citron, dans ces petits gâteaux.)

Tamiser ensemble la farine, le sel et le soda. Ajouter par cuillerées au mélange en crème, en battant bien entre chaque addition.

Battre les blancs d'oeufs jusqu'à ce qu'ils soient fermes, puis les incorporer délicatement dans la pâte.

Beurrer des moules à petits gâteaux de 2 po (5 cm). Saupoudrer un peu de sucre à l'intérieur des moules. Placer une feuille de géranium rose dans chaque moule. Par cuillerées, mettre la pâte par-dessus — ne pas remplir les moules plus qu'aux 2/3. Faire cuire au four chauffé au préalable à 350°F (180°C), de 18 à 20 minutes, ou jusqu'à ce que les gâteaux rétrécissent dans leur moule. Refroidir sur une grille à gâteau 5 minutes. Démouler délicatement. Servir avec la feuille sur le dessus. (La feuille brunit ici et là et prend une texture croustillante, en donnant aussi un parfum merveilleux aux gâteaux.)

Donne de 12 à 14 petits gâteaux.

Sablés danois à la pâte d'amande

Le grand chef de Scandinavia Airlines me donna cette délicieuse recette lors d'un récent voyage au Danemark. Ces gâteaux diffèrent beaucoup des sablés écossais, et la touche de pâte d'amande est délicieuse.

1 lb (500 g) de beurre doux à la température ambiante
1 3/4 tasse (450 mL) de sucre granulé fin
2 oeufs battus
4 tasses (1 L) de farine tout-usage
1/4 de c. à café (1 mL) de soda
1/2 c. à café (2 mL) de sel
1 tasse (250 mL) d'amandes finement hachées
1 c. à café (5 mL) d'extrait d'amande
3/4 de tasse (190 mL) de pâte d'amande

Mettre en crème le beurre et le sucre jusqu'à consistance de crème fouettée. Ajouter les oeufs et battre de nouveau pendant quelques minutes. Tamiser la farine avec le soda et le sel, ajouter graduellement au mélange en crème, puis mélanger jusqu'à l'obtention d'une pâte lisse (facile à faire avec un batteur électrique).

Ajouter les amandes hachées, l'extrait et la pâte d'amande et bien mélanger. Tapisser le fond d'un plat de 15 x 10 po (37,5 x 25 cm) avec un papier ciré. Taper la pâte dans le fond du plat, couvrir avec un papier ciré et réfrigérer pour la nuit.

Le lendemain, renverser le contenu sur une planche et tailler la pâte en languettes de 2 1/2 x 1/2 po (6,25 x 1,25 cm). Les mettre sur une plaque de cuisson graissée et les faire cuire au four à 375°F (190°C), de 20 à 30 minutes, ou jusqu'à ce qu'ils soient dorés. Les enlever de la plaque de cuisson et les laisser refroidir sur des grilles.

Donne de 3 à 4 douzaines.

Biscuits au beurre et à la liqueur

Ces délicieux et riches biscuits à saveur étonnante sont d'un beau doré.

2/3 de tasse (160 mL) de beurre
1/3 de tasse (80 mL) de sucre granulé fin
2 c. à soupe (30 mL) de liqueur Herring ou de cognac
1/4 de c. à café (1 mL) de sel
1 1/2 tasse (375 mL) de farine tout-usage
2 c. à soupe (30 mL) de sucre
1 c. à café (5 mL) de muscade fraîche, moulue

Mettre en crème le beurre jusqu'à ce qu'il soit mou et crémeux, puis y mélanger le 1/3 de tasse (80 mL) de sucre, 1 c. à café (5 mL) à la fois. Y brasser le cognac ou la liqueur.

Mélanger le sel avec la farine et ajouter graduellement au mélange de beurre, en brassant bien entre chaque addition. Lorsque le tout est bien mélangé, former une boule, couvrir et réfrigérer 30 minutes.

Abaisser la pâte jusqu'à ce qu'elle soit mince et la tailler en languettes de 1 po (2,5 cm). Combiner les 2 c. à soupe (30 mL) de sucre avec la muscade et saupoudrer sur les biscuits. Mettre sur une plaque à biscuits légèrement graissée et faire cuire au four à 400°F (200°C), de 8 à 10 minutes, ou jusqu'à ce qu'ils soient légèrement dorés.

Donne environ 36 biscuits.

Café au brandy de Copenhague

J'ai été étonnée du nombre d'oeufs dans la recette du chef Wernberg. Le café est servi froid, mais sans glace, et doit être réfrigéré de trois à quatre heures. Essayez-le lors de votre prochain dîner sur la terrasse.

6 oeufs
1/2 tasse (125 mL) de sucre
4 tasses (1 L) de café noir fort*
1 tasse (250 mL) de brandy

Battre les oeufs avec un fouet ou un batteur électrique jusqu'à l'obtention d'un mélange crémeux et de couleur jaune pâle. Ajouter le sucre, une cuillerée à la fois, tout en battant, jusqu'à ce que le mélange soit épais et de teinte pâle. Plus vous battrez le mélange, plus il deviendra léger. Y incorporer doucement le café noir refroidi (comme on incorpore l'huile dans une mayonnaise), puis faire de même avec le brandy. Verser dans un élégant pot de verre taillé. Couvrir et réfrigérer de 1 à 4 heures.

Donne 8 portions.

---

* Le chef Wernberg se servait de café noir arabe frais moulu.

Cuisine suédoise: de la soupe aux pois jaunes aux *swedish Mumms*

Le "steak et homard", si souvent présenté sur les menus en Suède, a été l'inspiration et le délice gastronomique d'un populaire roi de Suède, Oscar II. Et c'est le renommé "Oscar du Waldorf", dont le véritable nom était Oscar Tschirky, qui l'a présenté en Amérique. Des médaillons, ou filets de veau sont martelés et vivement dorés au beurre doux, puis recouverts de homard étuvé et servis avec une sauce *Choron*. Cette dernière est une sauce hollandaise aromatisée à l'estragon, à laquelle sont ajoutées des tomates concassées en quantité égale à la moitié de la sauce. Un plat superbe. Le bifteck peut être servi de cette façon.

Lorsque j'ai eu quatre ans, mon père me fit cadeau du livre de recettes d'Oscar du Waldorf, avec une photo d'Oscar qu'il avait collée sur la première page. Je n'ai jamais su d'où venait la photo. Aujourd'hui, cela m'amuse. Papa aurait-il eu un pressentiment du rôle que jouerait la cuisine dans ma vie? Il faut bien avouer que c'était, pour le moins, un étrange cadeau pour une enfant de quatre ans.

Oscar a créé la réputation du Waldorf de New York au début du siècle. Lorsqu'il écrivit son livre en 1908, il était déjà renommé, bien qu'il ne fût qu'au début de la trentaine.

Le premier chapitre de son livre s'intitule "Seasons", avec huit pages décrivant les meilleures saisons pour tous les aliments. La lecture de ces pages est en elle-même une éducation, qui nous fait constater combien nous avons peu de choix dans notre pays, qui nous apparaît cependant comme une terre d'abondance. On y insiste sur l'importance de servir chaque aliment au summum de sa qualité. Par un ironique retour des choses, c'est exactement ce que font les grands chefs de nos jours: ils se rendent eux-mêmes au marché pour ne choisir que les aliments fraîchement cueillis, ce qui prouve que la vie est un perpétuel recommencement. Au cours de mes nombreuses années d'existence, j'ai vu tant de choses d'autrefois acclamées comme des découvertes récentes!

Soupe aux pois jaunes

Cette soupe surprendra beaucoup de Canadiens, tout particulièrement ceux du Québec. Elle est préparée avec le même genre de
pois que nous utilisons, appelés *äkeröter* en Suède. Cette soupe est
servie avec les crêpes *plätter* une fois par semaine l'hiver, dans la
plupart des foyers suédois.

1 lb (500 g) de pois jaunes secs
6 tasses (1,5 L) d'eau froide
1 lb (500 g) de porc dans l'épaule, désossé
3 c. à soupe (50 mL) de gros sel
2 oignons tranchés
2 poireaux tranchés
1/2 c. à café (2 mL) de marjolaine
1 c. à café (5 mL) de gingembre sec
Un pot de moutarde scandinave

Nettoyer les pois et les placer dans un bol. Les couvrir avec
l'eau froide et les faire tremper pour la nuit.

Étendre le gros sel sur une assiette. Y rouler la viande jusqu'à
ce qu'elle soit complètement couverte de sel. L'envelopper dans un
linge de coton ou une gaze et conserver au réfrigérateur pour la nuit.

Le lendemain, faire égoutter l'eau des pois, mesurer et ajouter
assez d'eau pour obtenir 6 tasses (1,5 L). Amener à ébullition, puis
ajouter les pois trempés. Rincer rapidement la viande et ajouter à
la soupe. Ajouter le reste des ingrédients sauf la moutarde. Amener
rapidement à forte ébullition. À l'aide d'une écumoire, écumer les
cosses de pois qui flottent à la surface. Couvrir et faire mijoter à
feu doux jusqu'à ce que les pois et la viande soient tendres.

Retirer le porc de la soupe et le mettre sur un plat de service
chaud et le couper en morceaux. Râper le zeste d'un citron et le saupoudrer sur la viande.

Servir avec la soupe et la moutarde.

Donne 8 portions.

Kalops suédois

C'est une méthode ancienne pour faire un ragoût. Elle est facile et savoureuse. Je me souviens d'un ragoût semblable que faisait ma grand-mère. Il est servi avec des pommes de terre bouillies, des betteraves marinées et des atocas (en Suède ils utilisent les lingonnes).

2 à 3 lb (1 à 1,5 kg) de boeuf à râgout en un seul morceau
2 c. à soupe (30 mL) de farine
1c. à café (5 mL) de sel
1/2 c. à café (2 mL) de poivre
2 c. à soupe (30 mL) de gras de bacon ou d'huile végétale
2 gros oignons tranchés
15 à 20 grains de poivre
2 feuilles de laurier
4 toutes-épices entières
1 tasse (250 mL) de bière ou de vin rouge
1/2 tasse (125 mL) d'eau

Couper la viande en tranches épaisses. Pilonner la viande avec un maillet — juste assez pour briser les fibres de la viande, sans la rendre trop mince comme une escalope.

Mélanger sur un papier ciré la farine, le sel et le poivre. Y rouler la viande. Faire fondre le gras de bacon dans un poêlon de métal épais ayant un bon couvercle. Faire rissoler chaque morceau de viande des deux côtés, puis les mettre de côté. Ajouter les oignons et brasser à feu vif jusqu'à ce que les oignons soient dorés.

Envelopper dans un carré de gaze les grains de poivre, les feuilles de laurier et la toute-épice. Ajouter le tout aux oignons. Brasser, ajouter la bière ou le vin rouge et l'eau, et amener à forte ébullition. Placer la viande dans le liquide, baisser le feu, couvrir et faire mijoter tranquillement jusqu'à ce que la viande soit tendre (vérifier en la piquant avec une fourchette) et que le liquide soit réduit et un peu crémeux.

Donne 6 portions.

Mash et oignons

Je n'ai jamais vu ce mets nulle part ailleurs qu'en Suède, où il est considéré comme un plat de famille de tous les jours.

4 oignons moyens pelés et tranchés
2 c. à soupe (30 mL) de gras de bacon ou de margarine
1/4 de tasse (60 mL) de chapelure
6 c. à soupe (90 mL) chacune de crème et d'eau
1/2 lb (250 g) de porc haché et autant de veau haché
1 c. à café (5 mL) de sel
1/2 c. à café (2 mL) de poivre
1 c. à café (5 mL) de sauge ou de sarriette
1/3 de tasse (80 mL) de consommé de votre choix

Faire fondre le gras, ajouter les oignons et les faire frire à feu moyen jusqu'à ce qu'ils soient dorés.

Mettre dans un bol la chapelure, la crème, l'eau, le porc et le veau hachés. Bien mélanger le tout, ajouter le sel, le poivre, la sauge ou la sarriette. Brasser de nouveau pour bien mélanger.

Mettre la moitié des oignons frits dans le fond d'une casserole, puis faire une couche avec le mélange des viandes hachées et étendre le reste des oignons sur la viande. Verser dessus le consommé. Percer des trous avec une fourchette pour permettre au consommé de pénétrer les viandes et les oignons. Faire cuire au four chauffé au préalable à 375°F (190°C), environ 35 à 40 minutes. Servir avec des pommes de terre en purée. Lorsqu'il est refroidi il se tranche comme un pain de viande.

Donne 4 portions.

Oeufs sur oeufs à la suédoise

J'aime toujours un dessert de fruits sur fruits, et pour moi les oeufs sur les oeufs sont un plaisir épicurien; il semble que les Suédois partagent mon opinion. La sauce est légère et très agréable.

6 oeufs durs
1/4 de tasse (60 mL) de beurre

1 gros oignon coupé en tranches minces
1/4 de c. à café (1 mL) de sucre
2 c. à soupe (30 mL) de chapelure fine
1/4 de tasse (60 mL) de persil ou d'aneth, frais
et émincé
1 c. à café (5 mL) de sel
1/4 de c. à café (1 mL) de poivre
1/2 tasse (125 mL) de crème légère

Couper en quartiers 4 oeufs et les placer dans une casserole. Hacher finement les 2 oeufs qui restent et les réserver pour la sauce. Faire fondre le beurre dans un poêlon, ajouter l'oignon et faire cuire jusqu'à ce qu'il soit mou et de couleur doré. Y brasser la chapelure et les oeufs réservés, mélanger le tout et y brasser le persil ou l'aneth, le sel et le poivre.

Retirer du feu et ajouter la crème. Brasser jusqu'à ce que le tout soit homogène et le verser sur les oeufs dans la casserole. Pour réchauffer (si nécessaire), placer dans un four à 400°F (200°C) pendant 5 minutes.

Donne 4 portions.

Les crêpes suédoises Plätter Pan

La *plätter pan* est une grande casserole peu profonde avec des cavités de 6,25 cm qui permettent de cuire six crêpes à la fois. Les Suédois l'utilisent pour cette recette. Ce genre de poêlon est disponible dans les boutiques d'ustensiles de cuisine. Ces attrayantes crêpes sont servies comme entrée, comme dessert ou à l'heure du thé.

3 jaunes d'oeufs
2 c. à soupe (30 mL) de sucre
1/8 de c. à café (0,5 mL) de sel
3 c. à soupe (50 mL) de beurre fondu
1/2 tasse (125 mL) de farine tout-usage
1 tasse (250 mL) de lait
3/4 de tasse (190 mL) de crème légère
3 blancs d'oeufs

Battre les jaunes d'oeufs avec le sucre, le sel et le beurre fondu jusqu'à ce que le tout soit léger et homogène. Ajouter la farine en alternant avec le lait et la crème légère, en battant bien entre chaque addition (si possible, utiliser un fouet). Couvrir et réfrigérer 1 heure.

Battre les blancs d'oeufs jusqu'à ce qu'ils soient fermes et, au moment de la cuisson, les incorporer dans la pâte refroidie (celle-ci est une pâte légère). Faire fondre un peu de beurre dans chaque cavité de la plätter pan ou dans un poêlon. Saupoudrer avec du sucre et servir avec des atocas ou des lingonnes.

Donne 24 petites crêpes.

Tomates concassées

En dépit de son nom, cette sauce n'est pas française, mais c'est une spécialité suédoise. L'utiliser avec de la truite ou du saumon frais, ou du riz, ou pour garnir une omelette. L'ajouter à une sauce blanche ou à une mayonnaise, etc.

6 à 8 tomates
1 petit oignon finement haché
2 c. à soupe (30 mL) d'huile à salade
1 gousse d'ail écrasée
1 c. à soupe (15 mL) de persil finement émincé
1/4 de c. à café (1 mL) d'estragon et autant d'aneth frais
*   ou de graines d'aneth*
1/2 c. à café (2 mL) de sucre ou de miel

Verser de l'eau bouillante sur les tomates dans un bol, laisser reposer 3 minutes, puis les peler et les couper en deux. Extraire le jus et les graines et hacher grossièrement les tomates.

Faire frire l'oignon dans l'huile et faire dorer. Y incorporer les tomates et le reste des ingrédients. Couvrir et faire mijoter à feu doux de 20 à 25 minutes. (Ne pas faire bouillir ni trop cuire — c'est la cuisson à petit feu qui est importante.) Assaisonner au goût.

Donne 2 tasses (500 mL).

Pain de sarrazin

Les Suédois aiment servir ce pain avec du beurre, de minces tranches de fromage de type Esrom et de la bière froide.

1 enveloppe de levure sèche active
1 tasse (250 mL) d'eau chaude
1 c. à café (5 mL) de sucre
1 1/2 tasse (375 mL) de gruaux de sarrazin écrasés*
1 tasse (250 mL) d'eau chaude
1 c. à café (5 mL) de graines d'anis ou de carvi
1/2 c. à café (2 mL) de graines d'aneth
3 tasses (750 mL) de farine de blé entier
2 tasses (500 mL) de farine tout-usage

Mélanger la levure, l'eau chaude et le sucre. Laisser reposer 10 minutes ou jusqu'à ce que le tout soit mousseux.

Placer dans un bol les gruaux de sarrazin qui ont été écrasés dans un mortier ou passés dans un robot culinaire pendant 30 à 50 secondes. Verser l'eau chaude sur le dessus et bien brasser. Ajouter les graines d'anis ou de carvi et les graines d'aneth. Y verser la moitié de la farine de blé entier, bien mélanger, puis ajouter le reste de la farine de blé entier. Ajouter 1 tasse (250 mL) de farine. Bien mélanger. Saupoudrer la surface de travail avec de la farine, y renverser la pâte et pétrir vigoureusement pendant 5 minutes, ou jusqu'à ce que la pâte soit lisse et ne colle pas — si nécessaire, saupoudrer avec plus de farine la surface de travail.

Mettre la pâte dans un bol, couvrir avec un linge et laisser lever dans un endroit chaud jusqu'à ce qu'elle double de volume, environ 1 heure.

Faire dégonfler la pâte, diviser en deux, couvrir avec un linge et laisser reposer 10 minutes. Former chaque portion en 1 pain rond ou en 2 petits pains. Placer le pain rond sur une plaque de cuisson graissée ou les petits pains dans deux moules graissés de 8 x 4 po (20 x 10 cm). Couvrir et laisser lever jusqu'à ce qu'ils doublent de volume.

* Les gruaux de sarrazin sont disponibles dans les magasins, sous le nom de "Kasha".

Faire cuire au four, chauffé au préalable à 375°F (190°C), de 40 à 45 minutes, ou jusqu'à ce que le pain soit croustillant et doré. Enlever le pain du moule lorsqu'il est complètement refroidi, en mettant les moules sur une grille pour refroidir. Conserver le pain en l'enveloppant dans un linge.

Donne 1 pain rond ou 2 petits pains.

Pain sucré aux bleuets

Il est plutôt rare de rencontrer ce genre de pain sucré fait avec des bleuets, cependant mon amie finlandaise Marta m'a dit qu'un pain de ce genre se faisait en Finlande avec des lingonnes ou chicoutés à la place des bleuets.

J'aime ce pain chaud avec de la sauce aux bleuets ou de la crème glacée fondant sur le dessus.

1 enveloppe de levure sèche active
1 tasse (250 mL) de lait tiède
1 c. à café (5 mL) de sucre
3 c. à soupe (50 mL) de beurre fondu
1/2 c. à café (2 mL) de sel
1 c. à café (5 mL) de cardamome moulu
1/2 c. à café (2 mL) de gingembre moulu
2 tasses (500 mL) de farine de seigle tamisée deux fois
2 tasses (500 mL) de farine tout-usage
4 tasses (1 L) de bleuets frais
1 tasse (250 mL) de sucre

Mélanger la levure, le lait tiède et 1 c. à café (5 mL) de sucre. Laisser reposer 10 minutes. Bien brasser et ajouter le beurre fondu, le sel, le cardamome et le gingembre. Bien mélanger et ajouter la farine de seigle. Battre jusqu'à consistance crémeuse. Ajouter 1 tasse (250 mL) de farine. Mélanger jusqu'à l'obtention d'une pâte molle. Renverser sur une planche enfarinée, pétrir jusqu'à ce que la pâte devienne lisse, en ajoutant plus de farine si nécessaire.

Mettre dans un bol bien beurré, couvrir avec un linge et laisser lever environ 1 heure jusqu'à ce que la pâte double de volume.

Faire dégonfler la pâte et pétrir au moins de 7 à 8 minutes, saupoudrer avec un peu de farine si la pâte semble être collante.

Beurrer un moule de 9 x 13 x 2 po (22,5 x 32,5 x 5 cm). Abaisser la pâte pour qu'elle se conforme au moule. Tirer la pâte tout autour du moule pour former un genre de plat pour contenir les bleuets. Verser les bleuets sur la pâte, les étendre également. Couvrir et laisser lever de 40 à 45 minutes.

Saupoudrer les bleuets avec 1 tasse (250 mL) de sucre. Faire cuire au four chauffé au préalable à 375°F (190°C), de 30 à 40 minutes, ou jusqu'à ce que la croûte tout autour du moule soit bien dorée. Placer le moule sur une grille pour refroidir. Couper en carrés pour servir.

Donne de 8 à 10 portions.

Pouding aux fraises Oscar

Ce pouding est fait de confiture de fraises recouverte de fraises fraîches et surmontée d'une légère crème anglaise. C'est une tarte sans croûte. Tout à fait Oscar!

1 tasse (250 mL) de confiture de fraises
2 tasses (500 mL) de pain français, grillé, beurré
*   et coupé en dés*
1 tasses (500 mL) de fraises fraîches entières
3 oeufs
1/2 tasse (125 mL) de sucre
2 tasses (500 mL) de crème légère tiède
1/4 de c. à café (1 mL) de muscade fraîche râpée

Beurrer une élégante assiette à tarte de 9 po (22,5 cm). Étendre la confiture de fraises dans le fond. Couronner avec le pain français. Couvrir avec les fraises fraîches.

Battre les oeufs, ajouter le sucre et battre jusqu'à ce que le tout soit léger, puis ajouter la crème tiède. Bien mélanger. Verser sur les fruits. Faire cuire 30 minutes au four, chauffé au préalable à 350°F (180°C). Refroidir et servir.

Donne 6 portions.

Oranges sur bananes Oscar

Ce dessert a été créé par Oscar au moment où tout le monde aux États-Unis chantait *Chiquita Banana*. Il était prêt à encourager le commerce, pourvu qu'il puisse le faire avec flair!

4 à 6 bananes pelées et tranchées
Zeste râpé d'une orange
3 c. à soupe (50 mL) de sucre granulé fin
Jus d'une orange
1/4 de tasse (60 mL) de rhum

Placer les bananes dans un plat en verre.

Faire pénétrer le zeste râpé d'orange dans le sucre. Saupoudrer sur les bananes et brasser ensemble délicatement. Mélanger le jus d'orange et le rhum. Verser sur les bananes. Couvrir et laisser reposer 3 heures avant de servir, à la température ambiante ou réfrigéré.

Pêches au champagne Oscar

Au Waldorf cette préparation se faisait aux tables, ce qui était considéré comme très élégant. Je me souviens de l'impression que j'ai ressentie, à seize ans, quand le champagne mousseux fut versé sur les pêches.

2 tasses (500 mL) de melon d'eau coupé en dés
2 tasses (500 mL) de cantaloup coupé en dés
4 à 5 pêches, pelées et en purée
1/3 de tasse (80 mL) de sucre granulé fin
1/4 de tasse (60 mL) de cognac ou de liqueur
    à l'orange
1 à 2 tasses (250 à 500 mL) de champagne refroidi

Mélanger le melon d'eau et le cantaloup. Ajouter le sucre et le cognac ou la liqueur à l'orange aux pêches en purée. Étendre sur les melons en dés. Couvrir et réfrigérer.

Au moment de servir, verser le champagne sur les fruits. Ne pas mélanger; simplement servir.

Donne 6 portions.

Mumms suédois

Mon amie Marta m'a enseigné à faire ce punch à la bière. Il n'est pas sans effet!

1 chopine (500 mL) de bière brune
1 chopine (500 mL) de bière
1 chopine (500 mL) d'eau de seltz ou d'eau minérale
1/2 tasse (125 mL) de gin sec ou de vin de Madère sec

Réfrigérer tous les ingrédients jusqu'au moment de servir, puis verser le tout dans un contenant de service. Utiliser un grand pot de grès ou un contenant en bois si vous désirez être authentique — et brasser.

Donne 1 1/2 pinte (1,5 L).

Cuisine norvégienne: de *Green Suppe* à *boller* à la vanille

Green Suppe

Il faisait très froid le soir de mon arrivée à Oslo, encore plus qu'au Canada. À mon entrée dans la salle à manger de l'hôtel, une bonne odeur appétissante m'accueillit, et je demandai au maître d'hôtel ce que c'était. S'il vous semble, comme c'était mon cas, que la soupe au persil n'a rien d'alléchant, essayez la *Green Suppe* et vous changerez vite d'avis. Elle est pour moi la vichyssoise norvégienne.

2 pommes de terre pelées et coupées en dés
2 oignons moyens pelés et coupés en dés
1 c. à soupe (15 mL) de beurre
1 tasse (250 mL) d'eau
2 tasses (500 mL) de persil frais, les tiges enlevées
2 tasses (500 mL) de consommé de poulet
Zeste d'un demi-citron
Sel et poivre
1 tasse (250 mL) de lait
1 tasse (250 mL) de crème légère
8 à 12 crevettes

Dans une casserole, faire mijoter ensemble les pommes de terre, les oignons, le beurre et l'eau pendant environ 15 minutes, ou jusqu'à ce que les pommes de terre soient tendres mais pas trop cuites.

Verser le tout dans un robot culinaire ou un mélangeur. Ajouter le persil et la moitié du consommé. Passer 1 minute au robot culinaire ou mélanger 3 minutes.

Verser de nouveau dans la casserole et ajouter le reste du consommé et le zeste râpé du citron. Amener à ébullition, puis ajouter le sel, le poivre, le lait et la crème. Faire mijoter jusqu'à ce que le tout soit chaud.

Enlever les carapaces des crevettes et couper chacune en 3 avec un couteau aiguisé. Ajouter à la soupe et faire mijoter jusqu'à ce que les crevettes soient roses. Ne pas laisser bouillir.

Donne 4 portions.

Filets de hareng frais avec trois sauces

Je n'aime pas le hareng, frais, salé ou autrement. À Bergen, je fus un soir invitée à dîner. Au premier service, on me présenta trois petits filets de hareng crus avec trois sauces différentes, chacune servie dans un petit bol. Il y avait sur la table une bouteille d'aquavit doré dans un bloc de glace. On en versa un verre à chaque convive, et l'on me dit que je devais prendre un des harengs puis une gorgée d'aquavit. Vous vous rendez compte de ma consternation. Mon hôte et les autres invités brûlaient d'impatience. Je pris donc mon courage à deux mains et, appliquant un peu de sauce sur un des filets, j'avalai du même coup hareng et aquavit. Surprise! Je me rendis compte que je n'avais jamais auparavant goûté du hareng cru parfait, sans mentionner l'aquavit qui était superbe. Si jamais vous êtes dans une même situation, méfiez-vous du rafraîchissant aquavit norvégien doré... quelques gorgées en trop vous feront voir la vie en rose!

12 petits filets de hareng crus

Vous allez avoir besoin d'un bon marchand de poisson pour préparer les filets. Conservez-les au réfrigérateur jusqu'au moment de les servir. Dans les magasins spécialisés vous pouvez trouver les filets de hareng en boîte sans sauce — ils sont assez bons mais ils ne se comparent pas à ceux qui sont frais.

Sauce rose

3 c. à soupe (50 mL) de beurre doux mou
1 c. à soupe (15 mL) de pâte de tomates
1/4 de c. à café (1 mL) de sucre et autant de sel

Sauce blanche

1/4 de tasse (60 mL) de crème sure
2 c. à soupe (30 mL) de raifort préparé, bien égoutté
1/4 de c. à café (1 mL) de sel

Beurre vert

1 c. à soupe (15 mL) de beurre doux mou
2 c. à café (10 mL) d'aneth frais émincé
1 c. à café (5 mL) de jus de citron frais

Pour préparer les sauces: battre simplement les ingrédients requis pour chaque sauce et les mettre dans des bols individuels. Conserver à la température ambiante jusqu'au moment de servir.

Le contraste des filets de hareng froids et des sauces tièdes est très important.

Chaque invité se sert d'une sauce à la fois pour chaque filet.

Donne 4 portions.

Filets de poisson pochés au beurre

C'est une préparation facile et rapide. Je recommande d'utiliser des filets frais de sole, d'aiglefin ou de morue, tous sont également bons. J'aime aussi la simplicité de la sauce: de l'aneth ou du persil et du jus de citron frais, dont les quantités sont laissées à votre discrétion.

2 lb (1 kg) de filets de poisson de votre choix
1/3 de tasse (80 mL) de beurre
Sel et poivre
Zeste râpé d'un citron

Faire tremper le poisson de 1/2 heure à 2 heures dans suffisamment d'eau froide pour le couvrir, et ajouter 3 c. à soupe (50 mL) de sel. Ce traitement à l'eau salée empêche le poisson de sécher pendant la cuisson. Enlever le poisson de l'eau et bien l'essuyer avec des papiers absorbants.

Faire fondre le beurre dans un plat peu profond allant au four et y placer le poisson. Couvrir avec un papier beurré ou un papier d'aluminium. Faire cuire 10 minutes au four chauffé au préalable à 400°F (200°C). Si les filets sont épais, les tourner avec une spatule au bout de 5 minutes.

Pour servir, enlever le poisson à l'aide d'une cuillère perforée et le placer sur un plat de service chaud. Quelques cuillerées de beurre fondu, beaucoup d'aneth et le jus d'un demi-citron font une bonne combinaison pour la sauce, qui est servie séparément.

Donne 4 portions.

Superbe saumon froid

En Norvège, on enveloppe le saumon dans du parchemin. Le papier d'aluminium donne le même résultat et il est plus facile de se le procurer. J'ai mangé de ce saumon pour la première fois lors d'un vol SAS entre le Danemark et la Norvège. Il était servi avec de la salade de concombre "en spirales" et des pommes de terre chaudes cuites à la vapeur. Un beau plat succulent.

2 lb (1 kg) de saumon, coupe du centre
1/3 de tasse (80 mL) de beurre fondu
1/3 de tasse (80 mL) de vodka ou de vermouth sec
ou de jus de citron frais
Sel et poivre

Placer le saumon sur un morceau de papier d'aluminium de forte résistance, verser le beurre fondu sur le dessus, relever le papier tout autour pour former une assiette, ajouter la vodka ou le vermouth sec ou le jus de citron et saler et poivrer. Plier et sceller les bords du papier d'aluminium avec un double pli pour empêcher que le jus s'échappe, et placer dans une lèchefrite. Faire cuire 40 minutes au four, chauffé au préalable à 350°F (180°C).

Lorsque le poisson est cuit, l'enlever du four, mais ne pas ouvrir le papier d'aluminium. Laisser refroidir puis conserver au réfrigérateur pendant au moins 12 heures. Le jus, lorsqu'il aura refroidi, formera une délicieuse gelée. Servir sur un lit d'aneth ou de persil frais et garnir avec de minces tranches de citron et de concombre non pelés.

Donne de 4 à 6 portions.

Boulettes de viande norvégiennes

Les boulettes sont en Scandinavie ce qu'est ici le hamburger. Elles sont aussi faites de viande hachée. Là s'arrête la ressemblance. Chaque pays scandinave les fait à sa façon; les Norvégiens utilisent le fromage Gjetost, que j'ai cru ne jamais pouvoir manger. Le soir où je me rendis compte quelle saveur il conférait aux boulettes, je réalisai que tout aliment peut être bon s'il est utilisé comme il se doit. Le Gjetost ressemble à un bloc de beurre d'érable mou. Il est disponible dans les fromageries (j'emploie parfois du cheddar moyen à sa place).

1 lb (500 g) de boeuf haché
1 lb (500 g) de porc haché
1 1/2 c. à café (7 mL) de sel
1/2 c. à café (2 mL) de poivre
2 oeufs légèrement battus
1 tasse (250 mL) de lait
1/2 tasse (125 mL) de farine de blé entier
*   ou de germes de blé*
2 c. à soupe (30 mL) de câpres (facultatif)

Mettre tous les ingrédients, sauf les câpres, dans un grand bol et battre à vitesse moyenne jusqu'à ce que le tout soit compact et crémeux, ou mélanger vigoureusement à la main. (Le brassage est la partie la plus importante des boulettes de viande scandinaves.) Ajouter les câpres et brasser pour bien mélanger.

Placer un bol d'eau à côté de la viande et façonner la viande en boulettes de 1 po (2,5 cm) de diamètre, en se rinçant les mains fréquemment pour empêcher le mélange de coller sur les mains.

Dans un poêlon de fonte, faire chauffer de 2 à 3 c. à soupe (30 à 50 mL) d'huile végétale. Ajouter les boulettes sans trop les tasser. Laisser dorer, en agitant tranquillement le poêlon de temps en temps pour permettre aux boulettes de tourner dans le poêlon et de dorer également — ceci prend environ 10 minutes. Retirer du poêlon les boulettes qui sont suffisament dorées. Les mettre de côté jusqu'au moment de servir ou les ajouter à la sauce(recette qui suit).

Sauce

2 c. à soupe (30 mL) de beurre
2 c. à soupe (30 mL) de farine
3/4 de tasse (190 mL) de crème légère
1/2 tasse (125 mL) de bouillon de poulet
1/2 tasse (125 mL) de fromage Gjetost râpé

1/2 tasse (125 mL) de crème sure
2 c. à soupe (30 mL) d'aneth ou persil frais

Faire fondre le beurre dans un poêlon, ajouter la farine, bien mélanger, ajouter la crème et le bouillon de poulet. Faire cuire à feu moyen et brasser jusqu'à l'obtention d'un mélange crémeux. Retirer le poêlon du feu et ajouter le fromage. Brasser jusqu'à ce que le fromage soit fondu et y ajouter les boulettes. Faire mijoter à feu doux jusqu'à ce que le tout soit chaud. Au moment de servir, ajouter la crème sure et l'aneth ou le persil.

Donne de 6 à 8 portions.

Poulet froid au citron

Ce plat m'a été servi pour la première fois à Oslo comme plat principal d'un buffet froid très attrayant. La table était de ce beau bois blond que l'on rencontre partout en Norvège, et il n'y avait ni nappe, ni napperons, rien de plus qu'un énorme bol noir débordant de jonquilles jaunes. Les assiettes et les plateaux en poterie étaient de deux couleurs, jaune foncé et d'un beau vert; les sauces étaient dans de petits bols blancs, et les serviettes étaient appareillées aux couleurs des assiettes.

Ce poulet est devenu un de mes mets préférés en été.

Un poulet de 3 lb (1,5 kg)
1 c. à café (5 mL) de gros sel
15 grains de poivre
6 à 8 feuilles de céleri, attachées ensemble
8 à 10 tiges de persil, attachées ensemble
6 tasses (1,5 L) d'eau froide
3 jaunes d'oeufs
1 tasse (250 mL) de crème légère
2 c. à soupe (30 mL) de sherry sec
1/2 c. à café (2 mL) de sel
1/4 de c. à café (1 mL) de poivre
2 c. à soupe (30 mL) d'éclats de zeste de citron
2 tasses (500 mL) de laitue râpée
1 lb (500 g) de crevettes ou de viande de homard, cuites

Placer dans une casserole le poulet, le gros sel, les grains de poivre, les feuilles de céleri et les tiges de persil. Verser l'eau froide sur le dessus. Amener à forte ébullition, baisser le feu et faire mijoter, à couvert, environ 1 heure jusqu'à ce que le poulet soit tendre. Laisser refroidir le poulet dans le bouillon.

Lorsque le poulet est refroidi, enlever la peau et les os et couper la viande en morceaux. Placer sur un joli plat de service.

Battre les jaunes d'oeufs avec la crème et le sherry, faire mijoter à feu doux, en brassant avec un fouet, jusqu'à l'obtention d'un mélange crémeux. Ne pas laisser bouillir car le tout pourrait cailler — un feu doux et beaucoup de brassage sont importants. Assaisonner la sauce avec du sel et du poivre, et l'étendre chaude sur le poulet. Utiliser un couteau affilé pour faire des minces languettes de zeste de citron. Saupoudrer sur la sauce chaude. Refroidir. Couvrir et réfrigérer jusqu'au moment de servir.

Pour servir, couvrir le plat avec la laitue râpée et placer les crevettes ou la viande de homard sur le dessus.

Donne de 4 à 6 portions.

Concombre en spirales à la crème sure

1 ou 2 concombres
Sel et poivre
Cubes de glace
Crème sure

Couper les queues des concombres et faire des stries avec les dents d'une fourchette, en longueur, tout le tour. Puis couper les concombres en tranches aussi minces que possible. Les mettre dans un bol, saler et poivrer et couvrir avec des cubes de glace. Réfrigérer et laisser reposer de 1 à 4 heures.

Égoutter l'eau en tordant les concombres dans un linge. Placer les concombres dans un bol, couvrir, conserver au réfrigérateur jusqu'au moment de servir, puis mélanger avec juste assez de crème sure pour les couvrir. Remuer avec une fourchette et saupoudrer avec du poivre. Mettre dans un joli bol de verre.

Donne de 4 à 6 portions.

Panais frits de Bergen

Bergen est un port de pêche important en Norvège. Mon hôte m'amena à un petit restaurant fréquenté par les pêcheurs, où certains d'entre eux apportent leur pêche. La spécialité de la maison était le poisson poché au beurre, servi avec des panais frits. "Quelle horreur!", pensais-je avant d'y goûter et pourtant, depuis ce jour-là, je ne fais jamais cuire de panais autrement. Bien entendu, il y avait aussi des bols d'aneth haché et de graines d'aneth grillées, simplement dorées au beurre. Essayez, vous verrez!

> *6 panais de taille égale*
> *3 c. à soupe (50 mL) de farine*
> *1/2 c. à café (2 mL) de sel*
> *1/4 de c. à café (1 mL) de poivre*
> *3 c. à soupe (50 mL) de beurre*

Laver les panais avec une brosse, mais ne pas les peler — ceci est le secret pour un panais qui soit parfait. (Il a fallu que je voyage à Bergen pour l'apprendre.) Les placer dans une casserole et y verser de l'eau bouillante pour les couvrir complètement. Amener à ébullition, couvrir, baisser le feu et laisser bouillir jusqu'à ce qu'ils soient à peine mous. Selon la taille des panais, le temps de cuisson variera. Je trouve que 10 minutes sont normalement nécessaires, mais il faut toujours faire attention à ne pas trop les cuire.

Les faire égoutter, les refroidir, peler et couper en morceaux de 2 po (5 cm). Mélanger la farine, le sel et le poivre, rouler chaque morceau de panais dans ce mélange, puis faire frire dans le beurre jusqu'à ce qu'ils soient dorés.

Donne 4 portions.

Pommes de terre Applestuvad

Comme légume servi avec la viande, les pommes de terre sont cuites à la vapeur ou bouillies et généralement enrobées d'aneth ou de persil. Comme *stuvad*, qui signifie mijotées, elles constituent le plat principal du repas. J'en ai mangé par un beau jour où je voyageais sur un bateau dans les fjords norvégiens qui sont très impressionnants. Ils me rappelaient certains coins des Rocheuses. Les pommes de terre sont recouvertes de minces tranches de saucisse ou de poisson fumé ou de tranches épaisses de bacon grillé.

5 à 6 pommes de terre, pelées et coupées en dés
1 1/4 tasse (310 mL) de lait
1/2 c. à café (2 mL) de sel
1/4 de c. à café (1 mL) de poivre
2 pommes pelées, épépinées et coupées en dés

Placer les pommes de terre dans un poêlon de fonte émaillée. Verser 1 tasse (250 mL) de lait sur le dessus et ajouter le sel et le poivre. Faire cuire, sans couvrir, à feu moyen-doux jusqu'à ce que les pommes de terre soient presque cuites et que le lait soit absorbé. Ajouter les pommes, bien brasser et ajouter le 1/4 de tasse (60 mL) de lait qui reste. Continuer à faire cuire jusqu'à ce que le lait soit de nouveau absorbé et que les pommes soient tendres. Verser le tout dans un plat de service chaud et couronner avec des saucisses frites au poêlon ou de minces tranches de saucisse ou de poisson fumé ou de tranches épaisses de bacon grillé. Servir, évidemment, avec un bol d'aneth et de persil frais émincés mélangés en quantités égales et un bol de beurre fouetté.

Donne 4 portions.

Karintkake

C'est le gâteau de Noël norvégien; les raisins de Corinthe en sont le seul fruit. La saveur de l'aquavit est très particulière, mais si on ne peut s'en procurer, on peut utiliser du brandy dans les mêmes proportions.

1 tasse (250 mL) de raisins de Corinthe
1 tasse (250 mL) de beurre doux
2 tasses (500 mL) de sucre granulé fin
6 jaunes d'oeufs
3 tasses (750 mL) de farine tout-usage
1/4 de c. à café (1 mL) de sel

1/2 c. à café (2 mL) de macis
1 c. à café (5 mL) de cardamome moulu
3 c. à café (15 mL) de poudre à pâte
1/4 de tasse (60 mL) d'aquavit ou de brandy
1/2 tasse (125 mL) de lait
6 blancs d'oeufs battus en neige
2 zwieback ou 2 c. à soupe (30 mL) de
chapelure fine

Couvrir les raisins avec de l'eau froide et les laisser tremper 1 heure. Bien faire égoutter. Dans le bol d'un batteur électrique, placer le beurre, le sucre et les jaunes d'oeufs et battre à vitesse moyenne pendant 15 minutes, en nettoyant les bords avec une spatule. Le mélange devrait avoir une apparence de crème fouettée. Ajouter les raisins et battre juste assez pour faire un mélange homogène.

Tamiser ensemble la farine, le sel, le macis, le cardamome et la poudre à pâte.

Mélanger l'aquavit ou le brandy et le lait.

Ajouter en alternant la farine et le liquide au mélange en crème et battre juste assez pour mélanger.

Y incorporer les blancs d'oeufs en neige. Écraser 2 *zwieback* ou mesurer 2 c. à soupe (30 mL) de chapelure fine.

Beurrer généreusement un moule "Bundt" de 10 po (25 cm). Saupoudrer les miettes partout dans le moule et faire tomber le surplus. Y verser la pâte. Faire cuire au four, chauffé au préalable à 350°F (180°C), de 50 à 60 minutes ou jusqu'à ce que le gâteau soit cuit. Refroidir 10 minutes sur une grille à gâteau puis démouler. Laisser refroidir pendant 2 heures. Faire tremper de la gaze dans de l'aquavit ou du brandy et l'utiliser pour envelopper le gâteau. Le conserver dans un endroit frais au moins 3 à 5 jours avant de le servir.

Boller à la vanille

Une des expériences les plus impressionnantes que j'ai vécues, ce fut le spectacle des aurores boréales à 4 heures du matin à

Bodo, le meilleur endroit au monde pour voir de telles merveilles. Pour les décrire, je dirais que c'est un jeu gigantesque de couleurs et de mouvements accompagné de sons étranges. Ce fut grandiose et renversant.

Au retour à l'hôtel très tôt le matin, on servit du chocolat chaud parfait et de succulents gros *boller* à la vanille, encore tout chauds, fraîchement sortis du four. Le lendemain, rencontrant le maître-pâtissier à qui je demandai la recette, il me répondit en ces termes: "Mélangez une pâte à levure avec du lait et un oeuf. Remplissez de crème à la vanille, faites cuire au four et servez." Je le remerciai chaleureusement et j'en fis l'expérience à mon retour. Après quatre essais, j'obtins d'excellents résultats. À vous d'en juger!

La pâte

1 enveloppe de levure sèche active
1/4 de tasse (60 mL) d'eau tiède
3 c. à soupe (50 mL) de sucre
2 c. à soupe (30 mL) de beurre
2 tasses (500 mL) de lait
1 oeuf
1 c. à café (5 mL) de sel
4 à 4 1/2 tasses (1 à 1,2 L) de farine tout-usage

Remuer le sucre dans l'eau tiède. Saupoudrer la levure sur le dessus. Brasser et laisser reposer 10 minutes.

Ajouter le beurre au lait et faire chauffer jusqu'à ce que le lait soit tiède ou que le beurre soit fondu. Laisser refroidir 5 minutes. Brasser et ajouter la levure. Battre l'oeuf avec le sel et le brasser dans le mélange de levure.

Ajouter graduellement la farine, tout en brassant, jusqu'à l'obtention d'une pâte lisse qui ne colle pas. Saupoudrer la surface de travail avec une bonne 1/2 tasse (125 mL) de farine, renverser la pâte dessus et pétrir jusqu'à ce qu'elle soit élastique et ne colle pas sur les mains — si besoin est, ajouter un peu de farine. Mettre la pâte dans un grand bol, couvrir avec un linge et laisser lever environ 1 heure jusqu'à ce qu'elle double de volume.

Maintenant, préparer le remplissage à la crème (recette qui suit).

Crème à la vanille

3/4 de tasse (190 mL) de crème légère
4 jaunes d'oeufs
1/4 de tasse (60 mL) de sucre
1 c. à café (5 mL) de vanille

Faire chauffer la crème légère. Battre les jaunes d'oeufs avec le sucre et la vanille. Y verser un peu de la crème chaude, bien brasser et verser dans la crème chaude qui reste. Faire cuire à feu doux jusqu'à l'obtention d'un mélange crémeux, en brassant presque continuellement pour éviter que le mélange ne caille. Brasser quelques secondes encore, retirer du feu, couvrir et laisser refroidir.

Lorsque la pâte est prête, la faire dégonfler. La diviser en deux, saupoudrer la surface de travail avec un peu de farine, abaisser chaque moitié avec un rouleau à pâte jusqu'à environ 1/3 de po (0,83 cm) d'épaisseur. Avec un emporte-pièce rond, de la grosseur d'un beigne, tailler les rondelles. Les placer sur une plaque à cuisson graissée et mettre environ 1 c. à café (5 mL) du remplissage refroidi au centre de chaque rondelle. Les couvrir avec une autre rondelle et pincer les bords pour enfermer le remplissage. Couvrir avec un linge et laisser lever de nouveau pendant 30 à 45 minutes. Les badigeonner légèrement avec du lait et saupoudrer avec du sucre au moment de la cuisson.

Les faire cuire au four chauffé au préalable à 375°F (190°C), de 25 à 30 minutes ou jusqu'à ce qu'elles soient dorées. Faire refroidir sur une grille ou servir chaud.

Donne de 18 à 20 boller.

Krumkake

En Norvège, on sert ces gaufrettes très minces, croustillantes et savoureuses, avec de la confiture, au fur et à mesure qu'elles sont retirées de l'appareil; elles sont gaufrées encore chaudes pour les ajuster dans un plat à quatre coins, puis remplies de crème glacée; ou encore on les roule sur le manche d'une cuillère de bois pour former de délicats cylindres. Toutes les variations sont bonnes, mais il faut un fer à *Krumkake*, que l'on trouve dans les boutiques spécialisées. Il ressemble à un gaufrier, mais il est rond avec de jolis dessins sur les plaques. Comme il n'est pas automatique, on le place sur le brûleur à gaz ou électrique.

3 oeufs
1/2 tasse (125 mL) de sucre
6 c. à soupe (90 mL) de beurre fondu
1/2 c. à café (2 mL) de cardamome moulu
1/2 c. à café (2 mL) de zeste de citron râpé
3/4 de tasse (190 mL) de farine tout-usage

Battre les oeufs et le sucre jusqu'à l'obtention d'une consistance légère et crémeuse. Ajouter le beurre fondu, le cardamome et le zeste râpé. Brasser jusqu'à l'obtention d'un mélange homogène. Ajouter graduellement la farine en battant entre chaque addition.

Pour faire cuire, placer le fer directement sur un brûleur à feu moyen. Faire chauffer un côté jusqu'à ce que quelques gouttes d'eau s'évaporent lorsqu'elles sont versées sur le fer. Ouvrir le fer et le badigeonner légèrement avec le beurre fondu.

Verser une bonne cuillerée de la pâte au centre du fer, le fermer et serrer les poignées ensemble. Tourner le fer et enlever toute pâte qui aurait coulé. Faire cuire, en tournant le fer toutes les 20 secondes. Après 40 secondes, l'ouvrir pour vérifier la cuisson. Aussitôt que la pâte est dorée et croustillante, la soulever vivement avec une spatule. Laisser refroidir sur une grille à gâteau, faire chauffer de nouveau le fer et répéter le procédé jusqu'à ce que la pâte soit toute utilisée.

Donne de 12 à 14 Krumkake.

Cuisine finlandaise:
les secrets de Marta et de Lempi

Soupe aux légumes d'été

Une délicate crème de légumes, délicieuse avec des légumes frais cueillis au jardin ou en provenance du marché.

En Suède, on utilise des poireaux, des carottes et des radis. En Finlande, on préfère des carottes nouvelles, des petits pois frais et du chou-fleur. C'est également mon choix.

3 à 5 carottes nouvelles nettoyées et tranchées
1 lb (500 g) de petits pois frais, écossés
1 petite tête de chou-fleur nettoyée et tranchée
2 tasses (500 mL) d'eau bouillante
1/4 de c. à café (1 mL) de sucre
2 c. à soupe (30 mL) de beurre
2 c. à soupe (30 mL) de farine
3 tasses (750 mL) de lait
8 à 10 grosses crevettes (facultatif)
Sel et poivre
Un bol de persil frais haché

Placer les légumes préparés dans l'eau bouillante. Y verser le sucre. Faire bouillir, sans couvrir, de 8 à 10 minutes.

Dans une autre casserole, faire fondre le beurre, ajouter la farine et brasser jusqu'à l'obtention d'un mélange homogène. Ajouter le lait et amener à ébullition, tout en brassant. Lorsque le mélange est lisse, verser sur les légumes et dans l'eau. Saler et poivrer au goût. Ajouter les crevettes, sans carapace, et faire mijoter 5 minutes.

Servir très chaud — chacun peut ajouter autant de persil qu'il le désire dans sa soupe — plus vous en ajoutez meilleur ce sera. J'aime mélanger le persil avec un peu de ciboulette fraîche hachée, bien que ceci ne soit pas finlandais.

Donne 6 portions.

Sillsalad de Lempi

Lempi est une Finlandaise qui a travaillé à mes côtés durant plusieurs années. Elle était très minutieuse. Nous avions bien du plaisir ensemble. Je lui ai enseigné la cuisine canadienne et elle m'a enseigné la cuisine finlandaise. Voici sa recette pour une authentique salade de hareng.

4 filets frais de hareng salé
1 tasse (250 mL) de lait
1 1/2 tasse (375 mL) de betteraves marinées, en dés
1 1/2 tasse (375 mL) de pommes de terre, fraîchement
*   bouillies, en dés*
1/3 de tasse (80 mL) de marinade sucrée ou
*   d'aneth, en dés*
1/2 tasse (125 mL) de pommes non pelées, en dés
1/2 tasse (125 mL) de céleri en dés
1 oignon finement coupé en dés
4 c. à soupe (60 mL) de vinaigre de cidre
2 c. à soupe (30 mL) d'eau
2 c. à soupe (30 mL) de sucre
1/4 de c. à café (1 mL) de poivre
3 oeufs durs

Faire tremper les filets de hareng dans le lait pour la nuit. Le lendemain, les retirer du lait, bien égoutter, enlever toute la peau et couper en petits morceaux à l'aide de ciseaux. Les mettre dans un bol et ajouter les betteraves, les pommes de terre, les marinades, les pommes, le céleri et l'oignon. Bien mélanger avec une fourchette jusqu'à ce que la salade soit d'une teinte rose foncé.

Dans une bouteille, mélanger le vinaigre de cidre, l'eau, le sucre et le poivre, brasser ensemble jusqu'à ce que le sucre soit dissous. Verser le tout délicatement dans la salade, puis goûter pour le sel. Frotter un moule avec de l'huile à salade et bien y tasser la salade. Couvrir et réfrigérer quelques heures ou toute la nuit. Démouler sur une assiette de service 1 heure avant de servir et garnir le dessus avec des tranches d'oeufs durs et les côtés avec des quartiers d'oeufs durs et des tiges d'aneth ou de persil frais.

Donne de 8 à 10 portions.

Gravlax

Gravlax, c'est du saumon cru mariné. C'est un régal lorsqu'il est préparé avec un gros morceau de saumon frais de la pêche du printemps, retiré des eaux très froides. Marta m'a dit que le meilleur saumon était celui des rivières glacées du Nord. Alors je lui ai enseigné à le remplacer par le saumon du printemps de la Gaspésie.

Ceci est un mets scandinave délicat; beaucoup de gens ont tendance à croire qu'il est originaire de Suède. Comme c'est mon amie finlandaise qui m'a enseigné à le préparer, je préfère considérer que le *gravlax* est finlandais.

Environ 3 lb (1,5 kg) de saumon frais
2 c. à soupe (30 mL) de gros sel
2 c. à soupe (30 mL) de sucre
12 grains de poivre blanc, écrasés
Beaucoup d'aneth frais

Laver le poisson et bien le sécher. Enlever autant d'arêtes que possible mais ne pas enlever la peau.

Placer une couche épaisse de longues tiges d'aneth, frais évidemment, sur une assiette assez longue pour contenir le morceau de saumon. Mélanger le sel, le sucre et les grains de poivre. Frotter le poisson, à l'intérieur et à l'extérieur, avec ce mélange. Placer le poisson sur le lit épais d'aneth frais, puis recouvrir avec d'autre aneth jusqu'à ce que le poisson soit complètement couvert. Couvrir le poisson complètement avec une longue planche de bois et un linge propre, puis placer un poids de votre choix sur toute la planche, étant donné que tout le poisson doit être sous pression. Mettre au réfrigérateur et laisser reposer 24 heures, en retournant le poisson une fois et en s'assurant que le poisson soit complètement couvert avec l'aneth.

Pour servir, le couper en minces tranches de biais ou en écharpe vers la peau. Servir sur un pain noir ou de seigle, avec un beurre doux et un verre d'aquavit glacé. Superbe.

Langue de boeuf en gelée à la finlandaise

Pour faire cuire des langues de veau ou d'agneau à la finlandaise, il suffit de suivre cette recette en utilisant 2 à 3 langues de veau ou 6 à 10 langues d'agneau. Les faire mijoter jusqu'à ce qu'elles soient tendres et que la peau s'enlève aisément. Les peler et les laisser refroidir dans le bouillon de cuisson. C'est une recette précieuse si vous aimez la langue bouillie. Je n'en connais pas de meilleure. La langue en gelée est un plat principal du buffet froid scandinave.

1 langue de boeuf fraîche
2 c. à soupe (30 mL) de sucre
1 c. à soupe (15 mL) de gros sel
8 tasses (2 L) d'eau chaude
1 feuille de laurier
1 citron non pelé, tranché mince
5 à 6 tranches de racine de gingembre frais
4 tasses (1 L) d'eau froide
2 c. à soupe (30 mL) de gros sel
1 c. à soupe (15 mL) de sucre
1 enveloppe de gélatine non aromatisée
Jus d'un citron
1 tasse (250 mL) de crème sure
Persil ou aneth frais

Mélanger les 2 c. à soupe (30 mL) de sucre avec 1 c. à soupe (15 mL) de gros sel et frotter également sur la langue. Couvrir et réfrigérer pour la nuit.

Le lendemain, mettre la langue dans une grande casserole avec l'eau chaude et ajouter la feuille de laurier, le citron tranché et les tranches de gingembre. Amener à forte ébullition, écumer la mousse, puis couvrir et faire mijoter à feu doux pendant 2 à 3 heures, jusqu'à ce que la langue soit tendre. Peler la langue lorsqu'elle est encore chaude et la laisser refroidir dans le bouillon.

Pendant ce temps, amener à ébullition 1 pinte (1 L) d'eau froide avec les 2 c. à soupe (30 mL) de gros sel et 1 c. à soupe (15 mL) de sucre. Laisser refroidir, ajouter la langue pelée et refroidie.

Réfrigérer pendant 12 he.. es. Bien égoutter la langue et la placer sur un plateau.

Tremper la gélatine dans le jus de citron pendant 5 minutes, puis la dissoudre dans l'eau chaude. L'ajouter tranquillement à la crème sure, tout en brassant. Essuyer la langue froide avec un papier absorbant et la mettre sur un plat de service. Y étendre la crème gélatinée et réfrigérer pendant 1 heure pour que la gélatine soit ferme.

Pour servir, garnir avec des tiges d'aneth ou de persil. Couper en tranches minces.

Donne de 6 à 8 portions.

Pain de viande aux pommes

En Finlande, on mélange souvent à la viande des fruits secs ou des pommes fraîches, et le résultat est très intéressant. Lempi m'a appris à faire cette recette il y a vingt ans; c'est un de mes plats préférés pour l'été.

2 oeufs
2 lb (1 kg) de porc maigre haché
1 oignon moyen finement haché
1 gousse d'ail finement hachée
1/2 tasse (125 mL) de navet ou de carotte râpés
1 c. à soupe (15 mL) de fécule de maïs
2 c. à café (10 mL) de sel
1 c. à café (5 mL) de graines d'aneth
     ou 2 c. à soupe (30 mL) d'aneth frais haché
1/4 de c. à café (1 mL) de toute-épice moulue
1 tasse (250 mL) de jus de pommes ou de crème légère
3 pommes moyennes
1 c. à soupe (15 mL) de beurre

Dans un bol, battre les oeufs, ajouter la viande, l'oignon, l'ail, les navets ou les carottes, la fécule de maïs, le sel, l'aneth, la toute-épice et le jus de pommes ou la crème légère. Bien mélanger.

124

Épépiner et couper les pommes en tranches, sans les peler. Arranger une couche de pommes dans le fond d'un moule graissé de 9 x 5 po (22,5 x 12,5 cm). Couvrir avec la moitié du mélange de viande. Placer une autre couche de pommes sur la viande et mettre une dernière couche de viande, en pressant bien entre chaque couche. Couvrir avec le reste des tranches de pommes. Parsemer de beurre. Faire cuire au four, chauffé au préalable à 350°F (180°C), pendant 1 1/4 heure. Servir chaud avec des pommes de terre au four et des betteraves marinées.

Donne de 6 à 8 portions.

Longe de porc roulé

Comme tant de mets finlandais, celui-ci peut paraître un peu bizarre mais, croyez moi, il vaut le temps que vous y mettrez. Un autre avantage est qu'une fois cuit il se conserve au réfrigérateur de quatre à six semaines.

Une longe de porc de 2 à 3 lb (1 à 1,5 kg)
1 c. à café (5 mL) de poivre frais moulu
1 c. à soupe (15 mL) de sucre
1 c. à café (5 mL) de gingembre moulu
1 c. à café (5 mL) de gros sel
3 à 5 tranches de citron non pelé
1 c. à soupe (15 mL) de sel

Demander au boucher de désosser la longe et de garder les os. Étendre la longe sur un papier ciré. Répandre sur un côté le poivre moulu, le sucre, le gingembre et le gros sel. Bien faire pénétrer dans la viande avec vos mains. Rouler la viande et l'attacher avec une ficelle, aussi serrée que possible, de 5 à 6 fois autour du rouleau.

Mettre les os dans une casserole, placer la viande sur le dessus, couvrir avec l'eau froide et ajouter les tranches de citron et le sel. Amener à forte ébullition, puis couvrir et faire mijoter à feu doux jusqu'à ce que la viande soit tendre. Ceci peut prendre de 1 à 2 heures, selon la viande. Ne pas trop cuire.

Lorsque la viande est cuite, l'enlever et la mettre dans un bol. Faire égoutter assez de bouillon sur la viande pour la couvrir complètement. Laisser refroidir. Couvrir et réfrigérer. Lorsque le tout est froid, écumer le gras. Couper la viande en tranches minces et servir avec des pommes de terre nouvelles chaudes et de la moutarde finlandaise.

Donne de 4 à 6 portions.

Moutarde finlandaise

Cette recette provient du livre de recettes finlandaises de Marta. Il y a bien dix ans que je fais cette moutarde finlandaise et que j'en sers à ma table de pair avec la moutarde de Dijon. Elle est parfaite avec le jambon.

8 c. à soupe (120 mL) de moutarde sèche
3 c. à soupe (50 mL) de sucre
1 c. à café (5 mL) de sel
8 c. à café (120 mL) d'eau bouillante
2 c. à soupe (30 mL) de vinaigre de cidre

Combiner la moutarde, le sucre et le sel. Bien mélanger. Dans une casserole, mélanger l'eau et le vinaigre. Y verser les ingrédients secs. Brasser jusqu'à l'obtention d'un mélange homogène, puis faire cuire, en brassant à feu doux, jusqu'à ce que le tout devienne une pâte lisse et crémeuse. Elle sera un peu liquide au début, puis deviendra un peu plus épaisse, mais elle épaissira encore en refroidissant. Le temps de cuisson est d'environ 10 à 12 minutes.

Verser dans des pots. Couvrir.

Donne 2/3 de tasse (160 mL).

Crêpes finlandaises aux épinards

Je sers ces crêpes comme légume, ou brûlantes comme entremets ou refroidies (chambrées) avec des tranches de viande froide ou une salade verte. Quelquefois, pour un déjeuner léger, je fais de petits pâtés de boeuf de 1,25 cm, ronds et épais, et je les présente entre deux crêpes avec un bol de moutarde finlandaise.

Si possible, faire de petites crêpes et les faire cuire dans un *plätter pan* suédois en fonte, sinon on peut utiliser une plaque à crêpes ou un poêlon en fonte. Ce n'est qu'en Scandinavie que j'ai vu ces crêpes.

Un sac de 10 oz (283,5 g) d'épinards lavés et
    grossièrement hachés
ou 1 lb (500 mL) d'épinards frais cuits
1 1/2 tasse (375 mL) de lait
1 c. à café (5 mL) de sel
Une pincée de muscade
1 tasse (250 mL) de farine
2 c. à soupe (30 mL) de beurre fondu
2 oeufs
1/2 c. à café (2 mL) de sucre

Bien tasser les épinards dans une casserole, couvrir et faire cuire 2 minutes à feu vif, avec seulement l'eau de rinçage qui reste sur les feuilles comme liquide. Mélanger une fois au bout d'une minute. Faire égoutter et presser pour rendre aussi sec que possible.

Mélanger dans un bol le lait, le sel, la muscade, la farine et le beurre fondu. Battre avec un fouet jusqu'à ce que le tout soit lisse.

Dans un autre bol, battre les oeufs et le sucre. Ajouter les épinards. Bien mélanger et ajouter au mélange de farine. Bien mélanger et faire cuire dans un *plätter pan**, comme vous feriez cuire n'importe quelles crêpes, en les retournant une seule fois. Les conserver chaudes.

Donne de 10 à 25 crêpes, dépendant de la taille.

* Voir Les crêpes suédoises *Plätter Pan,*

Oignons frits avec des raisins de Corinthe

C'est une façon inhabituelle et très savoureuse d'apprêter des oignons. En Finlande, on en sert souvent ainsi avec du poisson frit. Je les aime également avec du rôti de veau ou des saucisses.

Oignons frits

1 gros oignon espagnol
4 tasses (1 L) d'eau bouillante
1/2 c. à café (2 mL) de sel
1/4 de c. à café (1 mL) de sucre
1 oeuf battu
2 c. à soupe (30 mL) d'eau froide
1 tasse (250 mL) de chapelure fine
2 c. à soupe (30 mL) de beurre

Couper l'oignon en tranches épaisses et les défaire en rondelles. Les mettre dans une passoire, verser l'eau bouillante dessus. Laisser reposer quelques minutes. Rincer sous l'eau froide courante. Faire égoutter et placer les rondelles sur un papier absorbant.

Mélanger dans une assiette large le sel, le sucre, ajouter l'oeuf battu et l'eau froide. Mélanger.

Placer la chapelure dans une autre assiette. Faire chauffer le beurre dans un grand poêlon jusqu'à ce que le beurre soit de couleur noisette. Faire tremper chaque rondelle d'oignon dans le mélange d'oeuf puis rouler légèrement dans la chapelure. Placer immédiatement dans le beurre chaud et faire frire à feu moyen, en retournant une fois. Lorsque les rondelles sont cuites, les placer sur une assiette chaude. Servir avec la sauce aux raisins de Corinthe (recette qui suit).

Sauce aux raisins de Corinthe

1/2 tasse (125 mL) de raisins de Corinthe
2 tasses (500 mL) d'eau
2 c. à soupe (30 mL) de beurre
1 1/2 c. à soupe (20 mL) de farine
Jus et zeste râpé d'un citron

Amener à ébullition l'eau avec les raisins de Corinthe. Laisser bouillir, sans couvrir, pendant 6 à 8 minutes.

Pétrir ensemble le beurre et la farine pour former une boule. Lorsque les raisins sont cuits, y ajouter le zeste râpé et le jus de citron, puis la boule de farine, en brassant rapidement à feu doux jusqu'à l'obtention d'une sauce crémeuse. Saler au goût. Servir à part des oignons.

Les biscuits au gingembre de Lempi

Personne ne savait faire du pain ou des biscuits au gingembre comme Lempi. Elle avait de bons bras et de bonnes mains et semblait travailler sans effort. Le résultat était toujours parfait.

1/2 tasse (125 mL) de sucre
1 1/2 tasse (375 mL) de mélasse
1 tasse (250 mL) de beurre ou de margarine
4 tasses (1 L) de farine tout-usage
1 c. à café (5 mL) de soda
1/2 c. à soupe (7 mL) de cannelle moulue
1/2 c. à soupe (7 mL) de gingembre moulu
1 c. à café (5 mL) de cardamome moulu
1/2 c. à café (2 mL) de sel
1 tasse (250 mL) de babeurre
2 blancs d'oeufs

Placer le sucre et la mélasse dans une casserole. Brasser à feu doux jusqu'à ce que le sucre soit dissous. Ajouter le beurre ou la margarine et continuer à brasser à feu doux jusqu'à ce que le beurre soit fondu. Retirer du feu et refroidir.

Tamiser 3 tasses (750 mL) de farine avec le soda, la cannelle, le gingembre, le cardamome et le sel. Mesurer la dernière tasse (250 mL) de farine et la mettre de côté.

Ajouter les ingrédients secs au mélange de mélasse en alternant avec le babeurre, puis bien mélanger jusqu'à l'obtention d'une pâte molle. Si nécessaire, utiliser une partie de la farine. Renverser la pâte sur une surface enfarinée et pétrir durant 5 minutes. Envelopper et réfrigérer de 5 à 8 heures.

Abaisser la pâte à 1/4 po (0,625 cm) d'épaisseur. Tailler en rondelles. Badigeonner chaque rondelle avec un peu de blanc d'oeuf battu légèrement. Si vous désirez, saupoudrer chaque biscuit avec une pincée de sucre.

Les placer à 1 po (2,5 cm) d'écart sur une plaque de cuisson beurrée. Faire cuire de 15 à 20 minutes au four chauffé au préalable à 350°F (180°C).

Donne 4 douzaines.

Crème au brandy de Lempi

Durant la saison des fraises, Lempi faisait cette crème qu'elle entourait de fraises fraîches sucrées et rafraîchies. Je la fais aussi avec des framboises, des bleuets ou des pêches tranchées, selon la saison.

3 jaunes d'oeufs
1/4 de tasse (60 mL) de sucre
1 tasse (250 mL) de crème
1 gousse de vanille
1 enveloppe de gélatine non aromatisée
3 c. à soupe (50 mL) d'eau froide
3 blancs d'oeufs battus
2 à 3 c. à soupe (30 à 50 mL) de brandy

Dans une casserole, battre les jaunes d'oeufs, le sucre et la crème. Ajouter la gousse de vanille. Faire chauffer à feu doux, en brassant souvent.

Faire tremper la gélatine dans l'eau froide et laisser reposer 5 minutes. Ajouter la gélatine au mélange de jaunes d'oeufs et continuer à faire cuire en brassant jusqu'à l'obtention d'une crème légère. Retirer de la chaleur et battre pendant quelques minutes pour refroidir.

Battre les blancs d'oeufs et les ajouter au mélange chaud, en les incorporant délicatement. Y verser le brandy. Verser dans un plat de service en verre. Couvrir et réfrigérer jusqu'au moment de servir. Durant l'hiver, la servir avec de la confiture-maison.

Donne de 4 à 5 portions.

Pulla

La *pulla* est un pain sucré riche et odorant servi chaud, froid ou grillé. On en fait généralement une grande tresse, mais comme on en sert à toutes les grandes occasions, on la trouve sous forme d'étoile de Noël, de mitre d'évêque ou de couronne pour la "Santa Lucia". C'est Lempi qui m'a tout appris sur la *pulla* que je fais, et j'y prends plaisir depuis quinze ans.

1 enveloppe de levure sèche active
1/2 tasse (125 mL) d'eau tiède
1 c. à café (5 mL) de sucre
2 tasses (500 mL) d'eau chaude du robinet
1 tasse (250 mL) de lait en poudre instantané
3/4 de tasse (190 mL) de sucre
1 c. à café (5 mL) de sel
8 à 12 gousses de cardamome épépinées et écrasées
*   avec une mailloche de bois*
4 oeufs bien battus
6 à 8 tasses (1,5 à 2 L) de farine tout-usage
1/2 tasse (125 mL) de beurre fondu

Mélanger la levure, la 1/2 tasse (125 mL) d'eau tiède et 1 c. à café (5 mL) de sucre. Laisser reposer 10 minutes.

Dans un grand bol, mélanger l'eau chaude du robinet, le lait en poudre, les 3/4 de tasse (190 mL) de sucre, le sel, le cardamome et les oeufs battus. Bien mélanger. Brasser la levure, l'ajouter au mélange liquide, puis ajouter 3 tasses (750 mL) de farine. Mélanger jusqu'à l'obtention d'un mélange homogène et ayant une apparence lisse. Ajouter le beurre fondu. Tout ceci peut être fait dans un batteur électrique, si vous avez un crochet à pétrir la pâte.

Ajouter le reste de la farine, 1 tasse (250 mL) à la fois, en battant bien entre chaque addition. En général, je garde 1 tasse (250 mL) de farine pour pétrir et abaisser la pâte, car elle doit être molle.

Renverser la pâte sur une planche légèrement enfarinée, couvrir avec un bol renversé ou un linge et laisser lever, environ 1 heure, dans un endroit chaud jusqu'à ce qu'elle double de volume. Faire dégonfler et laisser lever de nouveau, environ 30 à 40 minutes mais seulement jusqu'à ce qu'elle double presque de volume.

Faire dégonfler et renverser sur une planche légèrement enfarinée et diviser la pâte en 3 portions, puis diviser chaque portion en 3 autres portions. Façonner chaque portion en bande d'environ 15 à 16 po (38 à 40 cm) de long; ceci est facile à faire si vous roulez la pâte sur la planche avec votre paume. Avant de tresser les bandes, les mettre sur une plaque de cuisson graissée (car il est difficile de soulever les tresses). Tresser 3 bandes ensemble, en pinçant les extrémités et en les repliant en dessous. Répéter ce procédé avec les deux autres tresses. Si vous ne désirez pas faire 3 pains tressés, vous pouvez façonner la pâte comme vous le désirez ou même la faire cuire comme un pain dans un moule à pain.

Laisser lever la tresse ou le pain environ 20 à 30 minutes, ou jusqu'à ce que la pâte soit gonflée, mais pas au double du volume.

Battre un oeuf avec 1 c. à soupe (15 mL) de lait. Utiliser ce mélange pour badigeonner le dessus du pain et saupoudrer avec du gros sucre ou quelques minces tranches d'amandes.

Faire cuire au four, chauffé au préalable à 400°F (200°C), 20 à 30 minutes, ou jusqu'à ce que le pain soit doré. Démouler sur une grille à gâteau aussitôt qu'il est cuit.

Je préfère faire cuire 1 tresse ou 1 pain à la fois. S'ils commencent à dorer trop vite, baisser la chaleur du four. Ces pains se conservent et se congèlent très bien.

Donne 3 tresses.

Gâteau finlandais au cardamome

C'est une spécialité de mon amie finlandaise Marta. Ce gâteau à l'intéressante saveur de cardamome est tacheté de raisins secs. Il peut être servi tel quel, saupoudré de sucre à glacer et coupé en tranches minces. Il se conserve de quatre à six semaines, bien enveloppé. Il vaut mieux le laisser mûrir de trois à quatre jours avant de le couper.

1/2 tasse (125 mL) de beurre mou ou de margarine
1 tasse (250 mL) de sucre

2 oeufs
1/2 tasse (125 mL) de mélasse
2 1/2 tasses (625 mL) de farine
1 c. à café (5 mL) de cannelle
1/4 de c. à café (1 mL) de sel
2 c. à café (10 mL) de cardamome moulu
2 c. à café (10 mL) de soda
2 tasses (500 mL) de crème sure commerciale
1/2 tasse (125 mL) de noix de Grenoble hachées
3/4 de tasse (190 mL) de raisins sans pépins

Beurrer deux moules de 9 x 5 po (22,5 x 12,5 cm) ou un moule "Bundt" de 10 po (25 cm). Mettre en crème le beurre ou la margarine dans un batteur électrique à haute vitesse, jusqu'à obtention d'une consistance légère. Ajouter graduellement le sucre, battre jusqu'à ce que le mélange soit crémeux et léger. Ajouter les oeufs un à la fois, en battant bien entre chaque addition. Ajouter la mélasse et battre à grande vitesse pour mélanger. Dans l'intervalle, tamiser ensemble deux fois ou bien mélanger, la farine, la cannelle, le sel, le cardamome et le soda. Ajouter aussitôt au mélange en crème et y verser la crème sure. Mélanger avec une spatule juste assez pour couvrir la farine, puis battre à haute vitesse pendant 2 minutes. Ajouter les noix de Grenoble et les raisins et battre à la main jusqu'à l'obtention d'un mélange homogène.

Diviser également la pâte entre les deux moules ou le "Bundt" et faire cuire au four, chauffé au préalable à 325°F (160°C), de 40 à 50 minutes. Vérifier la cuisson. Démouler et laisser refroidir sur une grille à gâteau.

Les Pays-Bas

Lorsque je songe à la Hollande, les souvenirs affluent. Mon premier voyage eut lieu à la fin de la Seconde Guerre mondiale, en 1945. J'ai vécu près d'un an à Amsterdam et à La Haye avec mon mari, qui était encore dans l'armée. C'était une vie pleine d'incroyables expériences. Je pouvais me prévaloir des rations de l'Armée canadienne, car ni les étrangers, ni le personnel de l'armée ne pouvaient acheter dans les magasins hollandais, et j'en ai profité, ce qui m'a renseignée sur bien des aspects de l'alimentation hollandaise.

La seule chose que nous pouvions acheter était les fleurs fraîches... et comme j'en ai joui à cette époque!

J'étais surprise du nombre de bicyclettes dans toutes les rues, la plupart sans pneus de caoutchouc à cause de la pénurie du temps de guerre. Je n'oublierai jamais le son des roues des bicyclettes sans pneus et des sabots de bois se déplaçant rapidement sur les pavés des rues. On aurait cru entendre ce refrain: "Je ne me soumettrai pas." J'ai aussi voyagé passablement dans tout le pays en jeep avec mon mari. Je me souviens comme j'étais nerveuse, même à quarante milles à l'heure, sur les étroits chemins des digues, avec l'eau de chaque côté.

Un autre exploit de l'ingéniosité des Hollandais, ce sont les îles artificielles qu'ils fabriquent où ils cultivent des fleurs, de petits lilas, etc. Cet été-là, mon mari m'a amenée à un chalet d'été sur un lac près de Hilversum. Il a fallu nous rendre en chaloupe jusqu'à un coin enchanteur. À mon réveil, le premier matin, je suis sortie pour revoir le magnifique lilas tout en fleurs que j'avais aperçu la veille sur une petite île près de la maison. Mais à mon grand étonnement, il n'était nulle part. J'ai demandé à Bernard: "Qu'est-ce qui m'arrive? Je suis certaine d'avoir vu ces lilas." Il s'est mis à rire et m'a tout expliqué sur ces îles fabriquées de mains d'hommes qui se déplacent au gré de la marée.

Les Hollandais font preuve d'un grand amour et de beaucoup de compréhension non seulement pour les fleurs, mais aussi pour le sol et sa culture. Il ont toujours eu à lutter très fort contre la nature et contre la mer; au cours des siècles, de grands terrains ont été pris sur la mer. Pour conserver cette terre et la rendre cultivable, ils doivent sans cesse l'assécher au moyen de digues. C'est de là que viennent les fameux moulins à vent de Hollande. De nos jours, le travail est fait plus efficacement par des pompes électriques, mais le romantisme y perd. Il y a encore des moulins à vent à travers le pays, mais peu sont utilisés.

Je garderai toujours un vif souvenir de l'herbe vert foncé qui pousse sur les polders humides et des vaches hollandaises noires et blanches, avec ici et là des vaches françaises toutes blanches. Leur poil est tout luisant, elles sont tellement bien entretenues et si grasses! Peut-être est-ce simplement parce que l'herbe hollandaise est si bonne.

La première fois que j'ai goûté au *Gouda* doré et crémeux, c'était en 1945, lorsque j'ai rencontré au marché aux fleurs, à Alkmaar, une Hollandaise du nom de Hilda qui parlait anglais et faisait un fromage de campagne du type Gouda. Mon mari avait un bateau à voile Dragon qu'un ami hollandais nous avait prêté. Lorsque le vent était favorable, nous faisions de la voile, apportant avec nous des fruits, du fromage de Hilda, du pain de campagne frais et une bouteille de vin ou de la bière. À cette époque, tout cela constituait un véritable festin, et nous le devions à notre aimable Hilda. Nous voguions parfois des heures durant, au gré des vents du Ysselmeer (autrefois Zuiderzee), qui pouvaient changer si vite sans rime ni raison.

Il y a quelques années, au début des années soixante-dix, j'ai été invitée en Hollande par les "gens du fromage", comme on les appelle. Ce fut un magnifique voyage, très bien organisé. C'est à ce moment-là que j'ai appris à apprécier les subtilités du fromage hollandais qui a une saveur pure de beurre, une texture classique et d'excellentes qualités de conservation. J'ai été étonnée de constater que la Hollande, qui ne fabrique que quelques types de fromage, tous de texture semblable, a fait plus que tout autre pays, sauf la France, pour convaincre ses habitants de l'importance de manger du fromage hollandais tous les jours.

Les mieux connus de ces fromages sont l'*Edam*, une boule rouge, et le grand *Gouda* plat et rond, appelé fromage *Lieden* lorsque des graines de cumin y sont ajoutées.

Crème de concombre

C'est une spécialité printanière d'Amsterdam; elle devrait être servie dans une attrayante soupière, avec deux belles branches d'aneth flottant sur le dessus. Elle se sert toute bouillante ou froide.

1 long ou 2 concombres de taille moyenne
2 c. à soupe (30 mL) de beurre
1/4 de tasse (60 mL) de farine
2 1/2 tasses (625 mL) de consommé en boîte, dilué ou de l'eau
Sel et poivre
1/2 c. à café (2 mL) d'aneth frais, haché
1 1/2 tasse (375 mL) de lait
1 oeuf
1/2 tasse (125 mL) de crème épaisse

Peler les concombres et les couper en deux dans le sens de la longueur. Épépiner avec une cuillère et couper en petits dés.

Faire fondre le beurre dans une casserole, ajouter la farine et brasser jusqu'à ce que le tout soit bien mélangé. Ajouter le consommé ou l'eau et brasser jusqu'à l'obtention d'un mélange crémeux (ceci aura la consistance d'une sauce légère à la crème). Ajouter le concombre en dés, saler, poivrer et ajouter l'aneth. Couvrir et faire mijoter 30 minutes. Laisser refroidir, puis passer au tamis pour mettre le concombre en purée ou utiliser un mélangeur ou un robot culinaire.

Remettre dans la casserole et goûter pour l'assaisonnement. Ajouter le lait et amener tranquillement à ébullition. Au moment de servir, battre ensemble l'oeuf et la crème et y verser la soupe bouillante, tout en brassant avec un fouet. Garnir avec l'aneth et servir.

Donne de 4 à 6 portions.

Hareng mariné

En Hollande, le hareng est plus qu'un simple poisson. En 1953, j'ai assisté à la célébration du "jour du drapeau", quelquefois désigné comme la "fête du hareng", à la fin de mai, juste avant que la flotte des pêcheurs de hareng mette les voiles pour la pêche annuelle. Tous les bateaux sont pavoisés de centaines de drapeaux et ils vont en défilé le long de la côte. C'est tout un spectacle!

Après la célébration, j'avais l'impression que tout le monde en Hollande attendait le retour de la première pêche, tout comme en Norvège, où l'on voit partout annoncé que le "nouveau hareng" est arrivé. Les gens guettent l'apparition dans les rues des petits étals si méticuleusement propres... C'est le moment où tous les amateurs de hareng s'empressent de goûter au nouveau hareng et discutent longuement de la qualité et des mérites de la pêche de cette année par rapport à celle de l'année précédente.

Nous tournions un film sur ce grand événement et, bien entendu, notre hôte insistait pour que nous goûtions au nouveau hareng. J'en frissonnais, car je n'étais pas encore allée en Norvège, et je n'avais jamais mangé de hareng, cuit, fumé, salé et encore moins, cru. Je me demandais si je pourrais manger un filet de hareng cru selon les règles, c'est-à-dire en tenant un bout du filet entre le pouce et l'index, en renversant la tête en arrière, avec le poisson au-dessus de ma bouche, puis en l'avalant graduellement. Ma curiosité des aliments l'emporta et j'avalai le hareng, alors que notre hôte me disait que le premier lot de hareng est toujours plus cher, mais que cela importe peu à tout véritable amateur qui paie avec le sourire. Depuis ce jour, je sais reconnaître un parfait filet de hareng cru.

Essayez leur méthode pour mariner le hareng qui se conserve de dix à quinze jours au réfrigérateur. Servez-le avec un petit verre de gin de genièvre hollandais glacé.

10 à 12 filets de hareng frais
10 à 12 petits cornichons sucrés ou à l'aneth
1 citron, non pelé et coupé en tranches minces
1 oignon moyen coupé en tranches minces
3 feuilles de laurier
15 grains de poivre
10 baies de genièvre*
1 1/2 tasse (375 mL) de vinaigre blanc ou de cidre**
1/4 de tasse (60 mL) d'eau froide
2 c. à café (10 mL) de gros sel

Demander à votre marchand de poisson de détacher les filets de hareng frais, à moins que vous ne sachiez comment le faire. Enrouler chaque filet autour d'un cornichon (ceci explique pourquoi les cornichons doivent être petits — si vous n'en avez pas, couper des cornichons en languettes). Placer les roulades dans un bocal de verre stérilisé, les unes par-dessus les autres pour les empêcher de s'ouvrir. En remplissant le bocal, répartir également entre chaque rangée les tranches de citron, les feuilles de laurier, les grains de poivre et les baies de genièvre.

Amener au point d'ébullition le vinaigre, l'eau et le sel. Retirer du feu et laisser refroidir. Puis verser sur les filets roulés et couvrir le bocal. Réfrigérer au moins 1 semaine avant de les servir.

Donne de 6 à 8 portions.

* Voir note, p. 169.
** Le vinaigre de cidre donne une saveur plus douce.

Salade du hussard

Dans tous les petits et grands restaurants de Hollande, vous trouverez la salade *Huzarensla*; avec une chope de bière, c'est un agréable déjeuner et une bonne façon d'utiliser les restes d'un rôti de veau, de porc ou de boeuf. La composition de cette salade m'a rappelé la salade de hareng finlandaise, bien qu'en Hollande la viande remplace le poisson.

1 à 2 tasses (250 à 500 mL) de porc, de veau ou de boeuf, cuit et coupé en dés
2 pommes fermes, pelées et coupées en dés
1 betterave cuite et coupée en dés
1 oeuf dur, finement haché
2 petits cornichons à l'aneth hachés
1 oignon ou 6 oignons verts, finement hachés
2 à 3 tasses (500 à 750 mL) de pommes de terre cuites et coupées en dés
3 c. à soupe (50 mL) d'huile végétale
3 c. à soupe (50 mL) de jus de citron frais ou de vinaigre de vin
1/2 c. à café (2 mL) de sel
1/4 de c. à café (1 mL) de poivre
1/4 de tasse (60 mL) de mayonnaise

Dans un grand bol, mélanger les 7 premiers ingrédients.

Brasser dans un bocal l'huile, le jus de citron ou le vinaigre, le sel et le poivre. Verser le tout sur les ingrédients de la salade et mélanger jusqu'à ce que la viande et les légumes soient bien enrobés avec la vinaigrette.

Mettre la salade sur un lit de feuilles de laitue, sur un plateau, et couronner avec la mayonnaise. L'été, saupoudrer généreusement la mayonnaise avec de la ciboulette fraîche émincée. Couvrir et réfrigérer 1 heure avant de servir.

Donne 6 portions.

Bitterballen

Comme la salade du hussard, les *Bitterballen* sont préparées avec du veau ou du porc cuit et elles sont un plat de tous les jours en Hollande. Ces boulettes sont servies à l'heure du cocktail, généralement avec un verre de gin et un bocal de moutarde française ou hollandaise. Je les aime aussi comme déjeuner rapide, avec une salade verte et du fromage.

3 c. à soupe (50 mL) de beurre
4 c. à soupe (60 mL) de farine
1 tasse (250 mL) de consommé de poulet ou de boeuf
1 à 1 1/2 tasse (250 à 375 mL) de porc ou de
    veau haché cuit
2 c. à soupe (30 mL) de persil frais haché
Sel et poivre
1 c. à café (5 mL) de sauce A-1
2 blancs d'oeufs, légèrement battus
3/4 de tasse (190 mL) de chapelure fine

Faire chauffer le beurre dans une casserole, ajouter la farine et faire cuire à feu moyen durant 2 ou 3 minutes, en brassant la plupart du temps. Ajouter le consommé et brasser jusqu'à la formation d'une pâte épaisse. Retirer du feu, ajouter les 4 ingrédients suivants et brasser jusqu'à ce que le tout soit homogène. Étendre ce mélange sur un plateau, couvrir avec un papier ciré et réfrigérer de 2 à 4 heures. Façonner ce mélange en boulettes de 1 po (2,5 cm). Faire tremper chaque boulette dans les blancs d'oeufs battus, puis les rouler dans la chapelure.

Verser de l'huile végétale dans une casserole (2 à 3 po) (5 à 7,5 cm) et faire chauffer. Faire frire quelques boulettes à la fois pendant environ 2 minutes, ou jusqu'à ce qu'elles soient brun doré. Faire égoutter sur des papiers absorbants et les mettre sur une grille. Servir chaud avec des cure-dents de cocktail, avec de la moutarde pour les tremper.

Donne de 30 à 40 boulettes.

Hutspot, slavinken, kaassechotel: plats principaux

Hutspot

La viande et les légumes du ragoût hollandais sont doucement mijotés ensemble; puis pilés pour épaissir le bouillon en une délicieuse sauce.

2 lb (1 kg) de petites côtes de boeuf
4 tasses (1 L) d'eau froide
2 c. à soupe (30 mL) de sel
1 feuille de laurier
1/4 de c. à café (1 mL) de thym
3 oignons tranchés
5 à 8 carottes tranchées
6 à 8 pommes de terre entières et pelées
2 c. à soupe (30 mL) de beurre
Poivre frais moulu

Couvrir la viande avec l'eau, ajouter le sel et amener à ébullition. Faire bouillir 5 minutes et avec une cuillère perforée écumer la mousse qui se forme à la surface. Puis couvrir et faire mijoter 1 heure et demie.

Ajouter la feuille de laurier, le thym et les légumes et faire mijoter, à couvert, une heure et demie de plus, ou jusqu'à ce que la viande soit tendre.

Mettre la viande sur une assiette chaude, passer le bouillon au tamis et garder. Mettre en purée les légumes, ajouter le beurre et assez de bouillon pour faire une purée épaisse, puis goûter pour l'assaisonnement. Trancher la viande et servir sur les légumes en purée dans des assiettes creuses. Le bouillon peut être utilisé pour faire une soupe, et s'il y a de la viande de reste, elle peut servir pour faire une salade au boeuf hollandaise.

Donne 4 portions.

Slavinken

En Hollande, je découvre toujours de nouveaux modes de préparation pour la viande hachée, chacun original et différent. Durant la majeure partie de l'année, ce plat est appelé *Slavinken*, sauf au printemps où j'ai vu qu'on l'appelait *Salad Birds* sur des menus d'hôtels. C'est un mets parfait quand il est servi avec un bol de moutarde hollandaise, une chope de bière froide et d'épaisses tranches de pain noir hollandais ou, pour un repas chaud, avec une purée de pommes de terre et une sauce au lait.

Slavinken

2 tranches de pain noir ou blanc
1/4 de tasse (60 mL) de lait ou de bière éventée
1 lb (500 g) de porc haché
Sel et poivre
1/8 de c. à café (0,5 mL) de muscade
1/4 de c. à café (1 mL) de toute-épice
1 petit oignon finement haché
6 minces tranches de bacon
1 c. à café (5 mL) de beurre

Émietter le pain, verser le lait ou la bière sur le dessus et laisser reposer 10 minutes. Presser le pain pour enlever l'excès de liquide, s'il y en a. Mettre dans un bol. Ajouter le porc haché, du sel, du poivre, la muscade, la toute-épice et l'oignon. Pétrir le mélange jusqu'à l'obtention d'un mélange homogène. Façonner 6 cylindres et envelopper chacun dans une tranche de bacon. Fixer à l'aide d'un cure-dent.

Faire fondre le beurre dans un poêlon de fonte. Faire frire les *slavinken* à feu moyen, 6 minutes par côté. Mettre dans une assiette chaude, lorsqu'ils sont cuits, et les garder chauds.

Donne 6 portions.

Sauce au lait

1 c. à soupe (15 mL) de farine
Le gras qui reste des slavinken

1/2 tasse (125 mL) de lait
1/4 de tasse (60 mL) de crème légère
Persil

Brasser la farine dans le gras qui reste dans le poêlon qui a servi pour cuire les *slavinken* et faire cuire à feu moyen jusqu'à ce que le tout soit de couleur caramel. Ajouter le lait et la crème légère. Remuer jusqu'à obtenir une consistance crémeuse. Ajouter du persil et assaisonner au goût. Verser sur la viande ou servir à part.

Pommes de terre Altmaar

Les petites pommes de terre hollandaises ovales et dorées sont partout reconnues comme étant les meilleures. Même en France, elles sont parmi les préférées. Dans ce plat, la combinaison de pommes de terre et de fromage est particulièrement délicieuse. Utilisez les pommes de terre du genre Idaho, on en cultive d'excellentes dans l'Ouest canadien, spécifiquement dans les terres sablonneuses de Brandon au Manitoba.

Servez ces pommes de terre avec de minces tranches de rosbif et un pot de bonne moutarde ou seules, comme plat principal.

6 à 8 pommes de terre moyennes
1/2 tasse (125 mL) de crème légère chaude ou de lait chaud
1/2 tasse (125 mL) de fromage Gouda râpé
2 c. à soupe (30 mL) de beurre
2 c. à soupe (30 mL) de persil ou de ciboulette, haché
4 oeufs, séparés

Faire bouillir les pommes de terre à feu moyen — faire attention à ne pas trop les faire cuire. Les égoutter et bien les sécher. Les mettre en purée, puis ajouter le reste des ingrédients, sauf les oeufs, et faire un mélange homogène. Battre les jaunes d'oeufs, environ 2 minutes, jusqu'à ce qu'ils soient épais et d'un jaune pâle puis les incorporer aux pommes de terre. Battre les blancs d'oeufs jusqu'à ce qu'ils soient en neige, puis les incorporer au mélange de pommes de terre et jaunes d'oeufs.

Empiler délicatement dans une casserole beurrée de 2 pintes (2 L). Faire cuire au four à 375°F (190°C) pendant 25 minutes, ou jusqu'à ce que le tout soit doré légèrement et gonflé.

Donne 4 portions.

Kaassechotel

Kass signifie fromage et *chotel,* casserole. Une casserole faite de leur propre fromage et servie au moins une fois par semaine est une nécessité pour les Hollandais.

1/4 de tasse (60 mL) de beurre
6 tranches de pain, croûtes enlevées
1/2 lb (250 g) de fromage Edam ou Gouda, en tranches minces
3 oeufs
1 tasse (250 mL) de lait ou de crème légère
1/4 de c. à café (1 mL) de sel
1/8 de c. à café (0,5 mL) de sarriette ou une
 pincée de muscade

Beurrer généreusement une casserole de 1 pinte (1 L) ainsi que chaque tranche de pain. Placer le pain dans la casserole, en faisant chevaucher les tranches, et recouvrir avec les tranches de fromage. Battre ensemble le reste des ingrédients, verser sur le pain et laisser reposer 30 minutes. Puis mettre la casserole dans un plat d'eau chaude et faire cuire au four à 350°F (180°C) de 30 à 40 minutes, ou jusqu'à ce que le tout soit légèrement doré et gonflé. Le résultat est un pain crémeux couvert d'une épaisse couche de fromage fondu, liés ensemble par une sauce crémeuse.

Donne 4 portions.

Crêpes au fromage

Les Hollandais font bien des sortes de crêpes, toutes différentes. Il m'a été donné de connaître celles-ci le premier jour de mon "voyage de découverte du fromage", dans un petit restaurant dans les bois près d'Arnheim. La pâte est meilleure si elle repose une heure ou deux avant la cuisson. Ces crêpes étaient croustillantes sur le dessus et d'une parfaite texture molle et crémeuse à l'intérieur. L'addition de mélasse et de jus de citron vient de moi; en Hollande, on utilise du sirop ou de la confiture.

4 oeufs
2 tasses (500 mL) de lait
2 tasses (500 mL) de farine tout-usage
1 c. à café (5 mL) de sel
1/2 tasse (125 mL) d'eau
2 tasses (500 mL) de fromage Gouda ou Edam râpé
1 tasse (250 mL) de mélasse
Jus d'un citron

Battre les oeufs jusqu'à ce qu'ils soient légers, puis ajouter 1 tasse (250 mL) de lait. Dans un bol, mélanger la farine et le sel et y verser le mélange d'oeufs. Brasser, puis ajouter graduellement le reste du lait et l'eau froide tout en battant avec un batteur ou un fouet. Lorsque la pâte est claire et lisse, la mettre de côté.

Pour la cuisson, utiliser un grand poêlon de fonte ou une plaque à crêpes. Faire chauffer, en beurrant généreusement et, à l'aide d'une louche, verser 1/3 de tasse (80 mL) de pâte pour chaque crêpe. Lorsqu'un côté est doré, tourner et faire dorer l'autre côté.

Placer 1 ou 2 crêpes sur une assiette de service chaude et saupoudrer chacune avec 1 c. à soupe (15 mL) de fromage. Répéter en empilant les crêpes les unes sur les autres avec le fromage entre chacune. Lorsque c'est terminé, couper en pointes ou en deux et disposer sur des assiettes.

Servir avec de la mélasse qui a été chauffée avec le jus de citron (facultatif) et verser sur les crêpes.

Donne environ 16 crêpes de 5 po (12,5 cm).

Champignons de Leyden (Smothered Mushrooms)

Leyden est la ville natale de Rembrandt. La célèbre Université de Leyden possède une grandiose collection d'antiquités hollandaises, dont j'ai vu une petite partie.

146

Cette casserole de champignons est une spécialité bien connue de cette ville si intéressante. L'addition dans la sauce de quelques champignons séchés donne une saveur particulière à ce plat.

1 lb (500 g) de champignons frais
2 champignons séchés*
1 tasse (250 mL) de crème sure commerciale
1 c. à soupe (15 mL) de persil haché
3 échalotes françaises finement hachées
1 c. à soupe (15 mL) de sel et autant de poivre
1 c. à soupe (15 mL) de jus de citron
2 c. à soupe (30 mL) de fromage parmesan râpé

Beurrer une casserole ayant un couvercle. Placer les champignons dans une passoire et les laver vivement sous l'eau courante. Bien secouer pour enlever autant d'eau que possible. Couper un peu l'extrémité des tiges. Placer les champignons, les tiges vers le bas dans la casserole beurrée.

Briser ou couper en petits morceaux les champignons séchés. Saupoudrer sur les champignons frais. Mélanger le reste des ingrédients sauf le fromage. Verser sur les champignons.

Saupoudrer de fromage. Couvrir hermétiquement. Faire cuire au four, chauffé au préalable à 350°F (180°C), environ 30 minutes.

Donne 4 portions, comme repas, ou 6, comme légume.

* On peut en trouver plusieurs sortes dans des boutiques spécialisées. Ils sont vendus en petites quantités et sont coûteux. Ils peuvent être omis.

Carottes et petits pois de serre

J'aime beaucoup les légumes, et nulle part ailleurs qu'en Hollande je n'ai mangé une meilleure combinaison de ces deux légumes populaires. Au début du printemps, de nombreuses serres qui cultivent des légumes vendent des carottes nouvelles et des petits pois frais. La coutume est de placer sur le dessus du panier quelques branches fraîches de persil et de la ciboulette. Selon le genre de légumes utilisés, ce plat varie quant à la perfection, mais il est toujours bon.

1 lb (500 g) de carottes nouvelles
1/2 c. à café (2 mL) de sucre et autant de sel
2 lb (1 kg) de petits pois frais écossés
3 c. à soupe (50 mL) de crème légère
1 c. à soupe (15 mL) de beurre
Persil ou ciboulette

Placer les carottes, le sucre et le sel dans une casserole. Y verser de l'eau bouillante, couvrir et faire mijoter de 15 à 20 minutes, ou jusqu'à ce que les carottes soient tendres. Égoutter et mettre de côté.

Écosser les petits pois et les placer dans un pot. Couvrir et placer le pot dans une casserole creuse. Verser de l'eau chaude (pas bouillante) dans la casserole, assez pour couvrir de 1/2 à 3/4 du pot. Couvrir la casserole et faire bouillir 35 minutes. Ne pas égoutter les pois — la petite quantité d'eau qui se trouve dans le fond du pot est l'eau naturelle provenant des légumes.

Dans une casserole, placer la crème et le beurre et faire mijoter jusqu'à ce que le beurre soit fondu. Y ajouter les carottes et les petits pois. Faire mijoter à feu doux environ 15 minutes, en brassant quelques fois. Ajouter du persil ou de la ciboulette. Goûter pour l'assaisonnement et servir.

Donne de 4 à 6 portions.

Friandises hollandaises

Pain d'épice hollandais

Les Hollandaises déploient beaucoup de talent dans l'utilisation des épices. Depuis des siècles, les épices ont eu la priorité dans leur cuisine, sans doute à cause de l'association de la Hollande avec l'Indonésie. Voici un pain d'épice spécial et très alléchant.

1/2 tasse (125 mL) de saindoux pur
1/2 tasse (125 mL) de cassonade
1 oeuf
2/3 de tasse (160 mL) de treacle *ou de mélasse*
Zeste râpé d'une orange
2 1/2 tasses (625 mL) de farine tout-usage
2 c. à café (10 mL) de poudre à pâte
1/2 c. à café (2 mL) de sel
2 c. à café (10 mL) de gingembre moulu
1 c. à café (5 mL) de graines de coriandre écrasées
2 c. à café (10 mL) de graines de carvi
1 c. à café (4 mL) de soda
1 tasse (250 mL) d'eau bouillante

Mettre en crème le saindoux, la cassonade et l'oeuf jusqu'à l'obtention d'un mélange léger et crémeux. Ajouter le *treacle* ou la mélasse et le zeste d'orange. Tamiser ensemble la farine, la poudre à pâte, le gingembre, les graines de coriandre, les graines de carvi et le soda. Ajouter au mélange en crème, bien mélanger et ajouter l'eau bouillante. Mélanger jusqu'à l'obtention d'une pâte lisse et n'ajouter pas plus de farine même si la pâte paraît trop claire — elle doit être claire.

Verser dans un moule à pain graissé et faire cuire au four à 325°F (160°C) de 50 à 60 minutes, ou jusqu'à ce que le gâteau soit bien cuit. Laisser refroidir sur une grille à gâteau et le laisser reposer 1 ou 2 jours avant de le manger; bien l'envelopper dans un papier d'aluminium ou une pellicule plastique.

Gruau de riz et de fruits
(Rice and Fruit Porridge)

Les Hollandais ont une façon inhabituelle d'utiliser le riz. Encore une fois ce pourrait être l'influence indonésienne. Par un beau dimanche d'été en 1961, j'ai été invitée pour le brunch chez un spécialiste de la culture des bulbes que j'avais rencontré durant la période d'après-guerre en Hollande. Une grande et magnifique soupière en poterie était remplie de gruau de riz, un panier de filigrane d'argent de chaque côté, l'un contenant des *oliebollen* ou beignes hollandais, l'autre du pain de seigle épicé au miel et au cardamome, du café noir en quantité, et finalement du *eggnog* ou de la liqueur *advocaat*, délicieuse et forte (mais aussi difficile à décrire) et servie dans des verres à vin blanc.

3 tasses (750 mL) de vin blanc doux
2 tasses (500 mL) de riz à grain long*
1 tasse (250 mL) de raisins de Corinthe
8 pommes pelées, épépinées et coupées en tranches
Un bol de beurre doux battu
Un bol de cassonade ou de sucre roux
Une saupoudreuse de cannelle

Dans une casserole de métal épais, mettre le vin, le riz, les raisins et les pommes. Amener à ébullition à feu moyen, tout en brassant. Couvrir et baisser la chaleur pour laisser mijoter et faire cuire 35 minutes ou jusqu'à ce que le riz soit tendre. Brasser délicatement. Servir chaud. Chaque personne peut ajouter le beurre, le sucre et la cannelle à son goût. De la crème épaisse ou du yogourt peuvent remplacer le beurre.

Donne 6 portions.

Pour battre le beurre: le battre jusqu'à consistance crémeuse à l'aide d'un mélangeur ou d'un robot culinaire ou à la main avec un fouet. Verser dans un bol de service. Conserver au réfrigérateur jusqu'au moment de servir.

---

* On peut faire cuire ce riz la veille, puis le couvrir et le réfrigérer. Au moment de l'utiliser, le faire chauffer dans un bain-marie à feu doux. Remuer avec une fourchette.

Advocaat

Pour certains c'est un dessert, pour d'autres, une liqueur. Pour moi c'est une sorte de sabayon français... Quoi que ce soit, c'est délicieux.

5 oeufs
Une pincée de sel
3/4 de tasse (190 mL) de sucre
1 tasse (250 mL) de cognac
1 c. à café (5 mL) de vanille

Battre ensemble les oeufs, le sel et le sucre avec un batteur électrique dans un bain-marie, jusqu'à l'obtention d'une consistance épaisse et de teinte jaune pâle. Puis, ajouter le cognac, 1 c. à soupe (15 mL) à la fois, en battant constamment.

Faire bouillir de l'eau dans le bas du bain-marie, placer le mélange par-dessus, baisser le feu, puis battre sans arrêt jusqu'à ce que le mélange soit tiède, épaissi et crémeux.

Retirer du feu et y verser *tranquillement* et délicatement la vanille. Verser dans une cruche de verre ou des verres individuels. Manger *tranquillement* avec une cuillère.

Donne 6 portions.

La Belgique

La cuisine belge est trop souvent oubliée ou considérée comme inférieure à la cuisine française. Personnellement, je m'oppose fermement à cette idée. La Belgique a créé et perfectionné une cuisine bien personnelle, en dépit du fait que c'est un pays qui a deux types bien distincts de cuisine, la flamande au nord, et la wallonne au sud, et qui est influencée par l'Allemagne, la Hollande, le Luxembourg et la France. Lorsque vous voyagez en Belgique, vous ne pouvez ignorer sa cuisine. Ne laissez personne vous dire qu'elle est allemande ou hollandaise, ou qu'elle ne peut se comparer à la cuisine française. Bien entendu, il y a moins de variété, mais l'accent est toujours sur la qualité des ingrédients utilisés. On s'en rend compte en dégustant les asperges de Malines, le jambon des Ardennes ou le beurre de Namur — quel beurre!

Je croyais que personne ne pouvait arriver à égaler le jambon danois, jusqu'au jour où j'ai goûté au jambon des Ardennes. Il y a plus d'un an, j'ai encore passé quelque temps en Belgique et j'ai été enchantée du fait que la qualité des aliments présentés était toujours de premier choix. J'avais cru que, maintenant que le pays était devenu un centre de nombreux organismes internationaux dont l'OTAN, le Marché commun, etc., ce serait différent, mais j'ai remarqué que l'on apportait toujours autant de soin au choix des aliments. À mon avis, les repas-maison en Belgique sont supérieurs

153

à ceux de la France. Je sais que certains ne seront pas d'accord, et je me permettrai d'ajouter: avez-vous déjà goûté à leur poulet, leurs moules, leurs pâtisseries, leurs chocolats, leur nougat et leur *marzipan* aux formes variées? Si jamais vous demeurez à Bruxelles assez longtemps, prenez une journée pour vous rendre au marché Ste-Catherine: tout y est magnifique à voir, la couleur, la forme, la qualité et une présentation de goût. Ne manquez pas le marché aux poissons — vous serez ravis de la variété et de la fraîcheur des étalages.

Après tous ces magnifiques aliments, rendez-vous au marché aux fleurs sur la Grande Place à Bruxelles. Si vous êtes comme moi, vous regretterez de ne pas avoir une immense maison à remplir de toutes ces fleurs magnifiques.

En Amérique, nous avons des centaines de casse-croûte de tous genres; en Belgique, partout où vous irez, quelle que soit l'heure du jour ou de la nuit, vous rencontrerez des petits endroits appelés *fritures*, où vous pourrez vous régaler de frites, d'un bol de magnifiques moules étuvées et de bière. Un autre aliment dont on fait grand usage, c'est la mayonnaise. J'ai parfois trouvé que l'on s'en servait trop.

Comme terme à ce rapide tour de gourmet de la Belgique, j'aimerais rendre hommage à son fromage typique, le *Hervé*. Il y a le doux et le fort. Ma préférence va au doux, qui est comme une riche crème onctueuse qui fond sur la langue. Je n'en ai jamais vu ici, mais à chaque visite en Belgique, je m'en régale.

La soupe au poisson d'Ostende

Au cours d'un voyage en Belgique en 1963, je me suis rendue à Ghent, ou Gand, une ville charmante et qui vaut bien une visite. Son architecture est de style flamand ancien, et la ville entière est imprégnée d'une atmosphère d'autrefois. Elle est célèbre pour son poulet *Waterzooi*. L'un des meilleurs restaurants est le St. Jorishof, construit au treizième siècle dans le style gothique. La ville est réputée pour la beauté de sa partie centrale et la qualité de sa cuisine.

De Gand, nous sommes allés à Bruges. À elle seule, la visite du Musée municipal où se trouve la plus importante collection de peintures flamandes valait bien le trajet. Sur le Quai du Rosaire, on peut trouver quelques pièces de dentelle de Bruges et de très intéressants petits restaurants. En poussant plus loin, on atteint Ostende sur la Mer du Nord. Là, les fruits de mer sont fantastiques. La première fois, j'y ai goûté la spécialité d'Ostende, une soupe de poisson remplie de petites crevettes roses, tendres et savoureuses. Après le bol de soupe, quelques très minces tranches de jambon des Ardennes et un verre de vin blanc sec rafraîchi sauront bien vous satisfaire.

1 tête et les arêtes d'un poisson d'eau salée*
6 tasses (1,5 L) d'eau
2 tranches de citron non pelé
6 à 8 tiges de persil
1 poireau nettoyé et tranché mince
1 carotte pelée et tranchée
1 c. à café (5 mL) de sel
6 grains de poivre écrasés
3 c. à soupe (50 mL) de farine
2 tasses (500 mL) de petites crevettes cuites
1 c. à café (5 mL) de pâte de tomates
Jus d'un demi-citron
1/2 tasse (125 mL) de crème légère
1 c. à soupe (15 mL) de cerfeuil ou de persil
*   frais, haché*

Placer la tête et les arêtes du poisson dans une casserole. Ajouter l'eau, les tiges de persil, les tranches de citron, le poireau, la carotte, le sel et les grains de poivre. Amener à forte ébullition, baisser la chaleur, couvrir et faire mijoter 30 minutes. Égoutter à l'aide d'une passoire fine et jeter le poisson et les légumes.

Mélanger la farine avec 1/2 tasse (125 mL) du bouillon jusqu'à consistance crémeuse et lisse. Ajouter le reste du bouillon, en brassant avec un fouet.

* Si vous ne pouvez pas utiliser des arêtes de poisson, remplacer par une bouteille de jus de palourdes versé dans une tasse à mesurer et ajouter assez d'eau pour obtenir les 6 tasses requises.

Placer 1 tasse (250 L) des crevettes dans un robot culinaire ou un mélangeur, avec la pâte de tomates, le jus de citron et la moitié de la crème. Couvrir et mélanger jusqu'à ce que le tout soit en purée. Ajouter le tout à la soupe avec le reste de la crème. Faire chauffer à feu doux, en brassant souvent, mais sans bouillir. Ajouter le reste des crevettes et le cerfeuil ou le persil. Faire chauffer de nouveau. Servir très chaud.

Donne 6 portions.

Soupe Chantrier

Les soupes sont ma faiblesse, mais lorsque j'ai dans mon réfrigérateur des poireaux, du bouillon de poulet et de l'orge, je n'hésite guère! À Bruxelles, cette soupe est servie à l'un des meilleurs restaurants de la Grande Place, Le Cygne.

4 tranches de bacon
2 gros poireaux
4 tasses (1 L) de bouillon de poulet
1 c. à soupe (15 mL) de beurre
1 c. à soupe (15 mL) d'orge perlée
3 c. à soupe (50 mL) de persil haché
1/2 tasse (125 mL) de crème épaisse

Hacher le bacon et le faire frire jusqu'à ce qu'il soit doré et croustillant. Laver les poireaux et les couper en tranches minces, en utilisant autant de la partie verte que possible. Ajouter au gras de bacon et remuer à feu moyen, environ 2 minutes. Ajouter le bouillon de poulet.

Faire fondre le beurre dans un poêlon, ajouter l'orge et brasser constamment jusqu'à ce qu'elle soit de couleur noisette. Ajouter le tout à la soupe. Amener à ébullition, baisser la chaleur et faire mijoter 1 heure.

Ajouter le persil à la crème et faire mijoter à feu très doux, jusqu'à ce que la crème soit réduite de moitié. Mettre de côté. L'ajouter à la soupe au moment de servir.

Donne 4 portions.

Truite bruxelloise

Tout petit poisson entier se prête à cette cuisson, et de nombreux restaurants en Belgique le servent au déjeuner. Le poisson traditionnel est le merlan.

4 petites truites ou 4 petits merlans
3 c. à soupe (50 mL) de lait
1/4 de tasse (60 mL) de farine
1 tasse (250 mL) de chapelure fine
3 c. à soupe (50 mL) de beurre
1 petit oignon finement haché
1 échalote française finement hachée (facultatif)
1/4 de tasse (60 mL) de vin blanc
1 c. à soupe (15 mL) de vinaigre de cidre ou de vin

Laver le poisson, le rouler dans le lait, puis dans la farine et finalement dans la chapelure. Laisser reposer 10 minutes.

Faire fondre le beurre dans un grand poêlon (en Belgique, on utilise un poêlon de fonte émaillée). Faire cuire le poisson 4 minutes de chaque côté, à feu vif, en ne le retournant qu'une seule fois. Après l'avoir retourné, baisser le feu. Lorsque le poisson est cuit, le mettre sur un plat de service chaud. Au beurre qui reste dans le poêlon, ajouter l'oignon et l'échalote et brasser à feu moyen jusqu'à ce que les oignons soient mous. Ajouter le vin blanc et le vinaigre. Faire bouillir 1 minute et verser sur le poisson. Servir avec des pommes de terre à la vapeur, roulées dans du persil.

Donne 4 portions.

Moules bruxelloises

D'un bout à l'autre de la Belgique, les moules sont cuites de la manière suivante et servies dans de grandes assiettes à soupe profonde, avec un bol de frites.

5 lb (2,5 kg) de moules
3 c. à soupe (50 mL) de beurre doux
1/2 tasse (125 mL) de feuilles de céleri, hachées

10 tiges de persil, hachées
1 oignon moyen coupé en tranches minces
1 tasse (250 mL) de vin blanc sec
10 grains de poivre écrasés

Nettoyer les moules, une à une, avec une brosse. Ne pas les laisser tremper dans l'eau. Rincer rapidement sous l'eau courante.

Faire fondre le beurre dans un grand poêlon ayant un bon couvercle, et ajouter les feuilles de céleri, le persil, l'oignon, le vin blanc et les grains de poivre. Faire mijoter jusqu'à ce que tout soit chaud.

Placer les moules sur ce mélange et couvrir le poêlon. Faire mijoter — sans bouillir — jusqu'à ce que les coquilles s'ouvrent, ceci devrait prendre de 6 à 8 minutes. Avec une écumoire placer les moules dans un bol chaud. Passer le bouillon à l'aide d'une passoire fine sur les moules. Servir immédiatement.

Donne 4 portions.

Légumes belges: asperges, endives, petits choux de Bruxelles

Salade d'asperges de Malines

Malines est une ville du centre de la Belgique qui se spécialise dans la culture de grosses et juteuses asperges blanches. Elles sont servies avec une sauce aux oeufs qui consiste en un oeuf dur haché mélangé avec du beurre fondu, une cuillerée de jus de citron, une pincée de muscade et du persil émincé.

La salade, une combinaison inusitée d'ingrédients chauds et froids, est une spécialité du Grand Hôtel de Bruxelles.

Sauce au homard

2 c. à soupe (30 mL) de beurre
1 c. à soupe (15 mL) de farine

1 c. à café (5 mL) de sel
1/2 c. à café (2 mL) de sucre
1/4 de c. à café (1 mL) de poivre
1 tasse (250 mL) de crème légère
1 tasse (250 mL) de viande de homard cuit ou en boîte
1 c. à café (5 mL) de jus de citron frais ou de cognac
1 jaune d'oeuf
2 c. à soupe (30 mL) de sherry sec

Faire fondre le beurre et bien mélanger avec la farine, le sel, le sucre et le poivre. Ajouter la crème en fouettant et brasser à feu moyen jusqu'à ce que le mélange soit léger, crémeux et lisse. Ajouter le homard, en faisant attention qu'il ne soit pas haché trop fin.

Battre le jus de citron ou le cognac avec le jaune d'oeuf et le sherry. Retirer de la chaleur la sauce au homard chaude et y brasser le mélange de jaune d'oeuf (ceci changera la texture de la sauce). Conserver chaud à feu doux — elle ne doit pas bouillir.

Salade

4 oeufs durs, coupés en deux
20 asperges fraîches, cuites et refroidies
3 c. à soupe (50 mL) de fromage suisse, râpé

Placer les moitiés d'oeufs et les asperges froides sur une assiette de service chaude, y verser la sauce au homard chaude et saupoudrer avec le fromage.

Donne 4 portions.

Salade d'endives

En Belgique, on appelle souvent les endives "chicons" ou "chicorée Walloof". Elles sont parfaites servies en salade. Chez nous elles sont un coûteux délice de gourmet et sont souvent braisées. Elles sont généralement disponibles de janvier à avril, importées, et en septembre, de culture locale.

Pour les servir en salade, les feuilles peuvent simplement être détachées et laissées entières ou le tout peut être taillé en tranches de 1,25 cm, comme en Belgique. C'est une salade fraîche, croquante et qui a du piquant, et elle contient peu de calories. Les endives sont aussi souvent servies mélangées à des betteraves bouillies, taillées en dés ou en tranches.

Salade

1 lb (500 g) d'endives
2 à 3 oignons verts coupés en tranches minces

Enlever les 2 à 4 premières feuilles de chaque endive, puis couper la tête entière en tranches de 1/4 à 1/2 po (0,62 à 1,24 cm) de largeur. Défaire dans un bol à salade et saupoudrer avec les oignons verts.

Vinaigrette

1/3 de tasse (80 mL) d'huile d'olive ou végétale
Jus d'un citron
Zeste râpé d'un demi-citron
1/2 c. à café (2 mL) de sel
1/4 de c. à café (1 mL) de poivre
1 c. à café (5 mL) de moutarde de Dijon
Une pincée de sucre

Dans un bol, fouetter ensemble l'huile d'olive ou végétale, le jus de citron et le zeste râpé, le sel, le poivre, la moutarde et le sucre. Au moment de servir la salade, fouetter de nouveau la vinaigrette et l'ajouter par cuillerées, en remuant le tout après chaque addition.

Donne 4 portions.

Sandwich aux endives

Au mois d'août, vous trouverez ce sandwich dans les salons de thé, servi avec un bol de frites et un verre de bière.

2 têtes d'endives
2 oeufs durs hachés
1/2 tasse (125 mL) de céleri coupé en dés

160

1/4 de tasse (60 mL) d'oignons verts, hachés
1/4 de tasse (60 mL) de persil, haché
Mayonnaise
1 c. à café (5 mL) de vinaigre de cidre ou de vin

Émincer les têtes entières des endives, ajouter les oeufs durs hachés, puis le céleri, les oignons verts et le persil. Brasser légèrement. Ajouter juste assez de mayonnaise pour lier le tout, et y verser le vinaigre. Saler et poivrer au goût. Utiliser un pain de blé entier pour faire les sandwiches.

Donne 6 sandwiches.

Choux de Bruxelles en purée

Les Belges, comme les Français, sont passés maîtres dans l'art de transformer les légumes de tous genres en une purée attrayante et délectable. J'ai même utilisé celle-ci comme garniture de crêpes, saupoudrée de fromage râpé et chauffée au four au moment de servir.

4 tasses (1 L) de choux de Bruxelles
1 tranche de pain grillée
1/4 de c. à café (1 mL) de sucre
4 c. à soupe (60 mL) de beurre
1 c. à soupe (15 mL) de farine
1 tasse (250 mL) d'eau de cuisson des choux
1/4 de c. à café (1 mL) de muscade
1/4 de c. à café (1 mL) de poudre de cari
Sel et poivre
2 jaunes d'oeufs
1/4 de tasse (60 mL) de crème légère

Enlever les feuilles extérieures de chaque chou, placer dans une casserole, placer la tranche de pain grillée sur le dessus et saupoudrer avec le sucre (le pain sucré empêche la saveur de chou de se développer). Puis y verser assez d'eau bouillante pour couvrir complètement les légumes. Faire bouillir, sans couvrir, de 10 à 12 minutes, ou jusqu'à ce que les choux soient tendres. Garder 1 tasse (250 mL) du liquide et égoutter le reste.

Faire fondre le beurre, ajouter la farine et bien mélanger, puis ajouter la tasse (250 mL) d'eau réservée. Brasser jusqu'à consistance crémeuse et bouillonnante. Ajouter les assaisonnements et brasser jusqu'à ce que le tout soit homogène. Placer les choux égouttés et le pain dans un mélangeur ou un robot culinaire, verser la sauce sur le dessus et mélanger jusqu'à l'obtention d'un mélange crémeux.

Battre les jaunes d'oeufs avec la crème. Placer dans une casserole à feu doux, verser graduellement la purée de choux de Bruxelles en brassant constamment avec un fouet. Faire chauffer le tout, mais sans laisser bouillir. Les oeufs et la crème peuvent être ajoutés à la purée quelques heures après la cuisson. Dans ce cas, faire réchauffer la purée et ajouter lentement le mélange d'oeufs et de crème, à feu moyen, en battant jusqu'à ce que le tout soit chaud.

Donne de 4 à 6 portions.

Poitrines de poulet glacées d'Ostende

C'est une recette classique de la cuisine belge, des Flandres sur la Mer du Nord. On la sert chaude ou froide, selon la saison. La délicieuse farce aux croûtons et aux huîtres est quelque peu coûteuse de nos jours, mais elle en vaut la peine. Les huîtres d'Ostende sont célèbres.

3 poitrines de poulet entières, avec la peau
2 tasses (500 mL) de petits cubes de pain
1 c. à café (5 mL) de sel
1/2 c. à café (2 mL) de poivre
1/4 de c. à café (1 mL) de macis ou de muscade
1/2 tasse (125 mL) de persil frais haché
1 petit oignon coupé en dés
1/2 tasse (125 mL) de beurre fondu
3 c. à soupe (50 mL) de beurre
3 c. à soupe (50 mL) de farine
2 tasses (500 mL) de lait
1 tasse (250 mL) d'huîtres

Beurre mou
1/2 tasse (125 mL) de gelée de gadelles (groseilles)
Zeste râpé et jus d'une orange

Diviser les poitrines en deux et saler et poivrer les deux côtés. Enlever la croûte du pain et le couper en dés. Les mettre sur une plaque de cuisson et faire cuire au four à 350°F (180°C) de 5 à 10 minutes, ou jusqu'à ce qu'ils soient dorés. Laisser refroidir.

Mettre les cubes de pain dans un bol avec le sel, le poivre, le macis ou la muscade, le persil, l'oignon et le beurre fondu. Bien mélanger le tout.

Faire une sauce blanche avec les 3 c. à soupe (50 mL) de beurre, la farine et le lait. Lorsque la sauce est crémeuse et lisse, ajouter les huîtres, bien égouttées. Laisser refroidir, puis verser sur le mélange de cubes de pain. Remuer légèrement avec 2 fourchettes.

Placer chaque poitrine sur un carré de papier d'aluminium, le côté de la peau dessous, et remplir avec 1/3 de tasse (80 mL) de la farce. Tourner les poitrines pour que la farce soit sur le papier d'aluminium et relever le papier, mais sans couvrir le dessus des poitrines. Les placer côte à côte dans une rôtissoire peu profonde, et badigeonner les dessus avec le beurre mou.

Faire cuire, sans couvrir, au four à 325°F (160°C) pendant 30 à 40 minutes. Après 25 minutes, battre la gelée de gadelles avec un batteur jusqu'à ce qu'elle soit lisse, la badigeonner sur chaque poitrine et continuer à faire rôtir, en les badigeonnant de 3 à 4 fois.

Lorsque les poitrines sont cuites, retirer le papier d'aluminium et placer les poitrines sur une assiette chaude. Ajouter le zeste râpé et le jus de l'orange aux jus dans la rôtissoire. Brasser jusqu'à ce que le tout soit chaud, faire égoutter et verser sur les poitrines. Servir avec des nouilles fines, légèrement beurrées.

Donne 6 portions.

Casserole de poulet de Bruges

Lorsque je me suis mariée à vingt ans, mon voile était retenu par un petit bonnet de dentelle de Bruges que m'avait donné une amie belge de ma mère. Je l'ai utilisé au baptême de ma fille Monique et de ma petite-fille Susan. J'avais donc un vif désir d'aller voir les dentelles de Bruges. Finalement, j'y suis allée, mais c'était après la Première Grande guerre et beaucoup de ces dentelles n'existaient plus. Aujourd'hui, il est difficile de se procurer de la dentelle de Bruges véritable, et c'est un trésor coûteux. Néanmoins, l'an dernier à Bruxelles, j'en ai vue dans une jolie boutique de toiles et dentelles sur la Grande Place. Quoi de plus romantique que de déguster cette délicieuse casserole coiffée d'un bonnet de dentelle!

Comme cette spécialité est flamande, la bière remplace le vin.

Un poulet de 3 1/2 lb (1,5 kg) ou 3 poitrines entières, coupées en demies
3 c. à soupe (50 mL) de beurre
1 gros oignon coupé en dés
2 carottes moyennes hachées
2 tiges de céleri finement hachées
1/4 de c. à café (1 mL) de marjolaine
1 c. à café (5 mL) de sel
1/2 c. à café (2 mL) de poivre
1 c. à soupe (15 mL) de cassonade
3 tranches de bacon
1 1/2 tasse (375 mL) de bière légère
Jus d'un demi-citron
1 c. à soupe (15 mL) de fécule de maïs
2 c. à soupe (30 mL) de cognac

Couper le poulet en morceaux individuels. Faire fondre le beurre dans une casserole (une casserole de fonte émaillée donnerait une véritable nuance flamande). Y brasser les légumes et la marjolaine à feu doux jusqu'à ce que le tout soit bien enrobé de beurre. Mélanger ensemble le sel, le poivre et la cassonade. Bien brasser, ajouter le tout au poulet et brasser de nouveau.

Couronner avec les tranches de bacon et faire cuire, sans couvrir, au four à 400°F (200°C) 20 minutes. Ajouter la bière, couvrir et faire cuire de 30 à 40 minutes, ou jusqu'à ce que le poulet soit tendre.

Mélanger le reste des ingrédients, les brasser dans la sauce jusqu'à une consistance légèrement épaisse, faire mijoter 5 minutes à feu doux et goûter pour l'assaisonnement.

Donne 6 portions.

Poulet à la moutarde de Gand

Un jour je me suis rendue à Gand ou Ghent (en français wallon ou en flamand) pour voir le célèbre triptyque ou pièce d'autel, l'Agneau Mystique, à la cathédrale de Saint-Bavon, un véritable trésor. Il vaut le déplacement. Nous avons déjeuné ensuite à un petit restaurant très élégant (six tables en tout), où tous les aliments étaient cuits sur commande. Nous désirions nous recueillir encore pour bien absorber toute la beauté de la cathédrale que nos yeux venaient de percevoir, et nous étions donc bien disposés à attendre.

J'ai choisi le poulet à la moutarde avec une assiette d'asperges de Malines comme entrée. Étant donné que la qualité du poulet est toujours supérieure en Belgique, le plat s'est classé dans la catégorie "trois étoiles". Il faut l'apprêter avec de la moutarde de Dijon ou une moutarde allemande de bon choix, car aucune de nos moutardes ordinaires ne donnera de bons résultats.

Un poulet à rôtir de 3 à 4 lb (1,5 à 2 kg)
1/2 citron
1/2 c. à café (2 mL) de sel
Moutarde de Dijon
3 c. à soupe (50 mL) d'huile d'olive ou d'arachide
Cognac ou bouillon de poulet ou crème légère

Frotter le poulet, à l'intérieur et à l'extérieur, avec le citron coupé — presser le citron en travaillant — puis saupoudrer de sel. Trousser et attacher le poulet et le placer sur une grille. En utilisant un pinceau à pâtisserie, étendre la moutarde partout sur le poulet. Placer le poulet, la poitrine sur la grille et recouvrir de moutarde. Laisser le poulet ainsi, la poitrine sur la grille. (Ceci est la façon classique de rôtir un poulet en Belgique). Verser l'huile d'olive ou d'arachide partout sur le poulet.

Faire rôtir au four, chauffé au préalable à 450°F (230°C), pendant 8 minutes, puis tourner le poulet sur le côté, badigeonner avec la graisse de rôti et faire rôtir 7 minutes. Baisser le feu à 350°F (180°C) et continuer à faire rôtir pendant 10 minutes. Tourner le poulet, poitrine vers le haut, et faire rôtir encore de 5 à 7 minutes.

Détacher et placer le poulet sur un plat chaud. Ajouter un peu de cognac ou de bouillon de poulet ou de crème légère dans la rôtissoire. Gratter le fond et les côtés de la rôtissoire. Lorsque la graisse de rôti est bouillante, la passer au tamis et la mettre dans un bol. Servir le poulet entouré de frites.

Donne 4 portions.

Trois repas-dans-le-chaudron

Hochepot à la queue de boeuf

L'addition de pattes de porc donne une saveur particulière à cette queue de boeuf. En Belgique, j'ai appris à servir ce plat froid en retirant tous les os de la sauce et en mélangeant la viande, les légumes et le jus pour obtenir un moule de gelée dorée. La graisse de rôti des pattes de porc fait la gelée. Alors, à votre gré, chaud ou froid, c'est tout aussi bon.

1 ou 2 queues de boeuf
2 pattes de porc de 1 1/2 à 2 lb (750 g à 1 kg)
1 petit chou, grossièrement haché
10 petits oignons pelés
1 petit navet coupé en dés
6 carottes coupées en dés
2 c. à soupe (30 mL) de gras de bacon
1 boîte de consommé ou de soupe à l'oignon, diluée
1 c. à café (5 mL) de sel
1/4 de c. à café (1 mL) de poivre
1 feuille de laurier
1/4 de c. à café (1 mL) de thym

1/4 de tasse (60 mL) de feuilles de céleri émincées
1/4 de tasse (60 mL) de persil émincé
1 gousse d'ail écrasée

Demander au boucher de couper les queues de boeuf en morceaux et de couper chaque patte de porc en 3 morceaux. Préparer les légumes. Étendre une épaisse couche de gras de bacon dans le fond d'une marmite ou d'une casserole en fonte émaillée et y placer les queues de boeuf et les pattes de porc. Placer sur le dessus le chou, les oignons, le navet et les carottes. Y verser le consommé ou la soupe à l'oignon (faire diluer selon les directives écrites sur la boîte), le sel, le poivre, la feuille de laurier, le thym, les feuilles de céleri, le persil et l'ail.

Couvrir hermétiquement, faire mijoter à feu doux de 3 à 4 heures, ou faire cuire pendant le même temps au four à 300°F (150°C). Le temps de cuisson est déterminé par la tendresse de la queue de boeuf.

Pour le moule de gelée, laisser refroidir, puis enlever toute la viande des os et la placer dans un moule de votre choix. Amener les légumes et les jus à forte ébullition. Faire bouillir, sans couvrir, 5 minutes. Verser sur la viande. Laisser refroidir. Couvrir et réfrigérer 24 heures avant de démouler.

Donne de 6 à 8 portions.

Waterzooi gantoise

Ce plat est le mieux connu et le plus traditionnel de la cuisine belge; il provient du secteur flamand de la Belgique. Il se prépare avec du poisson ou uniquement avec des légumes, ou plus couramment avec du poulet. Ça demande beaucoup de travail, mais vous retirez deux ou trois repas différents de la préparation. Ce mets est difficile à décire car ce n'est ni un ragoût ni une soupe; mais selon la tradition, on le sert dans de grandes assiettes à soupe. Un superbe plat pour une réception.

1 lb (500 g) de petites côtes de boeuf
2 lb (1 kg) de jarrets de veau

1 lb (500 g) d'abats de poulet
4 carottes, pelées et entières
3 poireaux, partie blanche seulement
4 oignons moyens entiers
3 tiges de céleri, coupées en 2
1 c. à soupe (15 mL) de gros sel
1 c. à café (5 mL) de thym
12 tasses (3 L) d'eau
Un poulet de 4 lb (2 kg)
2 jaunes d'oeufs
1 tasse (250 mL) de crème épaisse
Sel et poivre
1/4 de c. à café (1 mL) de muscade

La veille de la cuisson du poulet, placer les 10 premiers ingrédients dans une grande casserole. Amener à forte ébullition. Couvrir et faire mijoter à feu doux pendant 4 heures. Laisser refroidir en laissant la viande dans le bouillon pour la nuit. Le lendemain, enlever la viande et faire égoutter le bouillon. Vous devriez obtenir 8 tasses (2 L) de liquide. S'il y en a plus, faire bouillir, sans couvrir, jusqu'à ce que le consommé soit réduit à 8 tasses (2 L). Y ajouter le poulet qui est bien troussé, ramener à ébullition, couvrir et faire mijoter jusqu'à ce que le poulet soit tendre, environ 1 heure.

Dans une grosse soupière ou un grand bol, battre les jaunes d'oeufs, la crème, le sel, le poivre et la muscade. Couper le poulet chaud en morceaux (pas de tranches). Verser 1 tasse (250 mL) du consommé bouillant sur le mélange d'oeufs, brasser avec un fouet, ajouter les morceaux de poulet, puis plus de consommé. Bien brasser et goûter pour l'assaisonnement. Servir avec un riz bouilli. Parfois, les légumes sont coupés en morceaux et ajoutés au consommé.

Donne 6 portions.

Suggestions pour les restants

Boeuf bouilli: couper en tranches minces et servir froid avec une salade de pommes de terre. Ou faire réchauffer avec un peu du consommé, sans bouillir, et servir avec des pommes de terre bouillies et une vinaigrette aux herbes ou française abondante en persil frais et en oignons verts hachés.

Jarret de veau: couper en dés et remuer dans une sauce blanche faite en partie avec du lait et en partie avec les reste du consommé, ou avec du vin blanc. Placer dans une casserole et couronner généreusement avec du fromage râpé, tel qu'un cheddar doux. Faire cuire 20 minutes au four à 350°F (180°C).

Légumes: couper en dés et ajouter au reste du consommé avec des nouilles et le riz qui reste.

Choucroute au porc et à la bière

Mon mari et moi avons dégusté ce plat consistant et savoureux dans un petit café-restaurant de Liège. Comme nous étions pressés, nous nous étions arrêtés au premier endroit rencontré sur notre route; et une fois de plus nous avons observé qu'en Belgique, même les petits restaurants sans prétention, en plus de vous en donner pour votre argent, vous servent une bonne cuisine. Comme en Angleterre, on y trouve la plupart du temps de la bière en fût et elle est bonne, même si elle est forte. Le plat du jour, la choucroute au porc et à la bière, nous fut servi avec un grand panier d'épaisses tranches de pain brun foncé, délicieux.

Pour le dessert, les plus savoureuses crêpes au citron et une parfaite tasse de café liégeois.

2 lb (1 kg) de choucroute
1 pinte (500 mL) de bière légère
1 c. à soupe (15 mL) de cassonade
10 baies de genièvre*
6 steaks d'épaule de porc
2 c. à soupe (30 mL) de gras de bacon ou de beurre
Sel et poivre
3 gousses d'ail émincées
4 pommes non pelées et râpées
3 pommes de terre, grossièrement hachées

---

* Les baies de genièvre sont vendues dans les supermarchés, au rayon des fines herbes. Il y en a beaucoup dans les bois canadiens. Les cueillir et les faire sécher au soleil de l'été.

Placer dans une casserole en fonte émaillée la choucroute, la bière, la cassonade et les baies de genièvre. Couvrir et faire mijoter à feu doux.

Faire rissoler les steaks dans le gras de bacon et le beurre. Mettre une couche de choucroute dans le fond d'une casserole et placer les steaks de porc sur le dessus. Saupoudrer avec l'ail et les pommes râpées. Couvrir avec la moitié de la choucroute qui reste. Poser les pommes de terre sur le dessus et couvrir avec le reste de la choucroute et tous ses jus.

Couvrir et faire cuire au four, chauffé au préalable à 350°F (180°C), de 40 à 50 minutes.

Donne 6 portions.

Dessert et café

La Cramique

C'est un type de gros pain aux raisins coupé en tranches épaisses et servi chaud avec le café. Il y a plusieurs recettes pour ce pain; voici ma préférée.

1 à 2 tasses (250 à 500 mL) de raisins sans pépins
2 enveloppes de levure sèche active
2 c. à soupe (30 mL) de sucre
1/4 de tasse (60 mL) d'eau tiède
2 tasses (500 mL) de lait tiède
1/2 tasse (125 mL) de beurre fondu
2 oeufs, bien battus
6 tasses (1,5 L) de farine tout-usage
1 1/2 c. à café (7 mL) de sel
1 tasse (250 mL) de petits cubes de sucre*

---

* Si vous n'avez pas de petits cubes, concassez des cubes de taille régulière.

Couvrir les raisins avec de l'eau bouillante. Laisser reposer 15 minutes et faire égoutter.

Mélanger la levure, le sucre et l'eau tiède. Laisser reposer 10 minutes.

Dans un grand bol, mélanger le lait tiède, le beurre fondu, les oeufs et le mélange de levure bien brassé. Bien mélanger, ajouter le sel et brasser. Ajouter graduellement la farine, 1 tasse (250 mL) à la fois, en brassant entre chaque addition jusqu'à l'obtention d'une pâte molle. Y verser les raisins avec 1 tasse (250 mL) de farine et pétrir dans la pâte, puis y incorporer les petits cubes de sucre.

Renverser la pâte sur une planche enfarinée et pétrir de 2 à 3 minutes en saupoudrant de la farine sur la pâte si elle devient collante. Lorsque les cubes de sucre sont bien incorporés, couvrir la pâte et la laisser lever dans un endroit chaud pendant 1 heure, ou jusqu'à ce qu'elle double de volume. Pétrir légèrement, puis diviser en 2 parties égales.

Beurrer 2 moules ronds de 8 po (20 cm). Façonner la pâte en miches rondes et les placer dans les moules. Badigeonner délicatement le dessus avec du lait et saupoudrer avec du sucre. Faire cuire au four, chauffé au préalable à 375°F (190°C), environ 30 à 40 minutes, ou jusqu'à ce que le dessus soit doré. Démouler sur une grille. Laisser refroidir de 20 à 30 minutes et servir.

Crêpes liégeoises au citron

Ces crêpes légères, rafraîchissantes, différentes, font un dessert parfait à servir après un copieux repas.

1/4 de tasse (60 mL) de beurre doux mou
1/4 de tasse (60 mL) de sucre
2 oeufs, séparés
Zeste râpé d'un citron
1/2 tasse (125 mL) de lait
1/2 tasse (125 mL) de farine tout-usage
1/2 tasse (125 mL) de sucre
2 citrons, coupés en quartiers

Mettre en crème le beurre et le sucre jusqu'à ce qu'ils soient homogènes. Battre légèrement les jaunes d'oeufs, les ajouter au mélange de beurre et battre jusqu'à ce que le tout soit crémeux. Ajouter la moitié du zeste râpé du citron et le lait. Remuer pour mélanger, puis y battre la farine jusqu'à ce que la pâte soit lisse et crémeuse. Battre les blancs d'oeufs en neige, puis les incorporer à la pâte. Pour faire cuire les crêpes, verser une généreuse cuillerée à soupe (15 mL) de la pâte dans un poêlon de métal épais chaud, bien beurré, ou sur une plaque à crêpes. Faire dorer les crêpes des deux côtés en les retournant une fois seulement. Lorsqu'elles sont cuites, les plier en quatre et les placer sur un plat chaud.

Préparer d'avance la dernière 1/2 tasse (125 mL) du sucre et le reste du zeste râpé du citron, bien mélanger. Saupoudrer quelques pincées de ce mélange sur les crêpes pliées lorsqu'elles sont placées sur le plat.

Pour les garder chaudes, placer le plat de crêpes sur une casserole d'eau mijotante. Placer les quartiers de citron autour des crêpes cuites — chaque personne peut presser le jus de citron sur les crêpes comme elle le désire.

Donne de 16 à 18 petites crêpes.

Café liégeois

Chaque fois que je suis de passage en Belgique, il me faut un café liégeois le premier jour. Que la vanille et la crème ne vous empêchent pas de le faire. Il est velouté, délectable et à son meilleur avec du café noir moka-java frais moulu et filtré.

1/4 de c. à café (1 mL) de vanille
1/2 tasse (125 mL) de crème épaisse, fouettée
1 blanc d'oeuf, battu en neige
4 tasses (1 L) de café chaud, au choix
Un bol de sucre roux

Combiner la vanille et la crème. Y incorporer le blanc d'oeuf en neige. Remplir au tiers 6 à 8 petites tasses à café avec le mélange de crème. Remplir lentement les tasses en versant le café bouillant sur la crème. Ne pas brasser. Servir — chaque personne ajoute la quantité désirée de sucre. Ce café peut aussi être servi avec un verre à liqueur de cognac; déguster en alternant avec le café.

Donne de 6 à 8 petites tasses à café.

La France

Pour les Français, les plaisirs de la table et le bon vin font partie intégrante de la vie quotidienne... c'est l'expression de vieilles traditions et le centre de la vie familiale et sociale. Le déjeuner du dimanche en famille, même de nos jours, n'a pas perdu de son importance; certaines familles mangent ensemble à la maison, beaucoup d'autres se rendent au bistro ou à leur restaurant favori, même en dehors de la ville; voilà pourquoi tant de voitures quittent la ville le dimanche, remplies de papas, de mamans, d'enfants de tous âges et même de grands-parents. Le restaurant où ils se rendent les a toujours bien servis. Au cours des années, je suis allée maintes fois dans ces restaurants de famille, dont certains n'ont même pas de menu écrit. On vous y décrit ce qui vous sera servi, et c'est fait avec tant d'emphase que l'appétit se fait aussitôt sentir; et vous attendez avec impatience les mets succulents. Je n'ai jamais été déçue. J'ai aussi noté que c'est toujours en province, dans de petits coins perdus, que les repas sont à leur meilleur. Si vous êtes invité chez des amis en province, il n'y a qu'un seul problème: trop de bonne chair, trop de vin et de très longues heures à table pour en jouir pleinement!

Ce qui me fascine dans la cuisine française, c'est la variété incroyable de plats régionaux et d'idées pour la cuisine. Habituellement, ou les touristes ne font pas attention à la cuisine régionale, ou bien elle ne les attire pas. Les grands chefs actuels tirent leur inspiration de la multitude des plats régionaux. En donnant à ces recettes une petite touche personnelle, ils créent encore de nouveaux modes de cuisson pour des aliments spécifiques.

La Normandie par exemple est une région de prés verts luxuriants, de bétail bien nourri, de riches fromages et de grands vergers de pommes — un véritable délice de la nature à visiter au printemps, au temps de la floraison des arbres, et un autre plaisir en automne où l'on peut goûter le cidre très fort et le calvados. La Bretagne, elle, est une province beaucoup plus pauvre, balayée par les grands vents qui viennent de la mer. Quel froid en hiver! Mais quels délicieux fruits de mer, et comme ils sont bien apprêtés! Un de mes souvenirs inoubliables de la Bretagne est celui d'une grande assiettée de poisson servie avec de grandes et minces crêpes de sarrazin toutes brûlantes et pliées en quatre. Et rendons aussi hommage à ses asperges, à ses choux-fleurs et à ses fameux artichauts printaniers, les meilleurs de France.

Jetons un regard sur le Périgord, la première région que j'ai visitée, à l'âge de dix-huit ans... c'était un paradis culinaire; les femmes en costume du pays étaient fascinantes. Des changements ont eu lieu depuis ce temps-là, le Périgord demeure néanmoins la terre par excellence des oies et du confit d'oie. Ce dernier est fait de morceaux d'oie braisés doucement dans de grands pots de terre cuite (un spectacle familier dans tout le Périgord) et laissés dans ces pots tout l'hiver, conservés dans leur gras. J'ai mangé ce savoureux plat à son meilleur chez une amie, à Bagnères-de-Bigorre. On nous l'avait servi comme entrée, avec de grandes tranches de pain brun frais, tartinées de graisse d'oie et recouvertes de tranches d'oie, le tout accompagné d'un bon vin du pays à son apogée. Le Périgord doit surtout sa renommée dans le monde à ses truffes, ou "diamants noirs" comme on les désigne souvent, sans doute à cause de leur prix.

En France, je me suis souvent arrêtée dans des fermes ou dans de petits restaurants où seuls vont les gens du pays. Il y a bien eu quelques déceptions, mais j'ai eu la plupart du temps le plaisir d'y découvrir des recettes et des aliments inusités et intéressants. En voici un exemple. C'était dans les années cinquante et ce jour-là, je m'était arrêtée près d'une ferme attrayante où les hommes, les femmes et les enfants portaient le costume du pays. Après avoir bavardé un bon moment, ils m'avaient invitée à déjeuner avec eux. Il y avait une grande table de bois foncé entourée de banquettes. Au centre de la table étaient posés deux paniers plats, l'un rempli de fruits frais assortis, l'autre de pain. À un bout de la cuisine, un immense foyer dans lequel des chaudrons de fer étaient suspendus à des chaînes. La mère sortit et revint avec un panier d'oeufs et de truffes. Elle déposa le tout près de son petit banc, tira à elle un des chaudrons et le plaça sur le feu à côté d'un poêlon noir à long manche. Elle prit une douzaine d'oeufs, ou davantage, qu'elle brisa dans le beurre fondu du poêlon. Elle brouilla les oeufs avec un bâton, puis les déposa rapidement sur un marbre au bout de la table. À l'autre extrémité, sur un autre marbre, elle déposa un chaudron de fer rempli de légumes assortis mijotant dans un bouillon de poulet, avec beaucoup de persil. La subtile saveur de truffe dans les oeufs, le goût exquis des légumes fraîchement cueillis, le parfait fromage, tout cela fit un autre repas inoubliable! Vous vous demandez sans doute pourquoi les truffes n'avaient été que mêlées aux oeufs dans le panier sans être utilisées? J'avais posé la question: les femmes ramassaient les truffes pour les vendre à bon prix, environ 40$ la livre, alors il ne fallait pas les manger. Néanmoins, en les laissant dans le panier d'oeufs durant une journée ou deux, les oeufs en absorbaient la saveur! Et voilà un délice de gourmet à peu de frais!

La Gironde est une autre région intéressante qui doit sa renommée aux grands vins de Bordeaux qu'elle produit et qui, au dire des connaisseurs, sont les meilleurs au monde. Ce sont, pour ma part, ceux que je préfère. Qui peut résister à un Médoc légèrement rafraîchi, à la hardiesse d'un St-Émilion de belle récolte (c'était le préféré de ma mère), au magnifique vin blanc sec Entre-Deux-Mers, et à tant d'autres? Au restaurant Dubérie, situé dans un hôtel particulier construit en 1895, vous trouverez non seulement une excellente cuisine, mais aussi une des caves les mieux pourvues de la région, au coeur des Châteaux du Médoc, des Graves et de St-Émilion. Au Dubérie, il y a aussi ce qu'ils appellent un bar anglais, avec whisky, etc. Un autre restaurant de Bordeaux que j'aime est le Saint-James; les prix y sont élevés, mais ça en vaut la peine. Il se situe en face du théâtre Victor-Louis où se donnent généralement des représentations intéressantes.

En songeant aux vins de Bordeaux, il est facile d'oublier que la gastronomie de la Gironde est reconnue comme étant de très haute qualité, et que c'est à Bordeaux, sa métropole, qu'est présentée une des meilleures cuisines de France. À Bordeaux, il y a un dicton qui veut que ce ne soit ni la cuisinière ni la maîtresse de maison qui décide du menu, mais la bouteille de vin que choisit monsieur; et on doit la servir avec un plat qui ne fasse pas concurrence au vin choisi, ni ne le domine. Une autre règle toujours de mise est que tout plat préparé avec du vin doit être accompagné à table du même vin.

Avant le repas, conformément à la tradition, vous servirez un véritable apéritif, le Kina Lilet, qu'il est difficile de rapporter de France, mais cela vaut la peine d'essayer. Il faut le réfrigérer quelques heures avant de le servir.

Un autre délice est le caviar de Gironde. Je m'en suis rendue compte vers 1918-1920, par l'entremise des restaurants de monsieur Prunier à Paris et à Londres, qui sont encore de nos jours d'excellents endroits pour le poisson. Prunier est l'homme qui a découvert les oeufs d'esturgeon de la Gironde. On en vendait alors pour quelques centimes et on les utilisait comme appât pour les sardines. Prunier connaissait un Russe de la mer Caspienne, émigré en France, qui lui enseigna à préparer ce caviar, que l'on appelle en France caviar Volga. On peut en déguster aux restaurants Prunier et on en trouve parfois dans les épiceries spécialisées. La France en produit de sept à neuf tonnes chaque année, ce qui est peu si l'on considère que les Français en mangent vingt-cinq tonnes par an. De temps en temps, à Bordeaux ou dans bien d'autres endroits en Gironde, vous en verrez au menu sous l'appellation de caviar de Gironde. Goûtez-y!

Les petits royans sont un autre délice gastronomique de cette région. Ce sont de magnifiques petites sardines que l'on mange très salées et crues, ou non salées et cuites sur un feu de bois. On les sert sur une tranche de pain français beurrée (beurre non salé) et accompagnées d'un verre de vin blanc Graves frais. Comme j'en ai mangé! Le fameux agneau de Pauillac, pré-salé, vient des bords de la rivière Gironde et c'est un favori des Parisiens.

Si vous visitez Bordeaux au début de l'automne, il vous faut manger des cèpes — ils sont dans toutes les cuisines à cette époque, et Bordeaux reste l'endroit idéal pour manger ces champignons, bien apprêtés, si exquis, et frais, bien entendu.

Pour clore cette description bien inadéquate de toutes les délices culinaires de la Gironde, voici quelques mots sur ses fameuses liqueurs. J'ai plus d'une fois savouré la délicieuse anisette "Marie Brizard", une des liqueurs les mieux connues, que j'aime servir selon la tradition, versée dans un verre à liqueur rempli de glace pilée. Pour les amateurs, la "Vieille Cure de Cénon" est un brandy produit à Cénon, une petite banlieue de Bordeaux que beaucoup considèrent comme le meilleur produit de France.

Alors que j'étudiais l'histoire de l'art au couvent, l'art roman sous toutes ses formes m'attira et m'intrigua. J'appris qu'au Poitou il y avait plusieurs cathédrales et monastères construits au Moyen Âge, la plupart datant des onzième et douzième siècles. De mon banc d'école, je pris la décision que, si jamais j'allais en France, je me devais de faire une tournée tranquille, bien organisée et complète à travers le Poitou, la Vendée et les Deux-Sèvres. C'est ce que je fis un jour en autocar et j'en rapportai toute une provision de souvenirs remarquables.

Pour bien voir et comprendre le Poitou, il faut y circuler avec une bonne carte routière, par les routes secondaires et les chemins de campagne, plutôt que sur la Nationale, ou encore voyager en autocar, un mode de transport bien organisé et très instructif pour les touristes. Trop souvent, l'on passe outre à de magnifiques coins de province pour rester à Paris.

C'est aussi dans le Poitou que j'ai rencontré mon premier chef français, Abélard, qui possédait un restaurant très romantique à Thouards, l'"Héloïse". Il m'a enseigné à faire sa fameuse orange Héloïse, que j'aime toujours. Au dîner, il récitait des poèmes sur Héloïse et tout le monde était captivé. J'ai constaté aussi que c'était une région de la France où la cuisine ne devait pas être ignorée. C'est là que j'ai appris beaucoup sur les oiseaux sauvages d'automne — non seulement qu'on pouvait les manger, mais aussi comment les cuire selon les traditions. Les Deux-Sèvres, une partie du Poitou, offre toutes sortes de poissons d'eau douce, et la Vendée, face à l'Atlantique, apporte des fruits de mer en quantité.

Un des desserts traditionnels est le tourteau fromagé, et le croiriez-vous, c'est l'ancêtre de notre bon gâteau au fromage que nous croyions d'origine américaine? Le fromage blanc du Poitou est jugé le meilleur de France.

Alors que je croyais faire une véritable découverte, le poulet sauté niortais s'avéra être un plat que ma mère préparait au printemps avec un jeune poulet, des pommes de terre et des oignons rouges sucrés. Il est vrai que la cuisine canadienne-française comprend depuis longtemps des plats du Poitou apportés au Canada par ceux qui étaient venus de La Rochelle et d'ailleurs.

Il y a, à Normoutier, de grands marais salants. À dix-huit ans, j'ai découvert que le sel était plus qu'une poudre blanche à saupoudrer sur les aliments. Il n'y avait pas que le sel gris, utilisé pour assaisonner les plats de longue cuisson, mais aussi un délicieux sel marin, rose pâle, et de goût exquis. Je ne puis que louer sa perfection. Lorsque je vais en France et que j'en trouve, j'en rapporte un kilo.

Chaque année, à Noël, je pense au Poitou lorsque je décore mon gâteau aux fruits avec de l'angélique de Niort, qui vient de cette région.

En allant vers le sud, nous atteignons les Pyrénées où se manifeste l'influence des Basques et des Espagnols — plus d'huile, de tomates, de poivre et d'épices dans la cuisine. On ne peut ignorer le potage basque, un genre de crème aux pommes de terre et aux haricots verts frais, ni le ouliat béarnais, une intéressante soupe à l'oignon, ni le foie de veau au four de Biarritz, ni les cuisses de poulet de Bayonne! Un fait intéressant pour les Canadiens dont les ancêtres viennent de cette région de France est que, dès 1680, les pêcheurs basques allaient jusqu'à Terre-Neuve pour y pêcher la morue, qui demeure un repas populaire, et la façon dont on la prépare à Bayonne est toujours ma préférée. Je ne l'ai vue préparée de cette manière nulle part au Canada.

Qui peut, lors d'un séjour en France, s'abstenir de visiter la Provence, où l'arôme piquant des herbes fraîches et l'odorant parfum des fleurs s'entremêlent et nous prient de nous y attarder? Sa cuisine est aussi exubérante que l'odeur piquante des herbes et aussi colorée que ses fleurs. On dit que l'aïolli est la plus ancienne sauce au monde, apportée sur ses rives par les Phéniciens qui voguaient sur la Méditerranée avant même que naquit le roi Salomon.

Il y a tant à dire sur la cuisine française que le sujet est inépuisable, mais je ne pourrais m'arrêter avant d'avoir rendu hommage à Lyon, reconnue comme la ville gastronomique du monde. C'est là que vous trouverez les véritables grands chefs: Paul Bocuse à Coulonges-au-Mont d'Or, très près de Lyon; Alain Chapel, mon chef préféré parmi les meilleurs, à Mionnay, à dix-huit kilomètres de Lyon; les frères Troisgros; la Mère Blanc et une foule d'autres. Un hommage particulier s'adresse à monsieur Point, à Vienne, qui traça la voie pour tant de grands chefs. Depuis sa mort, le restaurant est sous la direction de madame Point et la même perfection y règne. Je me souviens d'un déjeuner que mon mari et moi y avons fait en 1963; il dura trois heures — exquises. En quittant le restaurant, mon mari sentait le besoin d'un petit somme.. qui dura trois heures! J'eus ainsi le temps de visiter Vienne. Le restaurateur, ce soir-là, trouva inconcevable que notre repas ne consiste qu'en un petit morceau de fromage, une salade verte et une tisane!

Je suis convaincue que le secret du succès de la cuisine française provient de la bonne qualité des produits et du fait que les cuisinières et les restaurateurs sont très exigeants et très difficiles lorsqu'il s'agit de faire un choix à l'achat des provisions car, en général, ils recherchent la perfection. Et puis, lorsque vient le temps de manger leurs créations et de boire un vin choisi, ils savent prendre tout leur temps pour en jouir pleinement.

Une vie entière ne suffirait pas pour acquérir un tel savoir-faire... les connaissances de leurs ancêtres ont établi leur cuisine sur de solides fondations.

Deux soupes traditionnelles

Potage Tourin

Chaque province a sa façon de faire un Tourin. En Gironde, c'est une soupe à l'oignon, faite de lait, d'oeufs et de crème, aussi savoureuse chaude que froide.

6 à 8 oignons moyens
2 c. à soupe (30 mL) de gras de bacon
2 c. à soupe (30 mL) de beurre
1 c. à café (5 mL) de sucre
3 tasses (750 mL) de lait
2 jaunes d'oeufs
1 c. à soupe (15 mL) de farine
1 tasse (250 mL) de crème légère ou épaisse
4 tranches de pain français grillées
Un bol de fromage suisse râpé

Peler et trancher les oignons en minces languettes. Faire fondre le gras de bacon et le beurre. Ajouter les oignons et saupoudrer avec le sucre. Faire cuire à feu moyen, en brassant souvent, jusqu'à ce que les oignons soient légèrement dorés. Les verser dans un tamis, poser au-dessus d'un bol et laisser le gras s'écouler. Faire chauffer le lait, ajouter les oignons égouttés. Faire mijoter à feu doux jusqu'à ce que le lait soit chaud. Battre les oeufs avec la farine, puis ajouter graduellement la crème. Bien mélanger et ajouter tranquillement à la soupe tout en brassant. Faire mijoter de 2 à 4 minutes à feu doux, en brassant bien.

Placer une tranche de pain grillée dans chaque assiette et verser la soupe chaude dessus. Laisser chaque personne saupoudrer de fromage râpé à son goût.

Donne 4 portions.

Ouliat béarnais

Pau, capitale du Béarn, possède de nombreux châteaux intéressants des treizième et quatorzième siècles. Mon intérêt, évidemment, se portait sur Henri IV qui a créé tant de légendes culinaires, comme par exemple, la poule au pot. Le bouillon de la poule au pot sert à faire cette soupe délicieuse. J'en ai mangé la première fois à Bigorre, où on l'appelait *ouliat*, par une très belle journée d'été, lors d'un déjeuner dans un jardin. L'ouliat était présenté dans des bols de poterie verts, posés dans un panier rempli de paille pour les empêcher de refroidir.

6 à 8 oignons moyens
1/3 de tasse (80 mL) d'huile d'olive ou d'arachide
6 minces tranches de pain français
1/4 de tasse (60 mL) de farine
8 tasses (2 L) de bouillon de poulet
2 c. à soupe (30 mL) de sel
1 c. à café (5 mL) de poivre
3 jaunes d'oeufs
1 tasse (250 mL) de fromage suisse ou de cheddar râpé
1/4 de tasse (60 mL) de cognac

Peler et couper les oignons en tranches minces. Faire chauffer l'huile dans la casserole qui sera utilisée pour la soupe. Y faire dorer les tranches de pain dans l'huile chaude. Les retirer avec une fourchette, enlever l'excès d'huile et placer le pain sur une assiette.

Ajouter les oignons à l'huile et remuer à feu vif jusqu'à ce qu'ils soient dorés. Ajouter la farine et bien mélanger. Ajouter 4 tasses (1 L) de bouillon de poulet. Battre avec un fouet jusqu'à ébullition, ajouter le reste du bouillon, le sel et le poivre.

Amener à ébullition tout en brassant, puis couvrir et faire mijoter de 30 à 40 minutes.

Passer au tamis ou au mélangeur pour faire une soupe en crème. Au moment de servir, faire chauffer les jaunes d'oeufs et le fromage dans une soupière ou dans une casserole. Y verser 2 tasses (500 mL) de la soupe chaude tout en battant avec un fouet. Ajouter le reste de la soupe chaude. Ne pas chauffer après l'addition des oeufs. Y verser le cognac. Remuer et servir, en couronnant chaque assiette avec une tranche de pain frite.

L'ouliat peut être cuit d'avance et, au moment de servir, le faire simplement réchauffer puis le verser sur les oeufs et le fromage. Le dernier mélange ne doit être chauffé qu'au moment de servir la soupe.

Donne de 6 à 8 portions.

Faire Chabrot

Le "chabrot" est une amusante tradition qui plaît aux Bordelais. La soupe du soir est servie toute brûlante dans de grandes assiettes à soupe anciennes, avec une bouteille de bon Bordeaux rouge sur la table. Lorsqu'il ne reste plus qu'un peu de bouillon ou de potage dans les assiettes, chacun y verse du vin rouge, qu'il fait tourner doucement et qu'il boit directement de l'assiette.

Ne croyez pas que "faire chabrot" soit ridicule, faites-le une fois, et vous verrez!

Oeufs Lorraine

Voilà une autre recette classique de la table alsacienne. Elle n'est pas seulement délicieuse pour le brunch, elle est aussi rapide et facile à préparer. Cette recette est pour deux, mais elle peut se faire tout aussi bien pour dix.

Beurre
2 minces tranches de fromage suisse ou hollandais
2 tranches de bacon, cuites et émiettées
2 oeufs
Sel et poivre
2 c. à soupe (30 mL) de crème riche
2 c. à soupe (30 mL) de fromage râpé

Utiliser 2 plats de poterie peu profonds, de petits ramequins, ou des tasses à déjeuner. Beurrer les plats et placer une tranche de fromage dans le fond de chacun. Couronner avec le bacon émietté, puis casser un oeuf sur le dessus du bacon.

Assaisonner au goût, verser 1 c. à soupe (15 mL) de crème sur chaque oeuf et couronner avec du fromage râpé. Faire cuire au four à 400°F (200°C) de 5 à 7 minutes, ou jusqu'à ce que les oeufs soient pris à votre goût.

Donne 2 portions.

Entrées au poisson

Court-bouillon au vin blanc

C'est un bouillon parfait pour pocher le poisson, particulièrement le saumon, la truite ou le flétan. Pour suivre la règle par excellence de Bordeaux, servir avec le poisson le même vin blanc que celui utilisé pour le pocher... de préférence un Graves sec.

Les quantités suivantes peuvent être doublées ou divisées par deux ou par quatre, selon la quantité de poisson à cuire.

> *2 tasses (500 mL) de vin blanc sec*
> *8 tasses (2 L) d'eau froide*
> *1/2 c. à café (2 mL) de thym*
> *2 feuilles de laurier*
> *4 branches de persil, entières*
> *2 carottes moyennes pelées et tranchées*
> *1 oignon moyen tranché*
> *1 c. à café (5 mL) de sel*
> *1/4 de c. à café (1 mL) de grains de poivre*

Faire mijoter tous les ingrédients pendant 35 minutes, puis laisser refroidir.

Au moment de la cuisson du poisson, faire chauffer le consommé avant d'y ajouter le poisson. Le faire cuire, sans couvrir, 10 minutes au pouce (2,5 cm), mesuré dans la partie la plus épaisse.

Après avoir utilisé le court-bouillon, le passer, le mettre en bouteille, le laisser refroidir et le conserver au réfrigérateur. Il peut être utilisé de 2 à 3 fois, même avec différentes sortes de poissons. Servir le poisson chaud ou froid.

Thon frais rôti

Les ports du littoral vendéen sont appelés ports thoniers, à cause de la grande quantité de thons qu'y rapportent les pêcheurs et dont la majeure partie est mise en conserve. Cette façon toute simple de faire rôtir le thon est excellente.

2 steaks de thon frais, 1 po (2,5 cm) d'épaisseur
1/4 de tasse (60 mL) chacun de beurre et d'huile d'olive
1 oignon pelé et coupé en tranches minces
Sel, poivre et paprika
1 grosse tomate pelée et coupée en dés
1 c. à soupe (15 mL) de crème épaisse

Frotter les deux côtés des steaks de poisson avec du jus de citron. Faire fondre le beurre et ajouter l'huile d'olive dans un plat allant au four et y remuer l'oignon.

Placer le plat au four à 400°F (200°C) pendant 5 minutes. Le retirer du four, remuer et étendre uniformément l'oignon. Placer le poisson sur le dessus. Saupoudrer avec du sel, du poivre et du paprika. Placer la tomate en dés autour du poisson. Faire cuire de 15 à 18 minutes, sans couvrir. Retirer du four et laisser reposer, à couvert, pendant 5 minutes. Retirer le poisson et le poser sur une assiette chaude, ajouter la crème épaisse à l'oignon et remuer à feu moyen. Verser sur le poisson.

Donne 4 portions.

Filet de sole Chapon fin

Les Bordelais disent que cette sole est le summum de la perfection, accompagnée d'un plat de nouilles très fines garnies de champignons frais et de petits oignons verts taillés en languettes, et d'un verre de Sauternes frais.

2 lb (1 kg) de filets de sole frais
Sel et poivre
Beurre doux
3 tomates moyennes
1 petit oignon finement haché
2 échalotes françaises finement hachées
1/4 de tasse (60 mL) de persil émincé
4 c. à soupe (60 mL) de vin blanc
3 c. à soupe (50 mL) de crème épaisse

Si vous possédez un plat oval de métal qui soit assez long, laisser les filets entiers, sinon les couper et faire des rouleaux. Frotter du sel et du poivre sur chaque morceau de poisson. Peler et couper en dés les tomates et les mélanger avec les oignons, les échalotes françaises et le persil. Étendre dans le fond d'un plat généreusement beurré. Placer les filets sur le dessus, en les faisant chevaucher légèrement, ou rouler les morceaux et les placer les uns à côté des autres. Couvrir le plat avec un papier d'aluminium et placer le couvercle par-dessus. Placer directement à feu vif pour débuter la cuisson. Après 3 minutes, placer le plat au four, chauffé au préalable à 400°F (200°C). Faire cuire 10 minutes.

Retirer délicatement le poisson et le poser sur une assiette chaude. Placer le plat directement sur le feu, ajouter le vin blanc et une généreuse portion de beurre. Battre avec un fouet jusqu'à ce que le tout soit réduit de moitié. Ajouter graduellement la crème, tout en battant. Ajouter du sel, si nécessaire, et verser sur le poisson.

Donne 6 portions.

Entrées à la viande

Cuisses de grenouilles "Relais de Poitiers"

À Poitiers, on peut visiter trois magnifiques églises romanes: Saint-Hilaire, Notre-Dame-la-Grande et Sainte-Radegonde.

Le Relais de Poitiers à Chasseneuil, un de mes restaurants préférés au Poitou, prépare ces extraordinaires cuisses de grenouilles.

16 à 18 cuisses de grenouilles
4 tasses (1 L) d'eau froide
3 c. à soupe (50 mL) de vinaigre de vin
4 c. à soupe (60 mL) de lait
2 c. à soupe (30 mL) de farine

1/3 de tasse (80 mL) ~ beurre
1 grosse gousse d'ail émincée
1/2 tasse (125 mL) de persil émincé
1 c. à café (5 mL) de sarriette
Sel et poivre

Rincer les cuisses de grenouilles sous l'eau courante froide. Mélanger dans un bol l'eau froide et le vinaigre. Y ajouter les cuisses de grenouilles et les laisser reposer 20 minutes. Les égoutter, les sécher et rouler chaque cuisse dans le lait, puis les tremper dans la farine.

Faire fondre le beurre dans un grand poêlon jusqu'à ce qu'il soit de couleur noisette. Ajouter les cuisses de grenouilles, les unes à côté des autres, et faire rissoler des deux côtés, en ne les tournant qu'une seule fois. Les faire cuire de 5 à 7 minutes. Les placer sur un plat chaud. Ajouter le reste des ingrédients dans le poêlon et remuer constamment pendant une minute ou deux. Verser sur les cuisses de grenouilles et garnir avec des quartiers de citron qui peuvent être pressés sur les cuisses, au goût.

Donne 4 portions.

Boeuf aux poivrons cuit au four

En allant en voiture de Paris à Alençon en 1962, nous nous sommes arrêtés pour le déjeuner à l'Hostellerie du Clos à Verneuil, située dans un petit château à l'architecture anglo-normande. L'endroit nous plut tant et si bien que nous y sommes demeurés deux jours.

1 à 1 1/2 lb (500 à 625 g) de boeuf à ragoût,
*   coupé en dés*
2 poivrons verts
2 gros oignons
8 petites pommes de terre pelées
2 c. à soupe (30 mL) de pâte de tomates
1 tasse (250 mL) de consommé de boeuf
1/2 c. à café (2 mL) de sucre et autant de thym
Sel et poivre

Je préfère peler les poivrons verts de la même façon qu'ils le font en France. Placer les poivrons sur une plaque de cuisson sous le grilleur du four, à environ 3 po (7,5 cm) de la source de chaleur. Lorsque la peau commence à noircir sur un côté, les retourner (ceci peut prendre 3 minutes en tout). Les placer dans un bol, couvrir hermétiquement, laisser refroidir, puis enlever la peau. Enlever les graines et couper en languettes. Peler les oignons et les couper aussi en languettes.

Dans une casserole, mettre d'abord la viande, couronner avec les oignons, puis avec les poivrons. Couvrir avec les pommes de terre qui ont été laissées entières.

Placer le reste des ingrédients dans une autre casserole et amener à ébullition, tout en brassant. Verser le tout sur la viande et les légumes et couvrir hermétiquement (on peut utiliser du papier d'aluminium). Faire cuire au four, chauffé au préalable à 250°F (120°C), pendant 2 heures et demie.

Pour préparer ce mets d'avance, découvrir après la cuisson et bien mélanger les ingrédients. Couvrir de nouveau, et garder à la température ambiante de 3 à 6 heures, puis faire réchauffer au four à 300°F (150°C), de 20 à 25 minutes.

Donne 4 portions.

Rondelles de boeuf provençales

Lorsque la saison du tourisme bat son plein sur la Côte d'Azur, ces rondelles sont sur tous les menus. Ce sont d'excellents pâtés de boeuf au poêlon, bien assaisonnés.

1 lb (500 g) de boeuf haché
2 tranches de pain rassis
4 c. à soupe (60 mL) de lait ou de crème légère
1 c. à café (5 mL) d'huile végétale
1 oignon émincé
1 gousse d'ail hachée fin
2 oeufs battus
1 c. à soupe (15 mL) de crème de blé, non cuite
1 c. à café (5 mL) de sel

1/4 de c. à café (1 mL) de poivre
1/8 de c. à café (0,5 mL) de muscade râpée
1/4 de c. à café (1 mL) de thym
2 c. à soupe (30 mL) de beurre
1/4 de tasse (60 mL) de vin rouge sec
Persil haché

Après que vous avez enlevé la croûte du pain, émietter le pain dans un bol, verser le lait ou la crème sur le dessus et laisser reposer 10 minutes.

Faire chauffer l'huile végétale, ajouter l'oignon et faire cuire jusqu'à ce qu'il soit légèrement doré. Le verser dans un bol et ajouter la viande hachée, les oeufs battus, la crème de blé, le sel, le poivre, la muscade et le thym. Ajouter le pain trempé et pétrir le mélange avec vos doigts, puis couvrir et réfrigérer pendant 2 heures.

Façonner la viande en 6 petits pâtés. Dans un poêlon de fonte, faire chauffer le beurre jusqu'à ce qu'il soit légèrement doré. Ajouter les pâtés et les faire cuire à feu moyen de 2 à 3 minutes par côté. Placer les pâtés sur une assiette chaude.

Ajouter le vin rouge et le persil au beurre dans le poêlon. Remuer pendant 1 minute à feu moyen et verser sur les pâtés.

Donne de 4 à 6 portions.

Veau rôti Thouars

Servi avec du riz à grain long et des petits pois vendéens, c'est un plat spécial. Je choisis de préférence un rôti de côtes de veau.

Un rôti de côtes ou une épaule roulée de veau
de 4 lb (2 kg)
2 c. à soupe (30 mL) de gras en dés, pris du rôti
1/4 de tasse (60 mL) de beurre ou d'huile végétale
1 grosse orange pelée et coupée en tranches minces
1/2 tasse (125 mL) de porto sec
1 c. à soupe (15 mL) de cognac
1/4 de c. à café (1 mL) de sucre

1 c. à café (5 mL) de sel
1/4 de c. à café (1 mL) de cannelle et autant de muscade
Zeste râpé d'une orange
Jus de 2 oranges
1/3 de tasse (80 mL) de raisins secs de Malaga

Dans une marmite (que l'on appelle un *calin* dans le Poitou), faire fondre le gras du rôti, puis ajouter le beurre ou l'huile végétale. Lorsque le tout est bien chaud, faire rissoler la viande à feu moyen. Ceci devrait prendre de 25 à 30 minutes, car la viande doit être ferme. Laisser refroidir. Avec un couteau affilé, couper la viande en tranches minces. Placer les tranches dans un poêlon émaillé (sauteuse) et couronner avec les tranches d'orange.

Au jus qui reste dans la marmite, ajouter le reste des ingrédients. Faire mijoter 10 minutes en brassant souvent. Verser le tout sur la viande. Faire mijoter, sans couvrir, à feu très doux de 30 à 40 minutes. Ne pas brasser.

Donne 6 portions.

Foie de veau rôti

Une création de la Mère Brazier — une des premières "Mères" célèbres. En 1953, l'année où le *Guide Michelin* commença à attribuer des "étoiles" aux meilleurs restaurants, elle fut non seulement la première femme, mais aussi la première récipiendaire d'une attestation du *Guide Michelin* et elle demeure la seule femme à qui furent attribuées ces "trois étoiles".

Je suis heureuse de l'avoir connue et d'avoir reçu d'elle cette recette parfaite. J'étais jeune alors et je n'ai jamais oublié ses mots: "Si vous travaillez dix-huit, même dix-neuf heures par jour, vous réussirez, mais si vous dormez huit heures par nuit, vous serez toujours en retard." Cela me semblait alors une tâche impossible, maintenant je sais qu'elle avait raison.

1 à 1 1/2 lb (500 à 750 g) de foie d'agneau ou de veau,
en 1 morceau
1 gros oignon pelé et coupé en languettes

1 poireau, un peu de la partie verte et toute la partie
blanche (facultatif)
3 c. à soupe (50 mL) de beurre
1/2 c. à café (2 mL) de sel
1/4 de c. à café (1 mL) de poivre
2 c. à soupe (30 mL) de sauce chili*
1 c. à soupe (15 mL) de sauce A-1
1/2 c. à café (2 mL) de thym
1/3 de tasse (80 mL) de porto sec

L'oignon et le poireau doivent être coupés en languettes. Les faire frire dans le beurre sans trop les faire dorer.

Frotter le foie avec le sel et le poivre. Le placer dans un plat allant au four qui soit juste assez grand pour contenir le foie. Ajouter le reste des ingrédients, sauf le porto, aux oignons. Remuer jusqu'à ce que le tout soit chaud et bien mélangé. Verser sur le foie.

Verser le porto dans le poêlon qui a servi à faire cuire les oignons et faire chauffer, en grattant le poêlon, mais sans faire bouillir le porto. Verser autour du foie. Faire cuire, sans couvrir, au four chauffé au préalable à 325°F (160°C), 30 minutes.

Pour faire la sauce, ajouter au plat 1/4 de tasse (60 mL) de thé ou de café chaud ou froid. Gratter le plat avec une cuillère. En peu de temps, vous obtiendrez une sauce brune foncée.

Donne de 4 à 6 portions.

---

* La Mère Brazier utilisait une purée de tomates, fraîche et bien épicée. Je trouve que la sauce chili donne le même résultat, avec la moitié du travail.

Rognons de boeuf Vieille Cure

Ce plat, cuit en 6 minutes, flambé au brandy et arrosé d'une légère sauce au vin rouge, était un des préférés de mon cher professeur, le Dr de Pomiane, grand admirateur de la cuisine bordelaise.

Les connaisseurs considèrent la Vieille Cure comme l'un des meilleurs brandies.

1 rognon de boeuf
2 c. à soupe (30 mL) de beurre
1/4 de tasse (60 mL) de brandy
3 tranches de bacon, coupées en dés
2 échalotes françaises, coupées en dés
1 c. à soupe (15 mL) de farine
3/4 de tasse (190 mL) de vin rouge
Sel et poivre
1/8 de c. à café (0,5 mL) de muscade
1 c. à café (5 mL) de moutarde de Dijon
1 tasse (250 mL) de petits champignons

Couper le rognon en languettes minces, en jetant la partie blanche du centre. Travailler autour de cette partie — peu importe la taille des languettes, mais il est important qu'elles soient minces.

Dans un poêlon de fonte, faire chauffer le beurre jusqu'à ce qu'il soit de couleur brun noisette. Ajouter le rognon et constamment remuer à feu vif, environ 3 minutes. À ce point le rognon sera presque cuit. Le laisser à feu vif, sans brasser, pendant une autre minute. Puis y verser le brandy, brasser, faire flamber, brasser de nouveau et mettre sur une assiette chaude.

Ajouter le bacon dans le poêlon et brasser jusqu'à ce qu'il soit croustillant, puis ajouter les échalotes et le vin rouge. Ajouter du sel, du poivre, la muscade et amener à ébullition à feu moyen. Y mélanger la moutarde de Dijon et les champignons, et brasser jusqu'à ce que le tout soit crémeux — ceci devrait prendre environ 1 minute. Mettre le rognon dans la sauce, faire mijoter 1 minute et servir.

Donne 4 portions.

Queue de boeuf vinaigrette

Si votre amour des autos vous conduit à le Mans pour les grandes courses, vous constaterez que la queue de boeuf vinaigrette est un mets local apprécié, qui peut se manger vite et avec délices, présenté partout avec du pain français chaud et croustillant. À Paris, la queue de boeuf vinaigrette est un déjeuner familial, de préparation rapide et facile; certains bouchers vendent la queue de boeuf cuite, il n'y a qu'à y ajouter la vinaigrette. On peut en servir comme plat principal; le bouillon fait un léger et savoureux consommé qui se prête à la garniture de votre choix.

Queue de boeuf

1 queue de boeuf en morceaux
1 oignon tranché
1 carotte pelée et tranchée
2 tiges de céleri grossièrement hachées
1 feuille de laurier
1/4 de c. à café (1 mL) de thym
1 c. à café (5 mL) de sel
1/4 de c. à café (1 mL) de poivre
2 épaisses tranches de citron non pelées
2 pintes (2 L) d'eau

Mettre tous les ingrédients dans une casserole et amener à forte ébullition. Couvrir et faire mijoter de 3 à 4 heures, à feu doux, jusqu'à ce que la queue de boeuf soit tendre. La laisser refroidir dans le consommé. Servir avec une simple vinaigrette (recette qui suit).

Vinaigrette

1/4 de c. à café (1 mL) de moutarde sèche
1/2 c. à café (2 mL) de sel
1/4 de c. à café (1 mL) de poivre
Une pincée de sucre
1/2 tasse (125 mL) d'huile végétale

Dans une bouteille, remuer ensemble tous les ingrédients. Pour servir, couper en dés 3 tasses (750 mL) de pommes de terre cuites, les mélanger avec quelques cuillerées de vinaigrette et les placer sur un plat de service. Mettre la queue de boeuf refroidie dans un bol et y verser, au goût, de la vinaigrette. Saupoudrer de persil ou d'oignons verts finement hachés.

Donne 4 portions.

Jambon Girondine

En France, le jambon de Bayonne, reconnu comme le meilleur, est surtout mangé cru et coupé en tranches très minces. On peut le remplacer par un jambon pré-cuit de qualité. Ceux qui voyagent en France se doivent de goûter au jambon dont les variétés sont multiples et les modes de cuisson variés et intéressants. Mon préféré est le jambon Girondine.

> *3 tranches du centre d'un jambon pré-cuit,*
> *de 1/4 po (0,625 cm) d'épaisseur*
> *3 c. à soupe (50 mL) de beurre*
> *3 à 4 échalotes françaises hachées fin*
> *3 c. à soupe (50 mL) de sucre*
> *1/4 de tasse (60 mL) de vinaigre de vin rouge*
> *ou de cidre*

Couper chaque tranche de jambon en 2 ou 4 morceaux, comme vous désirez le servir. Enlever la couenne. Faire fondre 2 c. à soupe (30 mL) de beurre sur une plaque de cuisson ou dans une rôtissoire peu profonde. Rouler chaque morceau de jambon dans le beurre fondu. Couvrir le plat avec un papier d'aluminium et faire chauffer le jambon pendant 15 minutes, au four, chauffé au préalable à 300°F (150°C). Puis placer le jambon sur une assiette chaude. Garder le jus.

Faire fondre le reste du beurre dans un poêlon et ajouter les échalotes et le sucre. Brasser, à feu moyen, jusqu'à ce que le tout soit caramélisé. Ajouter le vinaigre et le jus du jambon. Remuer juste assez pour chauffer le tout; ne pas laisser bouillir. Verser sur le jambon. Entourer avec des pommes de terre vapeur saupoudrées de persil haché.

Donne 6 portions.

Petites côtes et choucroute alsaciennes

J'aime beaucoup le vin alsacien; lorsque j'en ai le temps, je me rends à Colmar ou à Strasbourg. À mi-chemin entre les deux villes, il y a un petit hôtel, le Clos St-Vincent, entouré de vignobles, en plein centre de la région des vins alsaciens et où la cuisine est délicieuse. Il n'y a que neuf chambres, je conseille donc de réserver à l'avance.

Mon choix à cet endroit est ce très bon plat préparé avec la choucroute et les baies de genièvre qu'on cultive dans la région.

3 lb (1,5 kg) de petites côtes de porc
2 lb (1 kg) de choucroute
2 tasses (500 mL) de vin alsacien ou
    un vin blanc léger
1 c. à soupe (15 mL) de cassonade
16 baies de genièvre*
3 gousses d'ail émincées
4 pommes non pelées et râpées
3 pommes de terre pelées et râpées

Mettre dans une casserole la moitié de la choucroute, le vin, la cassonade et les baies de genièvre. Couper les petites côtes en portions individuelles et les mettre sur le dessus du mélange. Saupoudrer les côtes avec l'ail et les pommes et couvrir complètement avec le reste de la choucroute. Recouvrir avec les pommes de terre. Y verser un peu du jus de la choucroute. Couvrir et faire mijoter 1 heure à feu moyen-doux.

Donne 6 portions.

* Voir note, p. 169.

Entrées à la volaille

Poulet sauté niortais

Il vous intéressera peut-être d'apprendre qu'à Niort vous trouverez des gants magnifiques. J'en ai acheté il y a quinze ans, piqués à la main, qui sont toujours en parfait état. La qualité du cuir de Niort est reconnue.

Cette recette est un autre exemple de la qualité niortaise.

1 poulet à rôtir, coupé en morceaux individuels
4 c. à soupe (60 mL) de beurre
Sel et poivre
1/2 lb (250 g) de champignons frais, coupés en
    tranches minces
1/4 de tasse (60 mL) d'oignons verts émincés
1/4 de tasse plus 1 c. à soupe (80 mL) de porto sec
2 c. à soupe (30 mL) de farine
1 tasse (250 mL) de lait

Faire fondre 2 c. à soupe (30 mL) de beurre dans une casserole de métal épais. Ajouter les morceaux de poulet et faire rissoler des deux côtés. Saler et poivrer au goût. Ajouter les champignons et les oignons verts et remuer pour mélanger. Ajouter 2 c. à soupe (30 mL) de porto. Couvrir hermétiquement et faire mijoter à feu doux jusqu'à ce que le poulet soit tendre, environ 30 à 45 minutes. Lorsque le poulet est cuit, le placer sur une assiette et le conserver au chaud. Faire une sauce blanche avec le reste des ingrédients, soit 2 c. à soupe (30 mL) de beurre, 3 c. à soupe (50 mL) de porto, la farine et le lait.

Dans l'intervalle, faire bouillir à feu vif le jus du poulet; lorsqu'il en reste quelques cuillerées, y verser la sauce blanche et brasser jusqu'à ce que le tout soit homogène. Goûter pour l'assaisonnement. Ajouter les morceaux de poulet et les recouvrir avec la sauce blanche. Faire mijoter à feu doux jusqu'à ce que le poulet soit chaud.

Donne 4 portions.

Poulet Mionnay aux agrumes

Passer quelques jours chez Alain Chapel à Mionnay est une expérience mémorable et coûteuse. De tous les grands chefs français, il est mon préféré; il est créateur, timide et possède un véritable flair pour les saveurs et les présentations. Bien entendu, Mionnay est près de Lyon! Ce plat fut préparé avec de jeunes poulets de deux livres et des agrumes frais.

*3 poitrines de poulet entières coupées en deux
   ou 2 poulets à griller de 3 lb (1,5 kg), en quartiers
1/4 de tasse (60 mL) de jus de lime fraîche
1/4 de tasse (60 mL) de jus de citron frais
1/3 de tasse (80 mL) de vin blanc
1 gousse d'ail écrasée
1 c. à café (5 mL) de sel
1/4 de c. à café (1 mL) de poivre
1/2 c. à café (2 mL) d'estragon, frais si possible
3 c. à soupe (50 mL) de beurre*

Combiner les jus de lime et de citron avec le vin blanc, l'ail, le sel, le poivre et l'estragon. Placer les morceaux de poulet côte à côte dans une casserole peu profonde et verser le mélange sur le dessus. Réfrigérer pendant 2 heures ou toute la nuit.

Retirer les morceaux de poulet de la marinade et les mettre dans une casserole peu profonde ou un plat allant au four, sans les faire chevaucher. Parsemer de beurre et faire cuire, sans couvrir, au four à 350°F (180°C) pendant environ 40 minutes ou jusqu'à ce que le poulet soit tendre. Arroser avec la marinade toutes les 10 minutes.

Lorsque le poulet est cuit, le laisser refroidir avant de le servir ou l'envelopper dans un papier d'aluminium et le garder dans un endroit frais. Passer le jus au tamis et le réfrigérer. Pour servir, retirer le gras durci sur le dessus du jus refroidi. Servir la gelée de teinte dorée avec le poulet.

Donne 6 portions.

Cuisses de poulet Biarritz

Après la Première Guerre mondiale, bien des soldats canadiens à leur retour ne tarissaient pas d'éloges sur Biarritz et sur la beauté des Françaises. Le frère de mon père, officier dans l'armée, était de ce nombre. Il m'apprit non seulement la préparation de ce plat, mais aussi comment faire cuire et manger les artichauts. J'en avais vu à la boutique d'aliments grecs des frères Basil, mais je n'avais jamais su ce qu'on en faisait.

4 cuisses de poulet entières
Jus et zeste d'un citron
1 gousse d'ail tranchée
2 feuilles de laurier
Sel
Poivre frais moulu
2 c. à soupe (30 mL) de beurre et autant d'huile
végétale

Pour des résultats parfaits, les cuisses de poulet doivent être désossées, en laissant seulement 1 po (2,5 cm) de l'extrémité de l'os, mais on peut aussi les cuire sans les désosser.

Placer dans un bol le jus et le zeste de citron, l'ail, les feuilles de laurier, le sel et le poivre. Rouler les morceaux de poulet dans ce mélange jusqu'à ce qu'ils soient bien enrobés. Couvrir et laisser mariner de 3 à 5 heures.

Pour les faire cuire, bien égoutter, puis rouler chaque cuisse dans la farine. Faire chauffer le beurre et l'huile dans un poêlon. Ajouter les cuisses de poulet et faire cuire à feu moyen, en les retournant une ou deux fois, jusqu'à ce qu'elles soient cuites et dorées partout, environ 30 à 35 minutes. Servir très chaud avec la mayonnaise au cresson froide (recette qui suit).

Donne 6 portions.

Mayonnaise au cresson

1 tasse (250 mL) de mayonnaise, non sucrée
3/4 de tasse (190 mL) de cresson ou de persil, haché
1 c. à café (5 mL) d'estragon séché
1 c. à café (5 mL) de jus de citron
1 c. à café (5 mL) d'oignon râpé

Placer tous les ingrédients dans un mélangeur ou dans un robot culinaire et bien mélanger jusqu'à ce que le tout soit d'une teinte verte. Goûter pour le sel et le poivre. Servir froid avec les cuisses de poulet très chaudes.

Canard vendéen

Je préfère utiliser le canard domestique car il semble qu'avec le canard sauvage, il soit impossible d'obtenir cette même saveur intriguante. Au fameux restaurant La Tour d'Argent à Paris, dont le propriétaire est Claude Terrail, fils du fondateur, on ne prépare que des canards Challans. À Challans, au centre de la Vendée, se tient chaque automne une foire qui a pour intérêt principal ses fameux canards. N'est-ce pas intéressant de constater à quel point le petit canard contribue au bien-être de l'homme? Par exemple, le foie de canard est utilisé dans la fabrication de pilules de fer, et les Chinois utilisent les pattes et la tête dans la préparation de leurs médicaments.

1 canard domestique
4 à 6 pommes (pas trop mûres)
2 c. à soupe (30 mL) de beurre
1 c. à soupe (15 mL) de cognac
Zeste râpé d'une demi-orange
Sel et poivre
Jus d'une orange
1/4 de tasse (60 mL) de cognac
3 c. à soupe (50 mL) de Grand Marnier (facultatif)
4 c. à soupe (60 mL) de sucre
1/3 de tasse (80 mL) de vinaigre de vin rouge
    ou de cidre
Zeste râpé d'une orange
1/2 tasse (125 mL) de jus d'orange frais
1 orange pelée et coupée en tranches minces

Laver l'intérieur et l'extérieur du canard avec un linge trempé dans du vinaigre.

Peler et épépiner les pommes et les couper en quartiers. Faire fondre le beurre dans une casserole. Y ajouter les pommes, remuer jusqu'à ce que chaque morceau soit enrobé de beurre, puis laisser mijoter à feu très doux durant 10 minutes. Ajouter 1 c. à soupe (15 mL) de cognac et le zeste râpé de la demi-orange. Bien brasser, laisser refroidir et utiliser la moitié des pommes pour farcir le canard. Saler et poivrer. Placer le canard dans une lèchefrite. Faire rôtir 25 minutes au four, chauffé au préalable à 400°F (200°C). Placer les pommes qui restent autour du canard, ajouter le jus d'une orange, le 1/4 de tasse (60 mL) de cognac et le Grand Marnier. Remuer. Baisser le feu à 350°F (180°C) et faire rôtir le canard pendant 40 minutes, en l'arrosant une ou deux fois.

Dans l'intervalle, placer dans un poêlon le sucre et le vinaigre, faire bouillir en brassant jusqu'à ce que le sucre soit dissous, puis faire cuire à feu vif jusqu'à ce que le tout commence à caraméliser. Puis ajouter le zeste râpé d'une orange et la 1/2 tasse (125 mL) de jus d'orange frais, et brasser à feu moyen jusqu'à ce que le tout soit en ébullition.

Lorsque le canard est cuit, le retirer de la lèchefrite et le poser sur une assiette chaude. Verser le mélange de vinaigre dans la sauce et ajouter les tranches d'orange. Bien brasser sur feu direct jusqu'à ce que le tout soit chaud. Placer les tranches d'orange sur le canard et servir la sauce séparément.

Donne 4 portions.

Le faisan de monsieur Point

Fernand Point, un des grands chefs de France durant cinquante ans, est mort au début des années soixante-dix. La plupart des chefs français actuels de renom ont reçu leur formation à son restaurant de Vienne, célèbre dans le monde entier. Voici un des meilleurs repas que j'y ai pris.

Le faisan

2 faisanes
3/4 de tasse (190 mL) de beurre doux
1 c. à café (5 mL) d'estragon
3 à 4 citrons
Paprika
Cresson ou persil

Assaisonner chaque faisane à l'intérieur et à l'extérieur avec du sel et du poivre au goût. Placer 1/4 de tasse (60 mL) de beurre dans chaque cavité et saupoudrer, à l'intérieur, 1/2 c. à café (2 mL) d'estragon. Placer les oiseaux côte à côte dans une rôtissoire et faire rôtir, sans couvrir, au four à 450°F (230°C) 30 minutes, en les arrosant 3 fois avec le jus de la rôtissoire. Puis réduire la chaleur à 300°F (150°C) et rôtir encore de 20 à 30 minutes ou jusqu'à ce que la chair soit tendre et que le jus des poitrines soit clair.

Dans l'intervalle, peler les citrons, les couper en quartiers et les saupoudrer généreusement avec du paprika. Lorsque les faisanes sont cuites, les placer sur une grande assiette, entourées de cresson ou de persil et des citrons enrobés de paprika.

La sauce

1 tasse (250 mL) de gelée de gadelles (groseilles)
1/4 de tasse (60 mL) de cognac

Faire chauffer la gelée et le cognac à feu très doux — ne pas faire bouillir. Retirer du feu alors qu'il reste quelques morceaux de gelée non dissous. Verser dans la rôtissoire avec la sauce, mélanger et verser dans une saucière.

Donne 4 portions.

Poule au pot

La fameuse poule au pot, j'en ai fait cuire et j'en ai dégusté de bien des façons; celle-ci est ma préférée. J'en ai fait l'expérience la première fois dans un étrange petit restaurant à Pau qui avait seulement quelques tables dans la cuisine et sur la véranda, le tout d'une propreté immaculée. Le chef était vêtu de blanc et le reste du personnel, surtout des femmes, de bleu pâle, la tête recouverte d'une très jolie coiffe béarnaise.

Non seulement elles faisaient la cuisine, mais elles servaient aussi aux tables.

Un poulet de 4 à 5 lb (2,5 à 3 kg)
2 c. à soupe (30 mL) de cognac
5 à 6 branches d'estragon, hachées ou
1 c. à soupe (15 mL) d'estragon séché

3 c. à soupe (50 mL) de beurre
4 tasses (1 L) de bouillon de poulet
3 carottes entières pelées
2 oignons moyens pelés
2 clous de girofle entiers
4 c. à soupe (60 mL) de farine
1/4 de tasse (60 mL) de crème légère ou épaisse
Sel et poivre

Frotter le poulet à l'intérieur et à l'extérieur avec le cognac. Mettre en crème l'estragon et le beurre. Façonner en boule et mettre à l'intérieur du poulet. Attacher les cuisses avec une ficelle. Placer dans une casserole qui peut contenir le poulet, le bouillon, les carottes, les oignons et les clous de girofle. Saler et poivrer au goût. Amener à ébullition, puis ajouter le poulet qui ne doit être que partiellement couvert par le bouillon. Couvrir et faire mijoter à feu moyen de 40 à 50 minutes, ou jusqu'à ce que le poulet soit tendre.

Retirer le poulet et le mettre sur une assiette chaude. Le couvrir pour le conserver chaud. Faire bouillir le bouillon à feu vif, sans couvrir, jusqu'à ce qu'il ait réduit de moitié. Mélanger la farine et la crème, les ajouter au bouillon et fouetter jusqu'à obtention d'une consistance crémeuse. Assaisonner au goût. Couper le poulet en morceaux et l'ajouter à la sauce. Servir sur un nid de riz à grains longs persillé.

Donne de 4 à 5 portions.

Les beurres

Les beurres préparés jouent un si grand rôle dans la cuisine française que tout le monde devrait apprendre à les faire. Bien qu'il y en ait des centaines, les suivants sont les plus populaires et les plus utiles.

Mettre le beurre préparé dans un bocal à confiture, le couvrir hermétiquement et le réfrigérer; il peut être conservé de deux à trois mois. Vous saurez vite quel beurre ajouter à votre recette favorite pour en relever la saveur.

Beurre Bercy

1 tasse (250 mL) de vin blanc
2 c. à soupe (30 mL) d'échalotes françaises,
*   finement hachées*
1 tasse (250 mL) de beurre doux, en crème
1 c. à soupe (15 mL) de persil émincé
Jus d'un demi-citron
1 c. à café (5 mL) de sel
1/4 de c. à café (1 mL) de poivre

Faire bouillir le vin et les échalotes jusqu'à ce qu'ils aient réduit à 1/2 tasse (125 mL). Ajouter le reste des ingrédients et combiner avec un batteur électrique. Garder réfrigéré.

Note: 1/2 lb (125 g) de moelle de boeuf, hachée fin, est en général ajoutée. Puisqu'elle est riche et n'est pas toujours disponible, elle peut être omise sans affecter le beurre.

Beurre au citron

Zeste râpé d'un citron et jus d'un demi-citron
1/2 c. à café (2 mL) de poivre frais moulu
1 tasse (250 mL) de beurre doux, en crème

Mélanger le zeste de citron, le poivre et le sel, puis ajouter le beurre au mélange. Placer dans un bocal de verre et couronner avec le jus de citron. Étant donné que le jus reste sur le dessus, en enlever un peu chaque fois que vous prenez du beurre.

Beurre au citron et aux fines herbes

1/2 tasse (125 mL) de beurre
Jus d'un citron et le zeste râpé d'un demi-citron
1/2 c. à café (2 mL) de basilic et autant d'estragon
1 c. à café (5 mL) de persil haché
1 oignon vert, finement haché

Mettre en crème le beurre, ajouter le reste des ingrédients et remuer jusqu'à ce que le tout soit homogène. Mettre dans un plat, couvrir et réfrigérer.

L'utiliser sur des légumes, des poitrines de poulet, des muffins grillés — même une carotte bouillie prend de la saveur avec ce merveilleux beurre.

Beurre à la ciboulette

1/2 tasse (125 mL) de ciboulette fraîche,
*   finement hachée*
1 tasse (250 mL) de beurre, en crème

Mélanger les ingrédients (utiliser un robot culinaire si vous en avez un — le beurre sera d'un beau vert). Excellent pour le poisson poché et le poulet. (Variante: ajouter 1/2 tasse (125 mL) de persil finement haché à la ciboulette.)

Beurre Montpellier

1/2 tasse (125 mL) de cerfeuil, autant d'estragon
*   et autant de persil finement haché*
1 tasse (250 mL) de cresson et d'épinards, finement hachés
3 petits cornichons surs, finement hachés ou 1 c. à café
*   (5 mL) de câpres, bien égouttées*
2 jaunes d'oeufs durs, hachés
1 jaune d'oeuf, cru
1 petite gousse d'ail, hachée
1 tasse (250 mL) de beurre doux
1/2 c. à café (2 mL) chacune de sel et de poivre
3 c. à soupe (50 mL) d'huile d'olive

Placer le cerfeuil, l'estragon, le persil, le cresson et les épinards dans une casserole, y verser de l'eau bouillante et faire bouillir 1 minute. Égoutter et presser dans un linge.

Placer le mélange dans un bol, ajouter les cornichons ou les câpres, les jaunes d'oeufs, l'ail et le beurre. Battre à la main ou dans un robot culinaire, en ajoutant graduellement le sel, le poivre et l'huile, jusqu'à ce que le tout soit crémeux et homogène. Conserver dans un bocal de verre. Délicieux sur le veau, le poisson ou les crevettes froides.

Les salades

Lorsque je poursuivais mes études en France, dans les années vingt, deux amies étudiantes et moi-même mangions beaucoup de salades, car les verdures étaient peu coûteuses et il y en avait beaucoup au marché. Nous allions à tour de rôle, à 6 heures du matin, faire nos achats, y compris une baguette à peine sortie du four du boulanger et un bon morceau de fromage. Je me souviendrai toujours de ces déjeuners à la salade, si délicieux, si pleins d'entrain et d'amitié. Un ami qui nous accompagnait à l'occasion est maintenant membre de l'Académie française.

Les verdures lavées et égouttées dans l'essoreuse à salade étaient saupoudrées de basilic, de ciboulette ou de persil, selon celui qui était le moins cher au marché du matin, puis nous mettions la salade dans la "glacière".

Nous préparions ensuite la vinaigrette: 1/4 de tasse (60 mL) d'huile d'arachide, 2 c. à soupe (30 mL) de vinaigre de vin rouge, du sel et du poivre au goût, et 1 c. à café (5 mL) de moutarde de Dijon. Nous brassions le tout et nous laissions le bol sur la table de la cuisine jusqu'à midi, avec le fromage enveloppé. Bien sûr, nous n'avions pas de beurre. Et puis, c'était la course pour arriver aux cours de 8 heures. Nous revenions à la maison à 13 heures pour le festin de salade. Quinze minutes avant le repas, nous tournions la salade avec la vinaigrette dans un grand bol frotté au préalable avec une gousse d'ail et la salade était de nouveau mise au frais avant de nous mettre à table.

Au déjeuner, nous buvions du thé ou du café, selon nos finances, car le thé était un luxe à Paris à cette époque. Heureusement pour nous, des amis de Londres, qui n'avaient jamais le temps d'écrire, nous envoyaient de petits sachets de thé. Nous ne nous en rendions même pas compte et pourtant, c'est alors que nous avons mangé les meilleures salades de notre vie, mais aucune de nous n'a oublié ces succulent repas.

Pour faire une salade parfaite, il faut bien connaître deux ingrédients importants, l'huile et le vinaigre.

Il faut toujours verser le vinaigre en premier car si l'huile est d'abord ajoutée, elle enrobe les ingrédients et empêche le vinaigre de pénétrer. Dans toute salade, le jus frais de citron ou de lime peut toujours remplacer le vinaigre.

Tout vinaigre est à base d'alcool dont la nature détermine le caractère mais, durant le procédé de fermentation, il devient non alcoolisé.

Le vinaigre distillé: c'est notre vinaigre blanc. La fermentation se fait à partir d'alcool de grains et ce vinaigre est fort, avec une saveur aigre; il doit être utilisé surtout pour les cornichons.

Le vinaigre de cidre: une base de cidre de pommes lui donne son arôme corsé et sa saveur fruitée, bien que le goût en soit quelque peu aigre. Ce vinaigre doré s'allie bien à la salade de choux ou toute autre salade de ce genre.

Le vinaigre de malt: ce genre de vinaigre s'obtient par la fermentation d'alcool de malt ou de bière, d'où lui vient sa saveur distincte et son léger goût de bière. Sa couleur va du pâle au foncé. L'utiliser avec le poisson, le jambon ou les salades de légumes à racines.

Le vinaigre de vin rouge: sa saveur et sa couleur varient, selon la variété des raisins utilisés dans le vin et le degré de dilution — la saveur corsée du vin s'y manifeste. Un vinaigre de vin rouge de choix est excellent pour faire du vinaigre aux herbes. Il suffit d'ajouter quelques tiges fraîches d'estragon, de basilic, d'aneth ou quelques gousses d'ail non pelées et entières. Si vous préparez un demi-litre de chacun, vous pourrez varier la saveur de vos salades, ou donner du piquant à vos ragoûts toute l'année, en ajoutant deux ou trois cuillerées à table (30 à 50 mL) de votre vinaigre préféré.

Le vinaigre de vin blanc: c'est à peu près le même procédé que pour le rouge, sauf qu'il est jaune pâle et son arôme est délicat et subtil. Le vinaigre de vin blanc naturel ou parfumé est un excellent choix pour les salades.

L'huile d'olive: les variétés en sont multiples, même parmi les huiles d'olive françaises, la meilleure étant celle qualifiée de "pression à froid". Elle est coûteuse, mais il en faut peu à la fois. L'huile espagnole est d'un doré foncé, contrairement à la française qui est de couleur pâle, avec une forte saveur d'olive. L'huile italienne du sud est forte et très huileuse, plus douce et claire dans les régions du centre et du nord. L'huile grecque peut varier de "trois étoiles" à une très mauvaise qualité; l'huile des olives de Calamata est la meilleure.

L'huile de maïs, l'huile d'arachide: les deux sont de saveur douce et sont excellentes pour les vinaigrettes, à moins de rechercher une saveur particulière d'huile dans la salade. L'huile de maïs n'est pas aussi délicate car elle peut être un mélange qui peut compter jusqu'à sept huiles différentes; l'huile d'arachide française est plus délicate que la nôtre.

Plats de légumes

Salade de riz à la dinde Ali-Bab

Babinski était un ingénieur français qui travaillait au canal de Suez dans les années vingt. Un jour, le chef-cuisinier mourut et on ne put lui trouver de remplaçant. Babinski quitta alors son emploi pour faire la cuisine pour les hommes. Ali-Bab (il est ainsi connu) devint et est encore un des grands maîtres de la cuisine française. Son livre *Encyclopédie de Gastronomie Pratique* est un classique.

Bien que cette salade soit préparée avec un reste de dinde, elle est aussi un plat de gourmet. Comme pour toutes les préparations d'Ali-Bab, la préparation est longue, mais il en résulte une salade des plus élégantes pour le déjeuner.

1 c. à soupe (15 mL) de beurre
1 petit oignon, coupé en dés
1 c. à café (5 mL) de poudre de cari
1 c. à soupe (15 mL) de pâte de tomates

4 c. à soupe (60 mL) de vin rouge
1 c. à soupe (15 mL) de jus de citron frais
2 c. à soupe (30 mL) de confiture d'abricots,
*   passée au tamis*
1 1/2 tasse (375 mL) de mayonnaise
2 c. à soupe (30 mL) de crème épaisse ou sure
Sel et poivre
2 à 3 tranches minces de dinde ou de poulet
*   pour chaque portion*
1 tasse (250 mL) de riz à grain long
2 tasses (500 mL) d'eau bouillante
1 c. à café (5 mL) de sel
2 c. à soupe (30 mL) de vinaigre de cidre ou de vin
3 c. à soupe (50 mL) d'huile d'olive
1/4 de tasse (60 mL) d'amandes en languettes, grillées
1 tasse (250 mL) de raisins verts frais,
*   coupés en deux et épépinés*
Cresson ou persil

Faire chauffer le beurre dans un poêlon, ajouter l'oignon et faire mijoter à feu doux jusqu'à ce que l'oignon soit ramolli mais pas doré. Ajouter la poudre de cari et remuer jusqu'à ce qu'elle soit bien mélangée avec l'oignon. Ajouter la pâte de tomates, le vin rouge, le jus de citron et la confiture d'abricots. Remuer à feu moyen de 3 à 4 minutes. Refroidir.

Verser la mayonnaise dans le mélange refroidi et bien brasser, puis ajouter la crème. Goûter pour l'assaisonnement.

Placer des tranches ou des dés de dinde cuite sur chaque assiette. Couvrir généreusement avec le mélange de mayonnaise.

Faire cuire le riz dans l'eau bouillante de 18 à 20 minutes, ou jusqu'à ce qu'il soit tendre. Rincer sous l'eau courante froide pour faire refroidir le riz. Bien égoutter. Avec une fourchette, y remuer délicatement le vinaigre, l'huile, le sel et le poivre.

Incorporer au riz les amandes et les raisins. Entourer chaque assiette de dinde avec une portion de ce riz. Garnir avec le cresson ou le persil. Si ce repas est préparé quelques heures d'avance, couvrir et réfrigérer.

Donne 6 portions.

Salade de pommes de terre pour le déjeuner

Cette spécialité estivale de la Côte d'Azur est idéale pour un déjeuner d'été. Utiliser une grande feuille de laitue croustillante pour chaque personne et la remplir d'une généreuse portion de salade de pommes de terre. Disposer les feuilles les unes à côté des autres sur un grand plateau, et remplir les espaces avec des bâtonnets ou des coeurs de céleri. C'est en 1979 que cette salade m'a été servie à l'Hôtel de Paris à Monaco, avec de longs filets de poitrine de poulet et de gros morceaux de homard frais. C'était bon!

5 grosses pommes de terre non pelées
2/3 de tasse (160 mL) de consommé ou
*   de vin blanc sec*
1/3 de tasse (80 mL) d'huile d'olive ou végétale
1 c. à soupe (15 mL) de vinaigre de vin
1/4 de tasse (60 mL) d'oignons verts émincés
2 c. à soupe (30 mL) de persil haché
Sel et poivre
1/4 de tasse (60 mL) de beurre fondu

Nettoyer et faire bouillir les pommes de terre jusqu'à ce qu'elles soient tendres, puis les égoutter et les peler. Les couper en dés ou en tranches et les mettre dans un bol quand elles sont encore chaudes, avec le reste des ingrédients. Mélanger légèrement, couvrir et laisser mariner de 2 à 3 heures à la température ambiante. Ne pas réfrigérer la salade sinon les pommes de terre deviendraient dures et le beurre coagulerait.

Donne de 4 à 6 portions.

Ratatouille niçoise

Voici une recette dont la saveur peut être mauvaise ou excellente... tout en utilisant toujours les mêmes ingrédients. Durant les années trente, alors que je voyageais dans le sud de la France, on me servit cette ratatouille froide, accompagnée de riz aux herbes cuit au four, à l'un de mes hôtels favoris, La Réserve de Beaulieu et elle était exquise!

1 aubergine, de moyenne à grosse
1 gros ou 2 oignons moyens
2 tiges de céleri
1 poivron vert
1/2 lb (250 g) de champignons frais
1 petit concombre
3 à 4 courgettes
4 tomates
2 petites carottes
1/4 de tasse (60 mL) d'huile d'olive ou d'arachide
1 grosse gousse d'ail hachée
1 c. à café (5 mL) de thym
1 c. à café (5 mL) de basilic
1 c. à soupe (15 mL) de sucre
1/4 de tasse (60 mL) de persil haché
Jus d'un gros citron

Peler et couper l'aubergine en petits dés. Couper en dés l'oignon et le céleri. Couper le poivron vert en minces languettes. Couper les champignons en tranches minces. Peler, épépiner et couper le concombre en quartiers, puis le couper en minces languettes. Couper les extrémités des courgettes et les couper en tranches de 1/2 po (1 cm). Peler et couper les tomates en quartiers. Peler et couper les carottes en morceaux.

Faire chauffer l'huile dans une casserole de métal épais. Ajouter l'ail et remuer un peu. Ajouter l'aubergine. Remuer à feu vif pendant quelques minutes, puis la retirer de la casserole avec une cuillère perforée. Ajouter l'oignon, le céleri, le poivron vert et les champignons. Faire cuire de 4 à 5 minutes, en brassant souvent. Ajouter le concombre, les courgettes, les tomates et les carottes. Remuer jusqu'à ce que le tout soit mêlé avec le reste. Remettre l'aubergine dans la casserole. Assaisonner avec du sel et du poivre au goût. Ajouter le thym, le basilic, le sucre, le persil et le jus de citron. Couvrir et faire mijoter à feu doux de 40 à 50 minutes, ou faire cuire au four à 325°F (160°C) pendant 1 heure. (Ne pas découvrir pendant la période de cuisson.)

Ce plat peut être préparé d'avance et cuit au moment de le servir ou être servi froid, arrosé avec le jus d'un citron et 1/4 de tasse (60 mL) d'huile végétale. Servir avec le riz au four (recette qui suit).

Donne de 4 à 6 portions.

Riz au four

1 tasse (250 mL) de riz à grain long
2 tasses (500 mL) d'eau bouillante
1 c. à café (5 mL) de sel
1 c. à soupe (15 mL) de beurre
1/4 de tasse (60 mL) de persil frais, émincé
1/2 c. à café (2 mL) d'estragon séché
2 échalotes françaises, émincées

Placer le riz dans une casserole, y verser l'eau bouillante, ajouter le sel et le beurre et mélanger. Couvrir et faire cuire au four à 350°F (180°C) pendant 45 minutes.

Ajouter le persil, l'estragon et les échalotes, remuer et servir.

Donne 4 portions.

Oignons monégasques

On en sert comme hors-d'oeuvre ou simplement pour accompagner la viande ou la volaille; ils se conservent de 3 à 4 mois dans un bocal de verre couvert, au réfrigérateur.

Lors d'un récent voyage sur la Côte d'Azur, dans un excellent petit restaurant, nommé La Roquebrune, aux environs de Menton, on m'en servit comme hors-d'oeuvre avec de gros morceaux de thon. C'est là également que j'ai bu la meilleure infusion de verveine odorante que j'eusse goûtée depuis des années. Les feuilles avaient été cueillies dans le jardin, et ensuite apportées toutes parfumées à ma table dans un petit panier, avec un pot d'eau bouillante, pour que je prépare moi-même mon infusion.

1 lb (500 g) de petits oignons blancs
1 1/2 tasse (375 mL) d'eau
1/2 tasse (125 mL) de vinaigre de cidre ou blanc
3 c. à soupe (50 mL) d'huile d'olive ou d'arachide

3 c. à soupe (50 mL) de pâte de tomates
1 feuille de laurier
1/2 c. à café (2 mL) de thym
1 c. à café (5 mL) de sel
1/2 c. à café (2 mL) de poivre
1/2 tasse (125 mL) de raisins sans pépins

Peler les oignons et les placer dans une casserole. Ajouter le reste des ingrédients. Bien brasser, couvrir et faire mijoter à feu moyen-doux 1 heure et demie, ou jusqu'à ce que les oignons soient tendres (vérifier avec la pointe d'un couteau) et que la sauce soit épaisse et légèrement réduite. Verser dans un bocal et laisser refroidir. Couvrir et réfrigérer.

Donne 1 chopine (500 mL).

Purée de céleri-rave

Lorsque nous habitions la France, mon mari et moi, il ne se passait pas de semaine sans que nous ne nous rendions à Chailly-en-Bière près de Paris, pour y faire de l'équitation dans les bois, ou à l'Hôtellerie du Bas Breau à Barbizon, un coin fréquenté par les peintres impressionistes qui l'ont rendu célèbre. La cuisine y est délicieuse et on peut se loger à l'hôtellerie.

On découpe et on fait griller des petits poulets, puis on les sert sur un lit de purée de céleri-rave, le tout copieusement saupoudré de persil et d'estragon hachés.

2 céleri-raves moyens
2 tasses (500 mL) de lait
1/2 c. à café (2 mL) de sel et autant de sucre
1 tasse (250 mL) de persil haché
2 c. à soupe (30 mL) de beurre

Peler et trancher les céleri-raves (immédiatement après que vous les ayez tranchés, les mettre dans un bol d'eau froide pour prévenir la décoloration).

Faire chauffer le lait avec le sel et le sucre. Égoutter les céleri-raves et les ajouter au lait chaud. Amener à ébullition, baisser la chaleur, couvrir et laisser mijoter environ 25 minutes jusqu'à ce qu'ils soient tendres. Après 15 minutes ajouter le persil.

Après la cuisson, retirer les céleri-raves et le persil avec une cuillère perforée. Si vous le désirez, vous pouvez passer le céleri-rave au tamis, en réservant le lait.

Placer le céleri-rave et le persil dans un robot culinaire ou un mélangeur et les mettre en purée, en ajoutant le beurre en 2 morceaux. Si la purée est trop épaisse, ajouter un peu de lait. Faire réchauffer à feu doux. Servir cette purée garnie comme mentionné ci-dessus ou servir comme un légume. Vous pouvez aussi ajouter la moitié de la purée au reste du lait pour faire une très bonne soupe à la crème de céleri-rave. Couronner la soupe avec des croutons beurrés.

Donne 4 portions.

Purée Soubise

Cette magnifique purée française classique d'oignons ou de poireaux peut être servie comme légume en crème ou comme sauce épaisse de garniture, ou encore être versée sur du poisson poché, sur du veau ou sur du poulet grillé. Elle figure au répertoire de tout grand chef; elle se congèle très bien. J'en garde dans mon congélateur dans des contenants d'une demi-tasse (125 mL) et d'une tasse (250 mL), pour utiliser selon les besoins. Ajoutez-en une demi-tasse (125 mL) à une boîte de soupe aux champignons, aux tomates ou au céleri, au moment de servir la soupe. On peut l'ajouter sans la dégeler à la soupe, que l'on fait alors mijoter jusqu'à ce que la purée soit fondue.

7 tasses (1 1/2 L) d'oignons pelés ou de poireaux,
grossièrement hachés
3 c. à soupe (50 mL) de beurre
1 c. à soupe (15 mL) d'huile végétale
1 1/3 tasse (330 mL) de consommé de boeuf
ou de poulet
2 c. à soupe (30 mL) de beurre
3 c. à soupe (50 mL) de farine

1 tasse (250 mL) de consommé de boeuf ou de poulet
1/2 c. à café (2 mL) de sel
Une pincée de poivre frais moulu
1/4 de c. à café (1 mL) de muscade
1/4 de tasse (60 mL) de crème épaisse

Verser les oignons ou les poireaux préparés dans un bol d'eau bouillante et laisser reposer 5 minutes. Bien égoutter. Faire fondre 3 c. à soupe (50 mL) de beurre et l'huile dans une casserole, ajouter les oignons et remuer 5 minutes à feu vif, jusqu'à ce que l'humidité soit évaporée. Ajouter 1 1/3 tasse (330 mL) de consommé. Faire cuire au four à 375°F (190°C) pendant 35 minutes. Ce mélange devrait être alors sec, sinon continuer à faire cuire.

Pendant la cuisson des oignons, faire la sauce. Faire fondre 2 c. à soupe (30 mL) de beurre, ajouter la farine et brasser jusqu'à ce que le tout soit homogène. Ajouter 1 tasse (250 mL) de consommé d'un seul trait et remuer à feu moyen jusqu'à ce que la sauce soit épaisse et crémeuse. Assaisonner avec le sel, le poivre et la muscade. Ajouter les oignons cuits à la sauce, puis passer dans un presse-purée ou un robot culinaire, ou battre avec un fouet pour faire une purée qui soit lisse. Renverser la purée dans la casserole et ajouter peu à peu la crème, en remuant constamment à feu moyen.

Donne de 3 à 3 1/2 tasses (750 à 875 mL).

Artichauts Barigoule

Un tel artichaut avec du bon pain croûté et du cheddar pour dessert, voilà un repas! À la lecture, cette recette peut sembler compliquée; elle est facile. C'est une recette provençale bien connue, dont on dit: "Une fois goûtée, à jamais désirée."

6 artichauts moyens ou gros
1 c. à café (5 mL) de sel
1 tasse (250 mL) d'oignons coupés en dés
1/3 de tasse (80 mL) d'huile d'olive ou végétale
2 gousses d'ail émincées
Sel et poivre

1/4 de tasse (60 mL) de vinaigre de vin rouge
    ou de cidre
1/2 tasse (125 mL) de vermouth blanc sec
1 1/2 tasse (375 mL) de consommé en boîte, non dilué
1 feuille de laurier
1/2 c. à café (2 mL) de thym

Tailler chaque artichaut en coupant les bouts piquants des feuilles. Les couper en deux. Couper le bout de la tige. Les frotter partout avec un morceau de citron coupé, ce qui empêche la décoloration. Retirer la partie piquante du coeur avec une cuillère. Les placer dans une grande casserole d'eau bouillante, ajouter le sel et faire bouillir, sans couvrir, pendant 10 minutes. Égoutter.

Dans l'intervalle, faire dorer les oignons dans l'huile dans un grand poêlon peu profond, ce que l'on appelle en France une sauteuse. Y brasser l'ail, du sel et du poivre au goût, et y placer les artichauts côte à côte, la partie coupée par en dessous, sur les oignons. Couvrir et laisser mijoter 10 minutes à feu très doux.

Ajouter le vinaigre de vin et le vermouth et faire bouillir, sans couvrir, à feu vif, de 3 à 6 minutes, ou jusqu'à ce que le liquide soit réduit d'environ la moitié. Puis ajouter le consommé, la feuille de laurier et le thym. Couvrir avec une gaze ou un Chiffon-J (pour empêcher les artichauts de flotter). Couvrir le poêlon. Faire cuire au four, chauffé au préalable à 325°F (160°C), 1 1/4 heure. Mettre de côté, à la température ambiante, pendant quelques heures, en retirant le couvercle mais pas le linge. Les artichauts sont meilleurs lorsqu'ils sont mangés à la température ambiante.

Servir 1 ou 2 moitiés à chaque personne et verser une cuillerée de la sauce aux oignons sur chacun.

Ils se conserveront de 12 à 24 heures dans un endroit frais, et de 2 à 4 jours au réfrigérateur. Les réchauffer en les passant à la vapeur s'ils sont trop froids.

Donne de 4 à 6 portions.

Petits pois vendéens

La Vendée est une région du Poitou qui produit des légumes magnifiques comme, entre autres, les pommes de terre de l'île de Normoutier, agréable centre de villégiature estivale. Les petits pois et les haricots verts sont surtout cultivés dans le secteur nord de la Vendée et expédiés à Nantes où se trouve une des meilleures conserveries de France.

2 lb (1 kg) de petits pois frais ou
   2 tasses (500 mL) de petits pois congelés
3 c. à soupe (50 mL) de beurre doux
Une brindille de thym frais ou
   1/4 de c. à café (1 mL) de thym séché
2 oignons verts tranchés mince
1/4 de tasse (60 mL) de persil frais émincé
Une pincée de sarriette d'été
1/2 c. à café (2 mL) de sucre
2 tasses (500 mL) de laitue râpée
Sel et poivre

Écosser les petits pois, et faire bouillir les cosses 30 minutes dans 2 tasses (500 mL) d'eau. Garder l'eau.

Faire fondre le beurre dans une casserole, puis ajouter le thym, les oignons verts (utiliser les parties blanches et vertes), le persil et la sarriette. Remuer ensemble pour quelques secondes. Ajouter les petits pois et brasser à feu doux jusqu'à ce que les petits pois soient enrobés de beurre. Saupoudrer avec le sucre et ajouter la laitue. Brasser de nouveau jusqu'à ce que tous les ingrédients soient enrobés de beurre.

Ajouter juste assez d'eau chaude, égouttée des cosses, pour à peine couvrir ce mélange. Amener à ébullition et continuer à faire bouillir à feu moyen, sans couvrir, environ 10 minutes, ou jusqu'à ce que les petits pois soient tendres. Égoutter (conserver ce délicieux bouillon pour l'utiliser dans une soupe ou une sauce) et servir.

Donne 4 portions.

Purée de betteraves de Strasbourg

Cette recette de betteraves est une de mes préférées. C'est la propriétaire d'une petite auberge de Strasbourg, maintenant disparue, qui me l'a enseignée, il y a très longtemps. Je revois en pensée l'image de cette dame vêtue d'une longue jupe noire, été comme hiver, et portant une coiffe de taffetas noir. Véritable cordon-bleu, elle servait ces betteraves avec un rôti de longe de porc salé et fumé — *Kasseler-Rippenspeer* — une spécialité allemande que vendent les boutiques spécialisées. Le rôti était disposé sur une sauce aux pommes épaisse, non sucrée, avec un gros morceau de beurre doux sur le dessus. Il vous plaira peut-être d'en faire l'essai.

6 à 10 betteraves moyennes
Jus d'une lime
Une pincée de clous de girofle moulus
1 c. à café (5 mL) de sucre
Sel et poivre
1 c. à soupe (15 mL) de fécule de maïs
1/3 de tasse (80 mL) de vin rouge sec
1 c. à café (5 mL) de beurre
Ciboulette ou persil

Faire bouillir ou cuire à la vapeur les betteraves jusqu'à ce qu'elles soient tendres. Peler et mettre en purée dans un mélangeur, ou passer dans un presse-purée. Remettre dans la casserole et ajouter le jus de lime, les clous de girofle, le sucre, et saler et poivrer au goût. Mélanger la fécule de maïs avec le vin rouge. Les ajouter aux betteraves. Faire cuire à feu moyen, en brassant constamment jusqu'à ce que le tout soit chaud et crémeux.

Retirer de la chaleur et y verser le beurre et la ciboulette ou le persil au goût.

Donne environ 6 portions.

L'authentique brioche française

Avez-vous jamais poussé un soupir extatique et ravi au petit déjeuner dans une auberge de la campagne française, ou dans un bistro parisien, en humant une odorante brioche chaude et dorée avec son petit chapeau de travers? Dans ce cas, il vous tardera d'apprendre à en faire à la maison, même si on en trouve dans les bonnes pâtisseries, le coût en sera moindre et la qualité superbe. Si vous n'avez pas de moules à brioches à côtes, utilisez des moules à muffins. Voici, de mon répertoire, une recette facile.

La brioche est une des gloires de la cuisine française. C'est un pain de fantaisie, léger, riche en beurre et en oeufs, de formes et de dimensions variées, au naturel ou garni. Lorsque la brioche est cuite comme un petit pain, elle ressemble à un gros champignon.

Les brioches se congèlent très bien sans perdre de leur qualité et peuvent se garder de six à huit mois, bien enveloppées. Pour les réchauffer, il suffit de les mettre au four à 350°F (180°C), sans les développer, ni les dégeler.

1 enveloppe de levure sèche active
1/2 tasse (125 mL) d'eau tiède
3 tasses (750 mL) de farine tout-usage,
    tamisée 2 fois
1 c. à soupe (15 mL) de sucre granulé fin
1 c. à café (5 mL) de sel
4 oeufs, légèrement battus
1 tasse (250 mL) de beurre doux

Brasser ensemble la levure et l'eau tiède. Y ajouter 1/2 tasse (125 mL) de farine. Battre avec un fouet jusqu'à l'obtention d'une consistance lisse, puis façonner en boule. La placer dans un bol d'eau tiède et couvrir le bol avec un linge. Laisser lever jusqu'à ce que la pâte double de volume (environ 30 à 40 minutes).

Placer le reste de la farine dans un grand bol, y creuser un trou au centre. Verser le sucre, le sel et les oeufs dans le creux. Bien pétrir ensemble jusqu'à l'obtention d'une pâte lisse. Lorsque l'éponge (la pâte qui lève dans l'eau) est prête (elle flottera à la surface de l'eau), l'ajouter à la pâte aux oeufs et les travailler jusqu'à ce qu'elles soient bien incorporées. Pétrir le beurre avec vos mains jusqu'à ce qu'il soit ramolli puis le travailler dans la pâte jusqu'à ce que le tout soit bien mélangé. Saupoudrer légèrement avec de la farine. Couvrir avec un linge et laisser lever jusqu'à ce qu'elle double du volume - ceci prendra de 2 à 3 heures. Puis faire dégonfler la pâte. Couvrir de nouveau et réfrigérer pour la nuit.

Graisser assez de moules à brioches ou à petits pains pour contenir de 12 à 18 brioches. Façonner la pâte en forme de boules qui rempliront la moitié des moules. Couper une croix sur le dessus de chaque boule et y placer une petite boule de pâte qui fera la couronne de la brioche. Laisser lever dans un endroit chaud jusqu'à ce qu'elles doublent de volume.

Battre un oeuf avec 1 c. à soupe (5 mL) d'eau. Badigeonner le dessus de chaque brioche avec ce mélange.

Faire cuire au four, chauffé au préalable à 400°F (200°C), de 15 à 20 minutes, ou jusqu'à ce qu'elles soient dorées. Lorsqu'elles sont cuites, les démouler immédiatement. Laisser refroidir sur une grille.

Donne de 12 à 18 brioches.

Note: Vous pouvez aussi faire 2 gros ou 4 petits pains à brioche avec cette recette. Diviser la pâte froide en 2, façonner et placer dans 2 moules de 5 x 9 x 3 po (12,5 x 22,5 x 7,5 cm) *ou* 4 moules à pain individuels, bien graissés. Laisser lever jusqu'à ce qu'ils doublent de volume et badigeonner le dessus avec le mélange d'oeuf. Faire cuire au four à 375°F (190°C), 50 minutes pour les gros pains, 35 minutes pour les petits. Démouler et laisser refroidir. Servir chaud ou froid.

Les desserts

Gâteau Pithiviers

Durant des années, j'ai cru faire le meilleur Pithiviers parce que j'avais adapté la recette du grand Carême qui, à l'époque de Louis XVIII avait créé la pâtisserie française. C'était après la Révolution française. La pâtisserie assura la supériorité de Carême; il concevait chaque pièce comme un architecte dessine les plans d'une magnifique résidence, mais il ne le faisait pas au détriment de la saveur. J'ai dit adieu à mes illusions le jour où, à Gien, j'ai visité avec mon mari le château de la Chasse à Tir et de la Fauconnerie, le premier château de la Loire, construit en 1484 par Anne de Beaujeu, qui a été presque totalement détruit durant la Seconde Guerre mondiale. Il fut parfaitement reconstitué après la guerre, des magnifiques portes gothiques jusqu'à l'étonnante structure du toit et aux nombreuses tourelles. Néanmoins, ce qui est le plus fascinant, spécialement pour ceux qui s'intéressent à la chasse, à l'équitation et à la fauconnerie, ce sont les nombreuses et authentiques collections d'armes, de peintures et de tapisseries se rapportant à ces sports.

La faïence de Gien fut pour moi une autre grande attraction, particulièrement parce que cet artisanat y fut introduit par un Anglais industrieux en 1823. Au début, on y fabriquait de simples ustensiles de cuisine et de pâtisserie puis, plus tard, on y produisit de la vaisselle, devenue universellement célèbre. Chaque pièce que je possède m'est précieuse.

Tout cela pour présenter le gâteau Pithiviers. C'est à Gien, dans un petit salon de thé en face du château et du vieux pont dominant la Loire, que j'appris qu'on y servait mon gâteau préféré. J'étais convaincue qu'il ne pouvait être aussi parfait que celui de la recette de Carême. Eh bien! Je n'en avais jamais mangé d'aussi bon et le chef pâtissier me donna la recette.

En 1977, mon mari et moi avons reçu les Trompes du Musée de la Chasse de Gien, qui sont reconnues comme les meilleures de France. Ces musiciens étaient en tournée au Canada pour prendre part à un concours. Je leur ai servi des Pithiviers au jardin, à l'heure du thé (j'en avais fait quatre, ils en auraient mangé huit). J'étais heureuse de leur offrir une spécialité de Gien qu'ils connaissaient tous. En témoignage de gratitude, ils ont pris leurs cors de chasse et nous ont joué un "merci". Fascinés par le son du cors, nos chevaux, nos moutons et nos chiens descendirent des champs et se tinrent immobiles. Un spectacle vraiment exceptionnel! Instinctivement, ils semblaient reconnaître l'appel à la chasse.

Pâte riche ou pâte feuilletée (facultatif)
1/2 tasse (125 mL) d'amandes grillées et moulues
1/2 tasse (125 mL) de sucre granulé fin

3 c. à soupe (50 mL) de beurre fondu
2 jaunes d'oeufs
2 c. à soupe (30 mL) de crème épaisse

Achetez ou faites une pâte feuilletée; ou utilisez votre pâte à tarte favorite — c'est aussi bon, mais moins parfait. Abaisser la pâte pour tapisser une assiette à tarte de 9 po (22,5 cm).

Réfrigérer jusqu'au moment de l'utiliser.

Placer les amandes, avec leurs peaux, sur une plaque de cuisson. Les faire rôtir au four à 300°F (150°C), environ 15 minutes jusqu'à ce qu'elles soient légèrement dorées pour en faire ressortir la saveur d'amande. Laisser refroidir 10 minutes, puis les moudre dans un robot culinaire ou un mélangeur jusqu'à ce qu'elles soient fines, mais pas jusqu'à les rendre comme du beurre. Mélanger les amandes avec le sucre, le beurre, les jaunes d'oeufs et la crème. Battre dans un batteur électrique ou un robot culinaire jusqu'à l'obtention d'une consistance homogène et crémeuse.

Verser ce mélange dans l'assiette à tarte préparée, sans couvrir le bord. Badigeonner le bord de la pâte feuilletée avec un oeuf battu. Recouvrir la tarte avec un autre morceau de pâte feuilletée, en pressant délicatement sur le bord. Faire un petit trou au centre. Badigeonner le dessus de la pâte avec l'oeuf battu et réfrigérer 15 minutes. Puis, avec un couteau, entailler le bord de la pâte, à intervalles réguliers (environ 10 à 12 encoches), puis repousser la pâte de chaque côté des encoches pour faire un rebord en pétales de rose (cette dernière opération peut être omise, en laissant la pâte simplement tout le tour).

Faire cuire au four, chauffé au préalable à 450°F (230°C), 10 minutes, puis baisser la chaleur à 400°F (200°C) et faire cuire, jusqu'à ce que la pâte soit dorée et gonflée, environ 25 à 30 minutes. Retirer du four, saupoudrer le dessus de la tarte avec du sucre granulé fin et la remettre au four de 4 à 6 minutes ou jusqu'à ce que le sucre fasse un glaçage brun foncé. Laisser refroidir, servir et soyez enchanté.

Donne de 6 à 8 portions.

Gâteau alsacien aux bleuets

En France, les bleuets portent le nom de myrtilles... un joli nom. Ce gros gâteau se fait pour huit personnes et se conserve très bien. Le servir avec un bon vin blanc alsacien rafraîchi.

J'ai adapté cette recette de celle que m'a donnée le chef du château d'Isenbourg, près de Colmar. Le château, construit au treizième siècle, est entouré de vignobles et domine un paysage magnifique de la plaine alsacienne et des Vosges. Durant mon séjour à cet endroit, j'ai réussi à manger de ce gâteau trois fois en dix jours!

1 1/2 tasse (375 mL) de farine tout-usage
1/2 tasse (125 mL) de sucre
1/2 tasse (125 mL) de beurre doux
1 1/2 c. à café (7 mL) de poudre à pâte
1 oeuf
1 c. à café (5 mL) de vanille
3 à 4 tasses (750 mL à 1 L) de bleuets frais
Zeste râpé d'une lime ou d'un citron
2 c. à soupe (30 mL) de sucre
2 tasses (500 mL) de crème sure commerciale
2 jaunes d'oeufs
1/2 tasse (125 mL) de sucre
2 c. à soupe (30 mL) de jus de lime ou de citron

Beurrer généreusement un moule à ressort de 10 po (25 cm).

Dans un bol, mélanger avec vos doigts la farine, le sucre, le beurre (assurez-vous qu'il soit ramolli), la poudre à pâte, un oeuf et la vanille. Tasser uniformément ce mélange dans le fond du moule à gâteau.

Mélanger légèrement les bleuets, le zeste râpé de la lime ou du citron et le sucre. Saupoudrer uniformément sur la pâte.

Dans un bol, mélanger le reste des ingrédients. Verser uniformément sur les fruits. Faire cuire au four, chauffé au préalable à 350°F (180°C), pendant 1 heure, ou jusqu'à ce que le dessus soit doré. Laisser refroidir et glisser le gâteau sur un plat de service en utilisant une spatule.

Donne 8 portions.

Tarte Bourdaloue

Cette création de la cuisine française classique n'est guère un dessert de tous les jours, mais une gourmandise pour les jours de fête. Il y en a plusieurs variations, la suivante est mon adaptation de la création d'Ali-Bab.

> *Une croûte de tarte cuite de 9 ou 10 po*
> *(22,5 cm ou 25 cm)*
> *4 poires mûres*
> *1 tasse (250 mL) de vin blanc sec ou doux*
> *1/4 de tasse (60 mL) de miel*
> *3 clous de girofle entiers*
> *1 tasse (250 mL) de crème épaisse*
> *1 c. à soupe (15 mL) de fécule de maïs*
> *3 jaunes d'oeufs battus*
> *3 c. à soupe (50 mL) de cassonade*
> *2 c. à café (10 mL) d'extrait d'amande*
> *2 c. à soupe (30 mL) de cognac*
> *1/2 tasse (125 mL) de gelée de gadelles (groseilles)*
> *2 c. à soupe (30 mL) de jus d'orange*

Peler, couper en deux et épépiner les poires. Faire bouillir tranquillement le vin, le miel et les clous de girofle pendant 2 minutes, puis ajouter les poires; couvrir et pocher jusqu'à ce qu'elles soient tendres, environ 10 minutes — ne pas laisser bouillir les poires.

Retirer les poires avec une cuillère perforée et faire bouillir le sirop, sans couvrir, de 5 à 6 minutes. Dans une casserole, mélanger la crème avec la fécule de maïs, ajouter 1 tasse (250 mL) du sirop et faire cuire à feu doux, en remuant à plusieurs reprises, jusqu'à consistance crémeuse. Retirer de la source de chaleur, couvrir et laisser refroidir complètement. Lorsque cette sauce est refroidie, y verser l'extrait d'amande et le cognac.

Remplir la croûte à tarte avec le mélange crémeux, puis arranger les poires par-dessus en cercle, la partie coupée vers le bas et la partie pointue vers le centre.

À feu très doux, faire fondre la gelée de gadelles avec le jus d'orange jusqu'à ce que le tout soit plein de bulles. Par cuillerées, étendre délicatement ce mélange sur les poires et le centre de la tarte. Laisser reposer pendant quelques heures à la température ambiante.

Donne 8 portions.

Tarte citrouille-abricots

Au cours de mes années de voyages en France, j'ai appris à faire une quantité inimaginable de plats à la citrouille, de la soupe au dessert. Tous les habitants d'Europe, d'Asie et d'Amérique du Sud utilisent la citrouille de bien des manières. En Amérique du Nord, où elle se cultive facilement, on ne fait cuire le fruit doré que pour le mettre en purée. La combinaison de citrouille, d'abricots secs, d'agrumes et de brandy fait de cette tarte un savoureux dessert des plus élégants.

1 1/2 tasse (375 mL) de purée de citrouille
1 tasse (250 mL) d'abricots secs, trempés et mis en purée
1/3 de tasse (80 mL) de beurre doux
3/4 de tasse (190 mL) de cassonade
1/3 de tasse (80 mL) de crème légère
1/2 c. à café (2 mL) de macis
1/4 de c. à café (1 mL) de muscade
Zeste râpé d'une orange et d'un citron
1/4 de tasse (60 mL) de brandy
3 oeufs, séparés
1/4 de c. à café (1 mL) de sel
Une croûte à tarte non cuite de 9 po (22,5 cm)

Battre tous les ingrédients, sauf les oeufs, le sel et la pâte à tarte, jusqu'à l'obtention d'une consistance homogène. Battre les jaunes d'oeufs et les incorporer au mélange battu. Battre les blancs d'oeufs avec le sel, puis les incorporer au mélange.

Verser le tout dans la croûte à tarte et faire cuire au four à 400°F (200°C) 15 minutes. Baisser la chaleur à 325°F (160°C) et faire cuire de 30 à 35 minutes, ou jusqu'à ce que le remplissage soit pris. Ne pas trop faire cuire — le remplissage épaissit en refroidissant.

Donne 6 portions.

Macarons

Il est assez difficile de se procurer de véritables macarons à la pâte d'amande et ils coûtent très cher; ils sont faciles à faire si on peut trouver de la pâte d'amande. Rangés dans une boîte de métal à couvercle hermétique, avec une feuille de papier ciré entre chaque épaisseur, ils se conservent frais de trois à quatre mois.

1/2 lb (250 g) de pâte d'amande*
2 à 3 blancs d'oeufs**
1/4 de c. à café (1 mL) de sel
1 tasse (250 mL) de sucre granulé fin
1/2 tasse (125 mL) de sucre à glacer
(approximativement)

Pétrir la pâte d'amande avec vos doigts jusqu'à ce qu'elle soit ramollie, puis la briser en petits morceaux. Mettre les blancs d'oeufs et le sel dans un batteur électrique ou un robot culinaire (avec ce dernier, utiliser la lame de métal). En ajoutant peu à peu le sucre et la pâte d'amande, battre jusqu'à ce que le mélange soit lisse et épais.

Y battre le sucre à glacer, 1 c. à soupe (15 mL) à la fois — ça peut en prendre 1/2 tasse (125 mL) ou un peu moins, mais en ajouter assez pour faire une pâte qui garde sa forme.

Couvrir une plaque de cuisson avec 2 couches de papier brun. Laisser tomber la pâte sur le papier par cuillerées (5 mL) (ou plus, selon la taille que vous désirez), laisser 2 po (5 cm) entre chaque macaron.

* Utiliser de la pâte d'amande commerciale ou faite à la maison.
** Les oeufs varient en tailles et en contenu d'humidité. Parfois on a seulement besoin de 2 à 2 1/2 oeufs.

Faire cuire au four, chauffé au préalable à 300°F (150°C), environ 20 à 25 minutes jusqu'à ce qu'ils soient dorés. Retirer du four, faire glisser le papier portant les macarons et placer le tout sur une plaque de cuisson couverte avec un linge mouillé. Laisser reposer jusqu'à ce que les macarons soient refroidis, environ 15 minutes. Les enlever du papier avec une spatule en métal. Continuer à les laisser refroidir sur une grille à gâteau.

Donne environ 3 à 4 douzaines***

*** La taille des macarons détermine aussi le rendement.

Pommes normandes

Il y a plusieurs années, j'ai visité Paternostre, un petit village de Normandie d'où venaient mes ancêtres. Dans une petite auberge, on m'offrit à l'heure du dîner une crème de céleri-rave, du fromage et cette compote, toute simple, mais si savoureuse. Je me suis promise aussitôt d'en trouver la recette, et voilà!

2 lb (1 kg) de pommes
1/3 de tasse (80 mL) de beurre doux
3/4 de tasse (190 mL) de sucre
3 c. à soupe (50 mL) de calvados ou de cognac
1/2 à 1 tasse (125 à 250 mL) de crème à fouetter
2 c. à soupe (30 mL) de sucre granulé fin

Peler, épépiner et couper les pommes en tranches épaisses. Faire fondre le beurre dans une casserole de fonte émaillée. Lorsqu'il est légèrement doré, ajouter les pommes et faire cuire à feu moyen, en remuant souvent, pendant environ 10 minutes.

À ce moment-là, les pommes doivent être ramollies. Ajouter les 3/4 de tasse (190 mL) de sucre, le calvados ou le cognac. Retirer de la source de chaleur. Brasser avec un fouet jusqu'à ce que le sucre soit fondu, puis verser dans un plat de service. Laisser refroidir puis couvrir et réfrigérer jusqu'au moment de servir.

Fouetter la crème, en ajoutant les 2 c. à soupe (30 mL) de sucre. Étendre sur le dessus de la sauce aux pommes refroidie. Passer les dents d'une fourchette sur la crème fouettée pour faire des petites crêtes.

Donne 6 portions.

Sabayon aux fraises

Le sabayon français est la sauce la plus parfaite à servir avec tous les genres de petits fruits. Sur des fraises, c'est un dessert mémorable.

4 tasses (1 L) de fraises
4 jaunes d'oeufs
2 c. à soupe (30 mL) de sucre
1/4 de tasse (60 mL) de liqueur (n'importe laquelle)
    ou de cognac
1/3 de tasse (80 mL) de crème à fouetter

Rincer les fraises sous l'eau courante froide, les étendre sur un papier absorbant et les équeuter (c'est la meilleure méthode pour les nettoyer). Couvrir et réfrigérer.

La sauce sabayon est une émulsion chaude, elle doit donc être cuite dans une casserole de métal épais à feu doux. La meilleure façon pour éviter le surchauffage et le caillage est de soulever la casserole souvent et de toucher légèrement le fond avec votre doigt. Tant que vous pouvez le faire sans sensation de brûlure, la sauce ne caillera pas. Un bain-marie n'est pas recommandé, car il n'y a pas de contrôle sur la température de l'eau.

Placer les jaunes d'oeufs dans la casserole et les battre à vitesse moyenne jusqu'à ce que les jaunes d'oeufs soient épais et de teinte jaune pâle. Ajouter graduellement le sucre en battant jusqu'à ce que le mélange soit léger. Il se formera des petites crêtes lorsqu'on enlèvera le batteur.

Placer la casserole à feu doux et battre, ajouter tranquillement la liqueur ou le cognac (le whisky peut être utilisé). Continuer à battre jusqu'à ce que le mélange soit léger et en monticule, environ 5 à 6 minutes. Placer la casserole sur des cubes de glace et continuer à battre jusqu'à ce que le mélange d'oeufs soit refroidi.

Lorsque le mélange est refroidi, fouetter la crème et l'incorporer au mélange. Réfrigérer jusqu'au moment de servir, remuer de nouveau et verser sur les fraises préparées.

Donne 6 portions.

Les poires

En France, la poire n'est pas simplement une poire, elle a un nom et une personnalité. La Comice, dont la couleur varie du jaune verdâtre au jaune tacheté de rouge, est excellente servie avec le fromage. Elle se distingue par sa grande taille et sa beauté. Elle se cuit très bien au four lorsqu'elle est ferme. Néanmoins, comme tout ce qui est beau, elle coûte cher et on n'en trouve pas facilement.

La Bartlett, de jolie forme, jaune ou jaune-rouge, se trouve de juillet à novembre. Elle est également savoureuse crue, pochée ou en conserve, mais ne se cuit pas bien au four.

La poire Anjou est sur le marché en novembre et peut être achetée jusqu'en mai. La grosse Anjou est verte ou jaune verdâtre. Elle peut avec succès être pochée, cuite au four ou mise en conserve.

Enfin voici ma préférée, la Bosc. Sa couleur s'échelonne du vert au brun au roux doré, avec un long cou effilé. Elle est délicieuse quand elle est mûrie à point, une véritable "poire-couteau"; elle se cuit aussi très bien. Il existe encore de nombreuses variétés de poires en France, mais celles que j'ai mentionnées peuvent se trouver chez nous.

En France, on sert souvent au dessert des poires et du fromage, sans pain, bien entendu. Pour bien connaître la finesse du Roquefort, il faut l'avoir goûté avec ou sur une tranche de poire mûre, tous deux à la température de la pièce.

229

Poires Hélène

C'est le dessert qu'on m'a le plus souvent demandé. C'est un dessert français classique, mais souvent dénaturé; par exemple, lorsqu'un sirop au chocolat en conserve est versé sur une poire Comice ou une poire en conserve, avec un monceau de succédané de crème fouettée tout autour.

L'authentique poire Hélène est faite de poires fraîches pochées, posées sur une crème frangipane, garnies de macarons à la pâte d'amande et recouvertes d'une sauce au chocolat et brandy, versée tiède (jamais chaude) sur les poires froides et la frangipane... et jamais de crème fouettée.

La Bosc et la Comice sont les meilleures poires à utiliser. On les trouve sur le marché au début de l'automne et la première partie de l'hiver.

Poires

3 tasses (750 mL) d'eau froide
1 tasse (250 mL) de sucre
1/2 tasse (125 mL) de miel
2 feuilles de laurier
10 grains de poivre
3 clous de girofle entiers
6 à 8 poires, pelées et laissées en entier
* avec leur tige*

Combiner les 6 premiers ingrédients dans une grande casserole. Amener à ébullition, en remuant pour faire fondre le beurre, puis laisser bouillir 5 minutes à feu moyen.

Placer les poires dans ce sirop. Couvrir et laisser mijoter de 8 à 20 minutes, ou jusqu'à ce que les poires soient cuites mais pas blettes. Le temps de cuisson varie selon la maturité des poires. Pendant la cuisson des poires, les tourner dans le sirop avec une spatule en plastique (une fourchette laisserait des marques) pour les faire cuire uniformément. Couvrir et laisser refroidir dans le sirop.

Frangipane

1/3 de tasse (80 mL) de farine
1/2 tasse (125 mL) de sucre
Une pincée de sel   .
4 oeufs
2 tasses (500 mL) de lait
1 gousse de vanille ou
   1 c. à café (5 mL) d'extrait de vanille
2 c. à soupe de beurre
4 macarons écrasés

Placer dans une casserole la farine, le sucre et le sel et bien mélanger. Ajouter 1 oeuf et 1 jaune d'oeuf. Bien mélanger avec une cuillère en bois. Puis y ajouter 1 autre oeuf et 1 jaune d'oeuf.

Bien mélanger.

Puis faire chauffer le lait (avec la gousse de vanille, si vous utilisez celle-ci au lieu d'extrait). Lorsqu'il est chaud, l'ajouter peu à peu au mélange d'oeufs en crème, en remuant avec un fouet. Placer à feu moyen et brasser jusqu'à ce que le mélange arrive au point d'ébullition, puis faire cuire à feu doux, environ 2 minutes. Jeter la gousse de vanille. Ajouter le beurre, les macarons et l'extrait de vanille (si vous n'avez pas utilisé la gousse de vanille). Bien mélanger, puis verser dans un plat ou un bocal. Couvrir et conserver au réfrigérateur. Elle se gardera environ 4 semaines.

Sauce au chocolat Hélène

Celle-ci est une nécessité pour la recette authentique. Utiliser une barre de 13 oz (370 g) de chocolat aigre-doux suisse, la variété "Lindt Fils". Si vous n'en trouvez pas, utiliser le chocolat semi-sucré ordinaire qui est vendu en barre de 8 oz (227 g). Ne pas tenir compte de la différence de poids, puisque le chocolat suisse a une texture beaucoup plus légère et demande que l'on en utilise plus pour produire le même résultat.

Une barre de 13 oz (370 g) de chocolat aigre-doux
   suisse ou 8 oz (227 g) de chocolat semi-sucré
2/3 de tasse (160 mL) de sucre

2 1/3 tasses (580 mL) d'eau
3 c. à soupe (50 mL) de brandy
1 c. à café (5 mL) de vanille

Briser le chocolat en morceaux, le combiner dans une casserole avec le sucre et l'eau et amener le tout à ébullition à feu moyen-doux, en remuant souvent. Laisser mijoter 5 minutes à feu doux. Retirer de la source de chaleur. Ajouter le brandy et la vanille et verser dans un pot. Elle se gardera de 5 à 8 semaines réfrigérée.

Pour la réchauffer, placer le bocal couvert dans le haut d'un bain-marie et le laisser sur l'eau mijotante jusqu'à ce que la sauce soit tiède. Ouvrir le bocal et remuer une ou deux fois.

Pour servir les poires

Placer une cuillerée de crème frangipane froide dans le fond d'un verre à pied. Placer une poire debout dans la crème. Juste avant de servir, verser la quantité désirée de sauce au chocolat tiède sur la poire.

Donne de 6 à 8 portions.

Poires caramel

Lorsque j'étais en France, j'ai assisté à une conférence de la célèbre Colette. Le sujet était "Comment les chats apprennent à vivre en notre compagnie". Comme j'aime les chats, j'ai très bien compris ses anecdotes amusantes. Elle mentionna que, lorsqu'elle faisait des poires caramel, elle doublait la recette car elle devait en partager une grande portion avec ses chats préférés. Elle expliqua sa recette, en appelant la cassonade "gervoise", et la crème riche "crème double". C'est peut-être un dessert pour les chats, mais pas pour ceux qui sont au régime!

6 poires moyennes
2/3 de tasse (160 mL) de cassonade
3 c. à soupe (50 mL) de beurre
1/2 tasse (125 mL) de crème épaisse

Peler les poires et les couper en deux. Les placer, en une seule couche, dans un plat allant au four. Les saupoudrer avec la cassonade et parsemer de beurre.

Faire cuire au four, chauffé au préalable à 350°F (180°C), de 30 à 45 minutes (selon que les poires sont plus ou moins juteuses). Arroser de 2 à 3 fois durant la période de cuisson. Lorsqu'elles sont cuites, vous devriez avoir un sirop épais.

Mettre les poires de côté, ajouter la crème au sirop et remuer doucement jusqu'à l'obtention d'une teinte caramel. Refroidir, verser sur les poires et servir.

Donne 6 portions.

L'Italie

À mon premier voyage en Italie, venant de France, j'ai traversé la frontière au col du Haut-Briançon. Et soudain, j'ai senti le soleil qui semble toujours plus chaud et plus brillant en Italie! Les spectaculaires oliviers gris-vert firent leur apparition, leurs racines centenaires toutes noueuses sortant du sol aride, continuant d'année en année à donner d'abondantes récoltes. Les arbustes de romarin à même les murs de pierre m'enchantaient et les vives couleurs du paysage me fascinaient.

J'ai vite saisi la différence entre les Français et leur froideur polie, et les Italiens rieurs à la chevelure noire; et si les gens sont différents d'un pays à l'autre, il en est de même pour leur cuisine et leur attitude à son égard. J'ai découvert, par exemple, que si vous n'aimez pas la cuisine italienne, les Italiens le regrettent pour vous, mais ils continuent à en jouir. Par contre, les Français vous font sentir qu'ils s'y connaissent mieux que vous et vous en tiennent rigueur.

Bien que la grande renaissance de la cuisine ait commencé en Italie avec Lorenzo le Magnifique, dont la fille Catherine de Médicis amena en France ses propres chefs et leurs secrets lors de son mariage avec le roi en révolutionnant ainsi la cuisine française, l'Italie n'a jamais atteint depuis le statut international et le degré de snobisme de la cuisine française. Cependant, lorsque je demeure en France assez longtemps, je finis par atteindre un point de saturation quant à la cuisine, mais cela ne m'arrive pas en Italie. "Pourquoi?" me demanderez-vous, et "qu'est-ce au juste que la cuisine italienne?"

D'abord, permettez-moi de répondre qu'il y a bien plus, dans la cuisine italienne, que pizza et sauce à spaghetti. C'est une cuisine qui change complètement d'un bout du pays à l'autre. Les pâtes sont multiples: *alla Firenze, alla Milanese, alla Bolognase, alla Napolitana*, etc., et chacune a ses particularités. Ma favorite est *alla Firenze* (florentine), où tout n'est pas masqué sous de fortes épices ou par une sauce épaisse aux tomates. Il y a aussi l'étonnant rôti de boeuf rose, si tendre, si savoureux; le fromage à la crème *Fresca*, léger, riche, superbe; les figues fraîches; les haricots vert violacé servis avec un soupçon d'huile et beaucoup de basilic haché; les minuscules petits pois servis simplement au beurre; la *granita di caffe* à 11 heures dans un petit café; le chocolat chaud et crémeux chez Enrico Rivoir, versé d'un robinet en or dans une toute petite tasse et siroté à la petite cuillère — tout cela est subtil, mais si bon!

Mais il n'y a pas que Florence. En venant de France, lorsque vous traversez les Alpes, vous rencontrez Turin, la délicate; Milan, riche et élégante; Padoue et Venise, pleines d'histoire et d'art, dont les denrées viennent de la terre et de la mer; Bologne, où "La Grassa" est considérée par bien des gens comme l'endroit où l'on déguste la meilleure cuisine italienne, et c'est aussi de là que vient le magnifique vin Lambrusco, léger et frais; Gênes, perchée au flanc de la montagne, surplombant la pittoresque côte de la Riviera, foyer de l'odorant et piquant *il pesto*, du basilic frais, de l'huile d'olive, de la *pignolia*, du parmesan fort et des fameux fruits de mer... le tout devant être savouré avec le vin blanc, produit des raisins cultivés sur les pentes abruptes de "cinqueterre".

La région du centre de l'Italie est reconnue pour ses panoramas où l'éclatante lumière est ruisselante d'or. Y a-t-il un autre endroit au monde où ce soit la coutume de s'asseoir en silence pour jouir du coucher du soleil? Et après de tels moments, quel délice de déguster avec plaisir un verre de jeune Chianti d'un rouge vif transparent au parfum de violettes!

C'est à Assise, dans la région de l'Ombrie que se trouve l'extraordinaire basilique de Saint-François, un ensemble de deux églises superposées, où l'on peut admirer la remarquable fresque de Giotto. Juste en face de la basilique, il y a un petit café où l'on peut siroter un espresso et grignoter un croissant chaud fourré de pâte d'amande molle. En Ombrie, vous pouvez vous régaler de chevreau ou d'agneau grillés à la broche, tout en dégustant un bon vin doré Orvieto et un plat de riz italien à la vapeur, arrosé d'une riche et savoureuse sauce.

La table romaine se distingue pour deux raisons: la raison historique est que des cuisiniers grecs ont été amenés à Rome au temps des empereurs. Ils étaient un symbole de haute condition sociale et étaient considérés comme les meilleurs cuisiniers de l'époque. Ils ont enseigné aux Italiens l'art de la pâtisserie et la fabrication de la crème glacée qui jouit toujours d'une grande faveur auprès des Italiens. La seconde raison est l'affluence des touristes qui apportent une touche internationale à la cuisine de Rome.

Tout au sud, je trouve la cuisine lourde, huileuse et répétitive. Souvent on y perçoit encore et on y goûte l'influence arabe qui domina la Sicile au début du Moyen Âge.

Un mot sur Naples, la ville des mille pizzas faites avec une sauce aux tomates épicée rouge foncé et des pâtes de toutes formes et de toutes dimensions. Mais les fruits de mer y sont toujours exquis et si bien apprêtés. Les Napolitains ont presque autant de variétés de fruits de mer qu'ils ont de pâtes, le tout servi avec leur vin blanc à saveur volcanique provenant de Ischia et des pentes du Vésuve. Le plus connu est le Lacrima Christi qui se sert chambré. Je le préfère frais.

Et pour le mot de la fin, la Sicile, où vous pourrez manger le meilleur thon fraîchement pêché et la meilleure crème glacée d'Italie. Pour terminer, buvez un verre du doux Marsala qui est toujours versé sur les fraises fraîches pour remplacer la crème!

Minestra verde

Cette soupe à la mode de Gênes est faite de légumes saisonniers frais, garnie de *pesto* au goût. L'été, la servir froide, mais ajouter le *pesto* à la soupe chaude.

1/4 à 1/2 tasse (60 à 125 mL) d'huile d'olive
1 oignon, pelé et haché
1 gros ou 2 petits poireaux, en dés
1 gousse d'ail, émincée
1/2 tasse (125 mL) de carottes en dés
3/4 de tasse (190 mL) de céleri en dés
1 tasse (250 mL) de courgettes non pelées, râpées
1 tasse (250 mL) de haricots verts ou d'un
*   autre légume au choix*
1 boîte de 7 1/2 oz (213 mL) de sauce aux tomates
1 tasse (250 mL) de chou, finement haché
1 c. à café (5 mL) de sel
8 tasses (2 L) de bouillon de boeuf frais
*   ou de consommé de boeuf en boîte, dilué*
1 tasse (250 mL) de boucles de pâtes, cuites
Pesto ou fromage parmesan râpé

Faire chauffer l'huile dans une grande casserole. Ajouter les poireaux, l'oignon et l'ail, et remuer jusqu'à ce que le tout soit légèrement doré et ramolli. Ajouter les carottes et brasser quelques fois, environ 2 minutes, puis ajouter le reste des légumes, un par un et suivre le même procédé, brasser et cuire 2 minutes pour chaque légume. Ajouter le reste des ingrédients excepté les pâtes et le *pesto*. Couvrir et faire mijoter de 1 heure à 1 1/2 heure. Ajouter les pâtes cuites, laisser mijoter 10 minutes et servir. Lorsque le *pesto* est ajouté à la soupe, le mélanger avec les pâtes.

Donne de 6 à 8 portions.

Les pâtes

Salade froide de coquilles

À Florence, les pâtes n'accompagnent pas la viande ou le poisson; elles sont souvent présentées comme entrée ou en salade. Ces pâtes, un de mes plats préférés, sont très attrayantes dans un nid de cresson croustillant.

8 oz (250 g) de petites coquilles de pâte
1 c. à soupe (15 mL) d'huile végétale
4 c. à soupe (60 mL) d'huile d'olive ou
*   végétale*
le jus d'un citron
4 oignons verts, hachés
1/4 de tasse (60 mL) de persil frais, émincé

Verser les coquilles dans une casserole d'eau bouillante avec 1 c. à soupe (15 mL) d'huile végétale. Ajouter 1 c. à café (5 mL) de sel. Faire bouillir le temps requis selon les indications inscrites sur le paquet — éviter de trop cuire. Verser dans une passoire et rincer à l'eau courante froide. Égoutter au moins 30 minutes. Ajouter le reste des ingrédients, brasser, saler et poivrer au goût. Ne pas réfrigérer. Laisser reposer à la température ambiante au moins une heure avant de servir.

Donne 6 portions.

Pasta Modena

C'est une autre spécialité de la cuisine du Nord. Une sauce aux tomates, non cuite, fraîche, odorante, servie sur des spaghettini très chauds. Faites-la lorsque les tomates sont à leur meilleur, en saison.

8 oz (250 g) de spaghettini
6 tomates moyennes ou
*   4 grosses tomates*

1 gousse d'ail, finement hachée
1/2 c. à café (2 mL) de sucre
1 c. à café (5 mL) de sel
1/2 c. à café (2 mL) de poivre frais moulu
2 c. à soupe (30 mL) de basilic frais, haché ou
    1 c. à soupe (15 mL) de basilic séché
1/2 c. à café (2 mL) de romarin
1/4 de tasse (60 mL) de persil frais, haché fin
2 à 3 c. à soupe (30 à 50 mL) d'huile d'olive ou
    végétale
Parmesan ou cheddar râpé

Faire cuire les spaghettini selon les instructions inscrites sur le paquet.

Peler les tomates et les couper en quartiers. Les mettre dans un mélangeur avec l'ail, le sucre, le sel, le poivre, le basilic, le romarin et le persil. Mélanger pour obtenir une sauce. Ajouter l'huile et verser sur les spaghettini cuits, brûlants et bien égouttés. Remuer et servir avec le fromage.

Donne 6 portions.

Nouilles de Bologne

La cuisine de Bologne, au nord de l'Italie, est formidable et un grand nombre de chefs italiens ont acquis leur renommée dans les grands restaurants de cette ville. J'ai mangé de ces pâtes pour la première fois chez Pappagallo.

8 oz (250 g) de nouilles, cuites et égouttées
1/4 de tasse (60 mL) de fromage parmesan, râpé
Le jus d'un citron et le zeste râpé d'un demi-citron
1/2 tasse (125 mL) de crème riche, chaude
sel et poivre

Mettre les nouilles cuites chaudes dans un bol réchauffé, saupoudrer de parmesan, du jus et du zeste de citron. Mélanger avec 2 fourchettes. Verser la crème chaude sur les nouilles et mélanger de nouveau. Vérifier l'assaisonnement. Elles sont délicieuses avec le veau, le poulet rôti ou une salade verte.

Donne 4 portions.

Nouilles romaines

Ne vous laissez pas rebuter par la grande quantité de feuilles de laurier dans la sauce. C'est une très vieille recette du sud de l'Italie; elle est unique.

8 oz (250 g) de nouilles, fines ou larges
4 c. à soupe (60 mL) d'huile d'olive ou végétale
1 oignon moyen, haché fin
4 à 5 tomates, pelées et hachées
10 feuilles de laurier
1 c. à café (5 mL) de sucre
sel et poivre
1/2 tasse (125 mL) de feuilles de céleri finement
*   hachées*

Faire cuire les nouilles selon les instructions inscrites sur le paquet.

Faire chauffer l'huile, ajouter l'oignon et cuire à feu vif, en brassant souvent, jusqu'à ce que l'oignon soit légèrement doré. Ajouter les tomates et bien mélanger. Ajouter le reste des ingrédients et brasser à feu moyen de 3 à 5 minutes. Retirer les feuilles de laurier. Vérifier l'assaisonnement. Verser sur les nouilles chaudes, bien égouttées. Selon votre goût, servir avec ou sans fromage.

Donne 6 portions.

Lasagne napolitaine aux épinards et Ricotta

Bien que la cuisine du sud de l'Italie ne me plaise pas beaucoup (huileuse et très épicée), j'ai bien aimé cette lasagne sans viande dans une petite *trattoria* à Naples. Elle fut suivie d'espadon servi froid avec une sauce faite d'huile d'olive, de jus de citron frais, de beaucoup de persil italien (*cilentro*) et accompagnée de beaucoup de citron. La recette me fut donné par la *mama* cuisinière.

241

8 oz (250 g) de nouilles à lasagne
2 lb (1 kg) d'épinards frais
2 c. à soupe (30 mL) de beurre
sel et poivre
1 gousse d'ail, hachée fin
1/2 c. à café (2 mL) d'origan
1 c. à café (5 mL) de basilic
une boîte de 7 1/2 oz (213 mL) de sauce aux tomates
2 tasses (500 mL) de Ricotta ou de fromage
    cottage à petits grains
1 tasse (250 mL) de crème sure commerciale
6 oignons verts, hachés grossièrement
7 à 8 tranches de fromage Mozzarella
3/4 de tasse (190 mL) de fromage parmesan râpé

Faire cuire les nouilles selon les instructions inscrites sur le paquet. Égoutter, rincer à l'eau courante froide, égoutter de nouveau et mettre de côté. Laver les épinards, les mettre dans une casserole et les saupoudrer d'un peu de sucre. Ne pas ajouter d'eau, couvrir et faire cuire 5 minutes à feu moyen.

Faire fondre le beurre, ajouter les épinards égouttés, le sel, le poivre, l'ail, l'origan et le basilic. Brasser pour bien mélanger, ajouter la sauce aux tomates et brasser jusqu'à ce que le tout soit chaud.

Mélanger le Ricotta ou le fromage *cottage*, la crème sure et les oignons verts.

Dans une casserole de 2 pintes (1 L), disposer en couches alternées les nouilles, les épinards et les tranches de fromage Mozzarella, jusqu'à complète utilisation des ingrédients. Saupoudrer de fromage parmesan râpé. Faire cuire au four à 350°F (180°C) environ 30 à 40 minutes, ou jusqu'à ce que le dessus soit d'un beau doré.

Donne 6 portions.

Le pesto de Gênes

C'est une spécialité de Gênes où le basilic pousse en abondance. *Al pesto* signifie "en broyant". Le *pesto* se faisait à l'origine à l'aide d'un pilon et d'un mortier de marbre noir, en pilant le mélange aromatique jusqu'à ce qu'il devienne crémeux. (J'ai employé cette méthode jusqu'à l'arrivée du robot culinaire.) On dirait un beau beurre vert crémeux qui se conserve au réfrigérateur durant un mois, ou de six à huit mois au congélateur.

Le *pesto* peut être ajouté (même congelé, à la cuillère) dans des soupes, des pâtes chaudes, des riz, des vinaigrettes à l'huile et au vinaigre ou de la mayonnaise; il est excellent avec un sandwich aux tomates.

La meilleure couturière que j'aie jamais connue, Ivaldi, était originaire de Gênes; elle m'a enseigné à faire le *Pesto* et la *Minestra verde*, cette délicieuse soupe aux légumes gênoise, accompagnée de *pesto*, servi dans un bol à part ou ajouté à la soupe.

1/4 lb (125 g) de fromage parmesan, en dés
2 à 4 gousses d'ail, pelées
1/4 de c. à café (1 mL) de poivre frais moulu
2 tasses (500 mL) de feuilles de basilic fraîches
1/2 tasse (125 mL) de pignes
1 c. à café (5 mL) de sel
3/4 à 1 tasse (190 à 250 mL) d'huile d'olive

Si on utilise un broyeur, utiliser le couteau d'acier. Ajouter un ingrédient à la fois et faire fonctionner l'appareil 2 minutes pour chacun. Ajouter l'huile graduellement et battre jusqu'à ce que le mélange soit crémeux.

Dans un mélangeur, il vaut mieux râper le fromage parmesan et trancher l'ail avant de mélanger. Mettre d'abord l'huile dans la jarre, puis ajouter les autres ingrédients graduellement et faire fonctionner l'appareil jusqu'à l'obtention d'un mélange crémeux et homogène.

Donne 2 tasses (500 mL)

Risotto

Il existe autant de variétés de *risotto* qu'il y a de cuisiniers. Chaque région a son propre mode de préparation et comme j'aime beaucoup le riz, j'ai été particulièrement intéressée d'en essayer plusieurs pendant mon séjour en Italie. En toute franchise, le milanais est mon préféré.

Je suggère d'employer du riz italien que l'on trouve dans les boutiques spécialisées ou du riz à grains longs. Ne pas utiliser le riz instantané ou traité, car les résultats ne seraient guère aussi satisfaisants. Les Italiens du Nord utilisent toujours du beurre, tandis que ceux du Sud utilisent de l'huile.

4 c. à soupe (60 mL) de beurre
1 oignon moyen, finement haché
2 tasses (500 mL) de riz italien ou à grains longs
4 tasses (1 L) de bouillon de poulet
une pincée de safran
1/2 tasse (125 mL) de parmesan râpé

Faire fondre le beurre dans une casserole de fonte émaillée. Y ajouter les oignons, remuer et cuire 5 minutes à feu doux. Ajouter le riz et cuire 10 minutes à feu doux, en brassant souvent. Le riz sera alors enrobé de beurre et réchauffé avant que l'on y ajoute le liquide.

Ajouter 2 tasses (500 mL) de bouillon de poulet, amener à ébullition et faire bouillir à feu moyen, à découvert, jusqu'à ce que le riz ait absorbé presque tout le liquide. Ajouter le reste du bouillon et reporter à ébullition. Ajouter le safran et bien mélanger. Couvrir et cuire à feu doux moyen durant 15 minutes, ou jusqu'à ce que le riz soit tendre et tout le liquide absorbé. Y mélanger le fromage ou le servir à part.

Donne de 6 à 8 portions.

De l'*osso buco* aux fleurs de citrouille: plats principaux

Osso buco

Les Milanais, les Bolonais et les Florentins font tous l'*osso buco* avec le jarret de veau, mais chacun à sa façon. Le suivant est milanais.

1 jarret de veau, coupé en 6 tranches
2 c. à soupe (30 mL) de beurre
1/2 tasse (125 mL) de farine
1 c. à café (5 mL) de sel
1/4 de c. à café (2 mL) de grains de poivre concassés
1/4 de tasse (60 mL) de carottes et autant de céleri
1 oignon, haché fin
1 tasse (250 mL) de vin blanc sec
1 1/2 tasse (375 mL) de bouillon de poulet
1 gousse d'ail, hachée fin
Le zeste râpé d'un citron
3 c. à soupe (50 mL) de persil haché

Faire fondre le beurre dans une casserole de fonte émaillée. Mélanger la farine, le sel et le poivre. Rouler les tranches de veau dans ce mélange les faire dorer au beurre des deux côtés, à feu moyen. Retirer de la casserole. Ajouter les carottes, le céleri et l'oignon. Remuer 2 minutes à feu moyen. Ajouter le vin et le bouillon de poulet et amener à ébullition, tout en brassant. Ajouter le jarret de veau et remuer délicatement. Couvrir et laisser mijoter à feu doux environ 1 heure, jusqu'à ce que la viande soit tendre.

Mélanger l'ail, le zeste de citron et le persil, et mettre dans un plat. Cela s'appelle un *gremolata* et chacun en saupoudre à son gré sur la viande. Servir le veau avec le *risotto*, comme à Milan.

Donne 4 portions.

Fegato con vino

C'est une spécialité du Harry's Bar, à Venise, connu dans le monde entier, où j'ai fait la connaissance du foie d'agneau. Il avait été préparé à notre table, sur un grand réchaud de table en cuivre, puis servi sur un lit de tranches d'orange très minces dans des assiettes de poterie rose foncé. On nous avait servi ensuite de minuscules tasses à café remplies de brandy chaud que chacun versait sur le foie. Un plat mémorable et facile à préparer.

9 tranches minces de foie d'agneau
1 c. à café (5 mL) de marjolaine séchée
1/2 c. à café (2 mL) de sel
1/4 de c. à café (1 mL) de poivre frais moulu
1/4 de tasse (60 mL) de farine
1/3 de tasse (80 mL) de beurre
2 oignons moyens, en tranches minces
1/2 tasse (125 mL) de vin rouge sec
1/4 de tasse (60 mL) de jus d'orange frais
Tranches d'orange

Mélanger la marjolaine, le sel, le poivre et la farine. Rouler les tranches de foie dans le mélange pour bien les enrober. Conserver le reste du mélange.

Faire fondre le beurre dans un poêlon de fonte, ajouter les oignons et brasser à feu vif pour les ramollir et les faire dorer. Retirer du poêlon avec une écumoire. Faire revenir le foie dans le gras chaud à feu vif durant 1 minute. Retourner et faire revenir de l'autre côté à feu moyen, 2 minutes. Disposer le foie sur un lit de tranches d'orange sur un plateau chaud.

Ajouter le reste de la farine au jus d'orange en remuant et bien mélanger. Ajouter au vin, mélanger et verser dans le poêlon. Brasser encore une fois et ajouter les oignons. Brasser à feu moyen jusqu'à un léger épaississement. Verser brûlant sur le foie et servir.

Donne de 4 à 6 portions.

Côtelettes de porc Modena

La cuisine Modena vient du nord de l'Italie. Ce mode de cuisson rend la côtelette de porc tendre sans l'assécher.

4 à 6 côtelettes de porc de 1 po (2,5 cm) d'épaisseur
1 c. à café (5 mL) de beurre ou d'huile végétale
1 c. à café (5 mL) de sauge fraîche
*   ou 1/2 c. à café (2 mL) de sauge séchée*
1 c. à café (5 mL) de romarin
1 gousse d'ail, écrasée
Sel et poivre
1/4 de tasse (60 mL) de vin blanc sec ou de Martini
*   blanc sec ou de cidre*

Graisser un poêlon de fonte émaillée avec le beurre ou l'huile. Y disposer les côtelettes les unes à côté des autres. Les saupoudrer de sauge, de romarin, d'ail, de sel et de poivre, au goût. Verser assez d'eau chaude sur les côtelettes pour les recouvrir. Faire mijoter à feu moyen de 15 à 20 minutes, à découvert, jusqu'à ce que l'eau soit évaporée et le dessous des côtelettes doré. Les retourner pour faire dorer l'autre côté. Retirer les côtelettes et les disposer sur un plateau chaud. Ajouter le vin. Faire cuire rapidement à feu vif durant 2 minutes, ou jusqu'à ce que le liquide soit réduit de moitié. Verser la sauce sur les côtelettes ou la servir à part.

Donne 4 portions.

Poulet grillé à la lime de Giannino

Cette succulente recette vient d'un très célèbre restaurant de Milan, Giannino, où le plancher de marbre brun foncé et la cheminée de tuiles azurées offrent un parfait décor pour ce poulet doré. Le restaurant est aussi renommé pour ses crevettes *allio*. Servir ce plat de réception chaud ou froid, accompagné d'un grand bol de cresson ou de laitue.

3 poulets à griller, environ 3 lb (1,5 kg) chacun
Sel, poivre et paprika

1/2 tasse (125 mL) d'huile d'olive ou d'huile
végétale
1/2 tasse (125 mL) de jus de lime frais
Zestes râpés de 2 limes
2 c. à soupe (30 mL) d'oignon râpé
1 c. à soupe (15 mL) d'estragon
1 c. à café (5 mL) de sel
1/8 de c. à café (0,5 mL) de sauce piquante
au poivre (facultatif)

Faire chauffer le gril. Couper les poulets en quatre et saupoudrer de sel, de poivre et de paprika au goût. Les disposer sur une grille du côté de la peau.

Mélanger les ingrédients qui restent avec un fouet et en badigeonner tous les morceaux de poulet. Les mettre sous le gril du four à 6 po (15 cm) de l'élément, et laisser cuire à peu près 1 heure, jusqu'à ce que le poulet soit tendre, en le retournant toutes les 15 minutes et en l'arrosant chaque fois avec la sauce.

Servir chaud ou froid.

Donne de 8 à 10 portions.

Piments à l'huile antipasto

C'est un des meilleurs hors-d'oeuvre italiens; on le sert du Nord au Sud. Très agréable avec une viande froide ou un rôti de porc ou un barbecue.

3 gros piments doux, rouges ou verts ou
1 rouge et 2 verts
2 gousses d'ail, pelées et écrasées
Sel
Huile d'olive
Jus d'un citron

Mettre les piments sur une plaque de cuisson et faire cuire au four préchauffé à 400°F (200°C) de 15 à 20 minutes, ou jusqu'à ce que la peau soit noire. Les retourner une fois avec les doigts (une

248

fourchette percerait la peau) durant la cuisson. Laisser tiédir et gratter la peau — c'est un peu salissant, mais facile.

Couper les piments en deux, enlever les graines et le coeur, et les tailler en languettes d'égale grosseur. Les mettre dans un bocal d'une demi-tasse (125 mL) avec l'ail, le sel, le jus de citron et ajouter suffisamment d'huile pour les recouvrir à peine. Les retourner de 3 à 4 fois durant la première heure de macération. Couvrir et conserver au frais.

Donne 1/2 tasse (125 mL).

Carottes à l'italienne

Elles sont délicieuses servies chaudes, tièdes ou à la température ambiante.

8 à 10 petites carottes
2 c. à soupe (30 mL) de beurre
1/4 de c. à café (1 mL) de sucre
1/4 de tasse (60 mL) de Marsala ou de porto sec
2 c. à soupe (30 mL) d'eau
Ciboulette ou persil, haché

Peler les carottes et les tailler en longs bâtonnets. Dans une casserole d'acier inoxydable, de préférence, faire fondre le beurre et y remuer légèrement les carottes jusqu'à ce qu'elles soient bien enrobées. Saupoudrer de sucre, brasser le tout, ajouter le Marsala ou le porto et l'eau, et amener à ébullition. Mijoter, couvert, 20 minutes à feu très doux. Découvrir et faire bouillir à feu vif jusqu'à ce que le liquide ait une consistance sirupeuse. Saler et poivrer au goût, verser dans un plat de service et saupoudrer de ciboulette ou de persil. Pour les servir tièdes ou froides, couvrir jusqu'au moment de servir.

Donne de 4 à 6 portions.

Artichauts marinés à la romaine

Servir en guise de salade ou de repas léger, avec de minces tranches de poulet froid sur des feuilles de cresson ou de laitue.

6 artichauts petits ou 4 moyens, cuits et refroidis
4 c. à soupe (60 mL) de vinaigre de vin rouge
1/2 c. à café (2 mL) de sel
1/4 de c. à café (1 mL) de moutarde sèche
1/2 tasse (125 mL) d'huile d'olive ou végétale
1/4 de c. à café (1 mL) de poivre frais moulu
1 oignon vert, émincé
1 petite gousse d'ail, écrasée

Mélanger le vinaigre, le sel et la moutarde dans un bol. Ajouter l'huile lentement en fouettant avec un fouet ou une fourchette. Y mélanger le poivre, l'oignon et l'ail.

Disposer les artichauts refroidis dans un plat de service profond et recouvrir avec la vinaigrette. Couvrir et faire mariner de 2 à 8 heures.

Donne de 4 à 6 portions.

Salade d'oignons cuits au four

En 1953, j'ai passé quelques mois en Toscane qui est, à mon avis, la région de l'Italie la plus passionnante. La nourriture y est simple, en ce sens qu'un aliment particulier y est servi tel qu'il doit l'être. Par exemple, lorsque les petits pois sont à leur meilleur au printemps, on vous sert une grande assiettée de petits pois nouveaux bien chauds, garnis simplement d'un carré de beurre non salé fondant sur le dessus. Sur la table, on pose un beau bouquet de menthe fraîche que vous hachez à votre goût sur les petits pois. Ce délice est servi comme entrée.

La salade d'oignons cuits au four est un autre exemple d'entrée printanière. J'apprécie maintenant les oignons au four toute l'année. Les servir comme légume, au beurre ou avec le rosbif.

6 oignons moyens, non pelés
1/2 tasse (125 mL) d'huile végétale ou d'olive
Le jus d'un citron
1/2 c. à café (2 mL) de moutarde sèche
1/4 de c. à café (1 mL) de sel

1/4 de c. à café (1 mL) de poivre frais moulu
1 piment vert (facultatif)

Ne retirer des oignons que la pelure qui n'adhère pas — ne pas les peler — et tailler une tranche à chaque extrémité. Les disposer dans un plat à cuisson peu profond et les faire cuire au four à 350°F (180°C) de 25 à 35 minutes. Laisser refroidir 15 minutes. Couper la pelure avec des ciseaux et l'enlever. Mettre les oignons dans un plat de service.

Bien mélanger le reste des ingrédients, sauf le piment vert, et verser sur les oignons. Couvrir et laisser reposer de 2 à 3 heures avant de servir. Ne pas réfrigérer, car l'huile figerait.

Ébouillanter les piments verts. Laisser reposer 10 minutes. Avec un couteau tranchant, enlever la fine pelure du dessus, retirer les graines et couper en minces languettes. Les remuer avec quelques gouttes d'huile pour les rendre brillants. Servir dans un autre bol ou les saupoudrer sur les oignons.

Donne 6 portions.

Fleurs de citrouille frites

Voici un peu de la magie culinaire en laquelle je crois. Mangez la fleur d'un air rêveur, le coeur joyeux. Pour cela, il vous faut cultiver des citrouilles ou encore prendre à la dérobée ces fleurs chez un voisin. Ça en vaut la peine!

Fleurs de citrouille ou de courge
1 oeuf, bien battu
Chapelure de biscuits, fine
Sel et poivre

Cueillir les fleurs de citrouille ou de courge juste avant qu'elles ne soient prêtes à s'ouvrir. Les laver avec soin et les égoutter avec un linge. Presser les fleurs avec vos doigts pour les aplatir. Les tremper dans l'oeuf bien battu, puis les passer dans la chapelure. Saler et poivrer légèrement. Faire frire dans un pouce (2,5 cm) de gras chaud pour les faire dorer, en les retournant une seule fois.

Servir chaudes com. : des beignets aux légumes, avec du poulet ou du veau, ou comme dessert avec une sauce de votre choix. C'est un mets délicat qui doit être servi aussitôt cuit.

Desserts à congeler, à cuire au four ou à boire

Gelato italien à la fraise

J'aime servir le *gelato* dans des coupes à champagne, garni de fraises sucrées écrasées et d'un pétale de rose. C'est à Padoue que j'en ai goûté, par une belle journée ensoleillée.

1 1/2 tasse (375 mL) de sucre
2 tasses (500 mL) d'eau
4 tasses (1 L) de fraises
Le zeste râpé d'une orange
1 c. à soupe (15 mL) de jus de citron

Mettre le sucre et l'eau dans une casserole. Amener à forte ébullition pendant 2 minutes, refroidir.

Laver et équeuter les fraises. Les écraser avec une fourchette en y ajoutant le zeste d'orange et le jus de citron. Ajouter au sirop refroidi et battre pour bien mélanger le tout. Avec un mélangeur, il suffit de 2 minutes.

Verser le mélange dans le bac à glaçons et placer au congélateur jusqu'à ce que les bords soient givrés. Renverser dans un bol et battre vivement avec un batteur électrique pour obtenir un mélange lisse et léger. Remettre dans le bac, couvrir de papier d'aluminium et congeler.

Donne 6 portions.

Gâteau florentin aux pommes

Une tasse de café noir et un morceau de cette *dolce di mele* à seize heures dans un des charmants cafés florentins est à ne pas manquer en Italie. Je vous assure que j'en ai profité.

3 grosses pommes, pelées, évidées,
   coupées en tranches minces
1/3 de tasse (80 mL) de rhum
4 oeufs
1 1/2 tasse (375 mL) de sucre
Le zeste d'un citron et d'une orange
3 tasses (750 mL) de farine
2 c. à café (10 mL) de poudre à pâte

Mettre dans un bol les tranches de pommes et le rhum. Bien mélanger, en vous assurant que les pommes soient bien enrobées de rhum.

Battre les oeufs pour qu'ils soient légers et mousseux. Ajouter 1 1/4 tasse (310 mL) du sucre (garder le 1/4 de tasse (60 mL) qui reste). Continuer de battre jusqu'à ce que le mélange soit jaune pâle. Ajouter le zeste d'orange et de citron et bien mélanger.

Tamiser ensemble la farine et la poudre à pâte. Les ajouter graduellement en remuant au mélange des oeufs en battant à chaque addition.

Étendre la pâte dans un moule beurré et enfariné de 8 x 12 po (20 x 30 cm), à l'aide d'une spatule. Disposer les pommes en rangées attrayantes sur la pâte. Saupoudrer du reste du sucre. Faire cuire au four à 350°F (180°C) de 35 à 40 minutes. Servir tiède ou froid (ne pas réfrigérer) avec un bol de crème sure ou de yaourt nature.

Donne de 6 à 8 portions.

Zuppa inglese

C'est un gâteau de fête dans toute l'Italie. J'en ai goûté bien des versions; ma préférée fut celle de St-Geminano. Une femme du nom de Serena était chef-pâtissier; elle était amusante et spirituelle. Elle m'a écrit la recette dans un mélange d'italien, de français et d'anglais. J'ai dû la faire à peu près six fois avant de résoudre le casse-tête. Je dirais que ce savoureux gâteau ressemble à la bagatelle anglaise et pour cause, puisque la traduction de son nom est "soupe anglaise".

Gâteau éponge

6 jaunes d'oeufs
1/2 tasse (125 mL) de sucre
2 c. à soupe (30 mL) de jus de citron frais
2 c. à soupe (30 mL) de zeste d'orange râpé
1 c. à café (5 mL) d'essence d'amande
1 tasse (250 mL) de farine tout-usage
1/2 c. à café (2 mL) de poudre à pâte
6 blancs d'oeufs
1/2 c. à café (2 mL) de sel

Les oeufs doivent être à la température de la pièce; les sortir du réfrigérateur au moins une heure à l'avance.

Battre les jaunes d'oeufs jusqu'à ce qu'ils soient épais et pâles. Ajouter le sucre, 1 c. à soupe (15 mL) à la fois, et battre 1 minute à chaque addition. Ajouter le jus de citron, le zeste d'orange et l'essence d'amande, battre pour obtenir un mélange léger et crémeux. Tamiser la farine avec la poudre à pâte deux fois, puis l'incorporer au mélange de jaunes d'oeufs.

Battre les blancs d'oeufs jusqu'à ce qu'ils soient mousseux, puis ajouter le sel. Les battre en neige ferme, les incorporer à la pâte et mélanger avec soin.

Verser la pâte dans un moule à gâteau rond de 9 po (22,5 cm) (un moule à ressort, si possible). Faire cuire au four préchauffé à 350°F (180°C) de 50 à 60 minutes, ou jusqu'à ce que la trace d'un doigt légèrement appuyé sur le gâteau disparaisse aussitôt. Pour le refroidir, déposer le moule sur une grille à gâteau. Démouler le gâteau refroidi et le tailler en quatre étages avec un couteau bien tranchant. La *zuppa inglese*, ou garniture crémeuse sera étendue entre les rangs.

Garniture crémeuse

4 jaunes d'oeufs, légèrement battus
1 tasse (250 mL) de lait
1 tasse (250 mL) de crème riche
1/2 tasse (125 mL) de sucre
1/3 de tasse (80 mL) de farine

Le zeste râpé d'un demi-citron
1/2 tasse (125 mL) de rhum et autant de marsala
1/3 de tasse (80 mL) de marmelade à l'orange ou de
*   confiture d'abricots*
3 c. à soupe (50 mL) de fruits confits, hachés fin

Mettre dans une casserole les jaunes d'oeufs, le lait et la crème. Mélanger le sucre, la farine et le zeste de citron et les ajouter aux jaunes d'oeufs. Mélanger avec le batteur et faire cuire à feu moyen-doux, en brassant presque tout le temps jusqu'à ce que le mélange soit épais et crémeux. Retirer du feu et remuer souvent jusqu'à refroidissement. Couvrir et réfrigérer pour que la crème soit très froide.

Mélanger le rhum et le marsala. Mettre la marmelade ou la confiture dans un bol. Placer le bol dans l'eau chaude pour amollir la marmelade.

Disposer un rang de gâteau sur un plateau de service et l'arroser de 1/4 de tasse (60 mL) du mélange rhum-marsala. Recouvrir du tiers de la crème refroidie. Répéter ce procédé pour les deuxième et troisième rangs. Couvrir le quatrième rang et l'arroser du dernier 1/4 de tasse (60 mL) de rhum et marsala.

Réfrigérer, recouvert d'un papier plastique ou d'un bol, de 12 à 16 heures.

Faire tremper les fruits confits jusqu'au lendemain dans 2 c. à soupe (30 mL) de rhum ou de marsala. Saupoudrer sur le gâteau au moment de servir.

Donne 8 portions.

Sabayon

Un léger dessert de prédilection, populaire dans toute l'Italie. Le seul problème est qu'il faut le faire juste avant de le servir. La demi-coquille d'oeuf est utilisée pour mesurer le vin, afin qu'il soit proportionné à la quantité d'oeufs utilisée.

3 jaunes d'oeufs
2 c. à soupe (30 mL) de sucre
1/2 coquille de vin marsala doux,
*   remplie deux fois*

Mettre les jaunes d'oeufs au bain-marie placé sur de l'eau qui mijote. Battre vivement, en ajoutant le sucre et le Marsala. Poursuivre la cuisson en battant vivement, jusqu'à ce que le mélange soit très épais. Servir dans des coupes à champagne ou des verres à vin rouge.

Donne de 2 à 3 portions.

Granita di caffe

Cette spécialité florentine rafraîchissante est le dessert congelé le plus facile à préparer. La *granita* par un après-midi torride ne peut être surpassée. Du café noir torréfié est utilisé dans la recette originale, mais j'ai constaté que le café instantané le remplace avec succès, sinon, utiliser du véritable espresso.

4 c. à soupe (60 mL) de café instantané
2 tasses (500 mL) d'eau bouillante
1/4 à 1/2 tasse (60 à 125 mL) de sucre
2 c. à café (10 mL) de vanille ou
1 c. à café (5 mL) d'amer aromatique à l'orange
(Angostura)
Crème fouettée (facultatif)

Mélanger dans une casserole le café instantané, l'eau bouillante et 1/4 à 1/2 tasse (60 à 125 mL) de sucre, au goût. Remuer à feu moyen juste assez pour dissoudre le sucre. Ne pas laisser bouillir le mélange. Refroidir et ajouter la vanille ou l'amer.

Verser le mélange dans un plat peu profond ou dans un bac à glaçons jusqu'à ce que le mélange soit presque ferme. Renverser dans un bol — un batteur électrique à main est idéal parce qu'il permettra d'introduire plus d'air dans le mélange pour le rendre plus léger. Mettre au congélateur pour obtenir une consistance de sorbet.

Pour servir, verser à la cuillère dans des verres à sorbet ou des tasses à punch ou des demi-tasses et garnir de crème fouettée non sucrée au goût.

Donne 4 portions.

Falernum

Le Falernum est un vin doux à saveur inusitée du sud de l'Italie. C'était autrefois un vin très élégant; il sert maintenant de base pour beaucoup de bons desserts et de boissons. Les Italiennes qui ont émigré au Canada au début des années vingt parlaient du Falernum comme étant un vin très ancien fait avec les raisins du mont Falerne en Italie. Comme il était très coûteux de l'importer, les femmes le faisaient elles-mêmes. La recette ci-dessous fut donnée à ma mère par une Italienne, Serena, qui avait des doigts de fée et cousait à la perfection.

Ces quantités d'ingrédients font beaucoup de vin, mais il se conserve de six à huit mois dans un endroit frais et il s'améliore en vieillissant. Je recommande donc de faire toute la quantité.

4 tasses (1 L) de sucre blanc
12 1/2 tasses (3,5 L) d'eau
2/3 de tasse (160 mL) de jus de lime frais,
    garder toute la pelure
12 gouttes d'essence d'amande amère*
3 tasses (750 mL) de rhum blanc

Amener à ébullition le sucre et la moitié de l'eau, en brassant souvent. Ajouter toute la pelure des limes et faire bouillir pour dissoudre le sucre. Refroidir. Ajouter le jus de lime, l'essence d'amande, le reste de l'eau et le rhum. Laisser reposer 1 heure. Retirer l'écorce de lime, verser dans des bouteilles et couvrir.

Pour servir, verser de préférence sur de la glace pilée ou sur des glaçons, dans un grand verre, ou servir avec de l'eau gazeuse.

Donne environ 4 pintes (4 L).

---

* Il est difficile de se procurer l'essence d'amande amère. J'en trouve généralement à la pharmacie. S'il est impossible d'en obtenir, la remplacer par de l'essence d'amande douce, mais une partie de la saveur sera perdue.

La Grèce

De nombreuses années se sont écoulées depuis mon voyage en Grèce, mais le voyage a eu lieu en des circonstances particulières et son impact sur moi a subsisté.

Je terminais ma dernière année de chimie alimentaire à Paris. Chaque été, l'université organisait des voyages spéciaux qui se rapportaient à nos études. Cette année-là notre professeur nous avait dit: "Cet été pensez à la Grèce et revendiquez vos droits! En gastronomie, comme en philosophie, en sciences, en langues, en littérature, en théâtre et en architecture, les racines mêmes de notre civilisation proviennent de Grèce." Le voyage avait été préparé de telle façon que chacun de ces points fut prouvé et nous avons réalisé bien vite que nos propres traditions ressemblaient de manière surprenante à celles de la Grèce.

J'ai non seulement appris que "buffet" était un mot grec, mais aussi que le lièvre en pot anglais, le poisson moulé, le boudin irlandais et l'agneau suédois avec aneth venaient tous, à l'origine, de la Grèce. Les *strudels* hongrois et allemands étaient le résultat du *phyllos* grec; la liste en est interminable.

Quelques conférences sur la cuisine grecque avaient été organisées pour nous par Nicolas Tselementes, le célèbre chef de l'époque en Grèce. Je n'ai jamais oublié sa causerie sur Sotériades le

Sage dont la philosophie était de préparer différents mets, selon l'humeur et les groupes de personnes: les jeunes, les amoureux, les hommes plus âgés et les philosophes. Cette idée m'a fascinée et jusqu'à ce jour, je planifie toujours mes repas selon les personnes que je reçois à ma table.

Au début des années cinquante, j'ai de nouveau rencontré Tselementes, au cours d'un séjour à l'hôtel St. Moritz de New York. C'est à lui, sans doute, que l'hôtel doit la renommée de son excellente cuisine.

La saveur grecque*

L'huile d'olive: elle est à la cuisine grecque ce que le beurre est à la nôtre. On produit en Grèce une de mes huiles d'olive préférées, l'huile de Corfou; elle est difficile à trouver et chère, mais elle en vaut le temps et le coût. La margarine grecque appelée *vitam* est aussi faite d'huile d'olive.

Herbes et épices: on utilise le thym sauvage et le thym cultivé et les Grecs ont le meilleur. L'origan, souvent appelé "la joie des montagnes", la cannelle, le cumin (en graines ou moulu) et beaucoup de persil, sont des assaisonnements courants.

Agrumes: je ne crois pas qu'une recette grecque puisse se faire sans citron; zeste, tranches et jus, sont au nombre des ingrédients de bien des plats, que ce soit un rôti, une sauce ou un dessert. Les citrons sont plus petits que les nôtres et un peu plus acides.

Les oranges et les griottes sont aussi utilisées en cuisine ou dans la préparation de boissons rafraîchissantes.

Eau de fleur d'oranger: un parfum favori, utilisé avec le riz, les desserts crémeux et les pains sucrés.

Mastic: semblable à notre gomme d'épinette, mais de saveur plus délicate. Utilisé dans les pains de fêtes et les liqueurs.

---

* Tous ces produits peuvent être achetés en Amérique du Nord dans les boutiques d'aliments grecs ou spécialisés.

Feuilles de vigne: utilisées dans la préparation des célèbres *dolmathes* ou feuilles farcies d'agneau haché ou de riz ou des deux, et servies chaudes ou froides avec une sauce au citron. Les feuilles de vigne peuvent être achetées dans des bocaux de verre, dans la saumure et elles peuvent aussi être remplacées par de jeunes feuilles de chou.

Tarama: un genre de pâté préparé avec des oeufs de carpe légèrement fumés (ils se vendent en bocaux) et du pain ou des pommes de terre. Un hors-d'oeuvre intéressant.

Avgolemono: une sauce de base aux oeufs et au citron, utilisée dans bien des plats.

Feta: ce fameux fromage est fait de lait de chèvre ou de brebis; il est importé dans de l'eau salée dans des tonneaux de bois.

Yaourt: fait de lait de brebis il est un ingrédient important de la cuisine grecque. Il est utilisé dans les vinaigrettes, les sauces, les desserts, ou simplement servi nature avec le *mihymeytos*, un miel superbe provenant de thym sauvage.

Pâte phyllo: une pâte spéciale, vendue chez les boulangers; elle est roulée en paquets d'une livre (500 g) chacun contenant de 20 à 24 feuilles très minces de 12 x 18 po (30 x 45 cm). Il est important de conserver le rouleau bien enveloppé pour éviter que la pâte ne sèche; elle se conserve un mois au réfrigérateur, mais ne se congèle pas bien. La pâte est utilisée pour des entrées et des desserts, tels que le célèbre *baklava*, rempli de noix et tout ruisselant de *mihymeytos*.

Kataifi: blé filamenté à l'apparence de pâtisserie, blanc, non cuit et léger, vendu à la livre dans les pâtisseries grecques. Il est vendu pour la préparation de la pâtisserie du même nom. La céréale de blé filamenté peut le remplacer et donne de bons résultats.

Ouzo: semblable au Pernod français, cette liqueur claire et aromatisée à l'anis est très forte. Elle est toujours servie avec un verre d'eau froide qui devient trouble lorsque le Ouzo est ajouté.

Retsina: le vin national de Grèce; il faut s'y habituer pour en apprécier le goût. Il est parfumé au *mastic*.

Une soupe pour le déjeuner

Soupe d'artichaut au citron

Le secret de cette soupe est que les artichauts frais sont cuits indépendamment et sont ensuite ajoutés à la base de soupe *avgolemono*. Ce n'est pas une soupe de tous les jours, mais elle est bonne pour le déjeuner avec du fromage grec et du pain *pita* chaud.

1 gros ou 2 moyens artichauts frais
2 tasses (500 mL) d'eau
1 c. à café (5 mL) de sel
1 c. à soupe (15 mL) de jus de citron frais
    ou de vinaigre
6 tasses (1,5 L) de bouillon de poulet
3 oeufs
Le jus de 2 citrons
1/4 de tasse (60 mL) de persil émincé
Sel et poivre

L'artichaut doit être entier. Enlever la tige afin qu'il puisse être posé à plat dans une casserole profonde. Ajouter l'eau, le sel et la cuillerée à table (15 mL) de jus de citron ou de vinaigre. Amener à ébullition, couvrir et mijoter de 40 à 45 minutes, jusqu'à ce qu'une feuille puisse être enlevée facilement. Retirer de la casserole et laisser tiédir.

Enlever chaque feuille et en gratter la chair dans une assiette. Écraser le fond d'artichaut avec la chair retirée des feuilles et ajouter le tout au bouillon de poulet, amener à ébullition et laisser mijoter 10 minutes.

Battre les oeufs jusqu'à consistance épaisse et pâle. Ajouter graduellement le jus de 2 citrons, tout en battant avec un fouet. Verser lentement sur le tout 1 tasse (250 mL) du bouillon chaud, en remuant sans cesse; ajouter une deuxième tasse, en brassant toujours. Verser lentement ce mélange dans le reste du bouillon, en battant vivement avec le fouet. Ajouter sel et poivre et servir.

Pour réchauffer, le mettre à feu très doux et remuer souvent.

Donne 6 portions.

Un mot du chef Tselementes sur les soupes

Pour donner de la couleur à une soupe, râper un des oignons demandé dans la recette sans le peler et l'ajouter à la soupe. (Je fais cela depuis des années — je ne pèle pas les oignons d'un consommé, mais je le passe par la suite. Cela en rehausse la saveur et la couleur.)

Préparer des croûtons ail-thym avec du pain pas trop frais. Enlever les croûtes et tailler le pain en cubes. Faire chauffer une quantité égale d'huile et de beurre dans un poêlon. Y ajouter 2 gousses d'ail (pour 2 tranches de pain) non pelées et coupées en deux et 1/4 c. à café (1 mL) de thym ou d'origan. Ajouter les cubes de pain et brasser jusqu'à ce que les croûtons soient d'un beau doré. Si possible, les verser dans la soupe alors qu'ils sont chauds. Jeter l'ail, bien entendu.

Plaki, pastitsio, feuilles de vigne : les plats principaux

Ghofaria plaki (poisson cuit au four)

Il n'est pas difficile de comprendre pourquoi il y a tant de poisson dans l'alimentation grecque si l'on considère que la Grèce se situe dans la partie la plus chaude de la côte méditerranéenne.

1 à 1 1/2 lb (500 à 750 g) de morue ou d'aiglefin frais
3 à 4 c. à soupe (50 à 60 mL) d'huile d'olive
3 oignons moyens, tranchés mince
1 grosse gousse d'ail, émincée
4 tomates moyennes, en dés
2 feuilles de laurier
Zeste râpé d'un citron
1/4 de c. à café (1 mL) d'origan
6 à 10 olives noires, dénoyautées (facultatif)

Utiliser des filets ou darnes de poisson. Les mettre dans un plat à cuisson copieusement beurré.

Faire chauffer l'huile dans un poêlon et y ajouter les oignons et l'ail. Remuer jusqu'à ce qu'ils soient dorés, ajouter les tomates en dés et brasser, puis faire mijoter le tout à découvert, de 3 à 5 minutes. Saler, poivrer, ajouter les feuilles de laurier, le zeste de citron et l'origan. Brasser pour bien mélanger. Verser sur le poisson.

Mettre au four préchauffé à 350°F (180°C) et cuire de 20 à 25 minutes, ou jusqu'à ce que le poisson se défasse facilement. Éviter de trop cuire. Ajouter les olives noires 5 minutes avant la fin de la cuisson. Servir avec du riz bouilli.

Donne de 4 à 6 portions.

Tarama salata (salade aux oeufs de poisson)

Elle est des plus populaires parmi les salades ou les entremets. En Grèce, vous la trouverez partout où vous irez. Dépendamment de la qualité des oeufs de poisson fumés ou des assaisonnements utilisés, il y en a des bonnes et des meilleures. Moishe's Steak House à Montréal prépare la meilleure *Tarama salata* que j'ai jamais goûtée.

Un robot culinaire ou un mélangeur vous aidera à préparer une *tarama* crémeuse en un rien de temps. À la main, c'est un long travail. Vous trouverez la *tarama* dans les boutiques d'aliments spécialisées.

Le jus de 2 citrons
Un bocal de 6 à 8 oz (168 à 224 g) de tarama
1 oignon moyen, en dés
2 tasses (500 mL) de pain frais, en dés,
*   sans la croûte*
1 tasse (250 mL) d'huile d'olive
De grandes feuilles croustillantes de laitue
Un bol de salata aux olives noires
Pain grec

Mettre le jus de citron dans le mélangeur et ajouter le bocal de *tarama* et l'oignon. Mélanger 1 minute, ou jusqu'à ce que toute particule d'oignon ait disparu.

Recouvrir les cubes de pain d'eau froide, bien brasser, presser pour égoutter et mettre dans le mélangeur. Mélanger 30 secondes. Réduire la vitesse au minimum; ajouter l'huile d'olive graduellement et lentement. Mélanger jusqu'à ce que toute trace d'huile ait disparu.

Couvrir un bol peu profond de feuilles de laitue. Y verser la *Tarama salata* au centre. Servir avec la *salata* d'olives noires et un panier de pain grec tranché.

Donne 6 portions.

Smyrna loukamika (saucisses de Smyrne)

Une spécialité grecque, inusitée et très savoureuse. Un excellent plat pour le brunch du dimanche.

> 1 1/2 lb (750 g) d'épaule de porc ou d'agneau
> 1 tasse (250 mL) de mie de pain
> 1/2 tasse (125 mL) de vin rouge
> 1 c. à café (5 mL) de sel
> 1/4 de c. à café (1 mL) de poivre
> 1 gousse d'ail, hachée fin
> 1/2 c. à café (2 mL) de cumin moulu
> 1/2 c. à café (2 mL) de pectine en poudre (facultatif)
> 1 c. à soupe (15 mL) d'huile d'olive ou végétale
> 1/2 tasse (125 mL) de sauce aux tomates
> 1/4 de c. à café (1 mL) de sucre

Choisir une pièce de viande plutôt maigre, mais avec un peu de gras. Passer deux fois au hachoir.

Mélanger la mie de pain et le vin pour bien humecter le pain et presser pour enlever l'excédent de liquide. Ajouter à la viande avec le reste des ingrédients. Mélanger le tout. Façonner en saucisses, disposer sur une assiette, couvrir et mettre au réfrigérateur pour quelques heures ou jusqu'au lendemain, avant la cuisson.

Pour la cuisson, chauffer l'huile dans un poêlon de métal épais, y placer les saucisses et faire cuire à feu moyen-doux, pour les dorer des deux côtés, à peu près de 10 à 12 minutes. Ajouter la sauce aux tomates et le sucre. Laisser mijoter lentement, à découvert, 15 minutes. Servir avec riz ou pommes de terre en purée.

Donne 6 portions.

Pastitsio (macaroni à la viande)

Le *pastitsio* est un macaroni à la viande cuit au four, mais dont le mode de préparation diffère beaucoup du nôtre. En Grèce, la saveur varie souvent suivant le choix du fromage, en partant du *kasseri*, un fromage râpé, dur, fort, jusqu'au *feta*, un fromage blanc crémeux, léger et savoureux, et parfois aussi jusqu'à un mélange de fromage *feta* et de yaourt.

Le macaroni

1/4 de tasse (60 mL) de beurre ou de margarine
2 lb (1 kg) d'agneau ou de boeuf, haché
2 oignons moyens, hachés fin
1/2 tasse (125 mL) de vin blanc sec ou de vermouth
4 c. à soupe (60 mL) de purée de tomates
1/2 c. à café (2 mL) de cannelle
1 c. à café (5 mL) de sel
1/4 de c. à café (1 mL) de poivre frais moulu
1 lb (500 g) de spaghetti ou de macaroni fin
1 tasse (250 mL) de parmesan râpé ou de feta
*   en dés*
2 oeufs, bien battus
3 c. à soupe (50 mL) de chapelure fine

Faire fondre le beurre dans une grande casserole de fonte, y ajouter la viande et les oignons et remuer souvent, à feu vif, jusqu'à ce que la viande perde sa crudité. Ajouter le vin ou le vermouth, bien mélanger et laisser mijoter 5 minutes.

Mélanger la purée de tomates, la cannelle, le sel et le poivre. Ajouter le tout à la viande, mélanger et faire mijoter à peu près 15 minutes. Mettre de côté.

Faire bouillir le spaghetti ou le macaroni jusqu'à ce qu'il soit tendre, éviter de trop cuire — 10 minutes devraient suffire. Bien égoutter dans une passoire.

La sauce

1/3 de tasse (80 mL) de beurre
3 c. à soupe (50 mL) de farine tout-usage
3 tasses (750 mL) de lait
Sel et poivre
1/4 de c. à café (1 mL) de muscade râpée

Préparer la sauce blanche avec le beurre, la farine et le lait. Lorsqu'elle est crémeuse, ajouter le sel, le poivre et la muscade.

Mettre la moitié du macaroni dans une grande casserole peu profonde. Saupoudrer de 1/3 de tasse (80 mL) de fromage.

Mélanger la viande préparée avec les oeufs battus, la chapelure et les 2 c. à soupe (30 mL) de fromage. Étendre sur le macaroni. Couvrir la viande du reste de macaroni. Saupoudrer d'un autre 1/3 de tasse (80 mL) de fromage râpé. Recouvrir de la sauce sans mélanger. Saupoudrer le reste de fromage râpé et parsemer de dés de beurre.

Faire cuire au four préchauffé à 400°F (200°C) à peu près 30 minutes, ou jusqu'à ce que le dessus soit bien doré. Laisser reposer de 10 à 15 minutes. Couper en carrés pour servir.

Donne 8 portions.

Salata d'olives noires

Dans toute la Grèce, les olives noires sont servies en salade, ou *salata*, comme entremets ou bien avec la viande ou le poisson froid. Je me rends tous les ans chez mon marchand grec pour acheter la meilleure qualité d'olives noires grecques; elles sont conservées dans de grands barils de bois noir. Je les achète à la livre et je prépare une quantité de *salata* qui durera toute l'année. Ces olives se conservent très bien et leur saveur s'améliore avec le temps.

1 lb (500 g) d'olives noires grecques
2 citrons, non pelés, coupés en tranches minces
2 grandes feuilles de laurier
2 branches de céleri, sans les feuilles
De l'huile d'olive (grecque, de préférence)

Dans un bocal stérilisé, faire des rangs alternés d'olives, de tranches de citron, de branches de céleri et de morceaux de feuilles de laurier, en continuant ainsi jusqu'à utilisation complète de tous les ingrédients. Verser assez d'huile d'olive dans le bocal pour recouvrir les olives, puis couvrir le bocal. Lorsque toutes les olives ont été mangées, je conserve cette bonne huile aromatisée pour faire de la vinaigrette, en la mélangeant avec du jus de citron plutôt que du vinaigre.

Donne 3 tasses (375 mL).

Dolmathes (feuilles de vigne farcies)

En Grèce, j'ai goûté à ce plat préparé par le grand chef Tselementes. Ces roulés étaient servis froids avec des quartiers de citron; ils peuvent également être servis chauds avec la sauce *avgolemono*. C'est alors que j'ai bu du Retsina pour la première fois; à moi, le goût n'a pas semblé trop étrange. Néanmoins, mes amies ne l'ont pas aimé.

25 à 30 feuilles de vigne (en bocal)
1 1/2 tasse (375 mL) de riz cuit
1/2 lb (250 g) de boeuf ou d'agneau, haché
1/2 tasse (125 mL) de pignes ou de noix
*   de Grenoble hachées*
1/2 tasse (125 mL) de raisins de Corinthe ou
*   de Smyrne*
1/2 c. à café (2 mL) de sel
1 c. à café (5 mL) de poivre frais moulu
1 oeuf, battu
1/3 de tasse (80 mL) d'huile d'olive ou végétale
Le jus et le zeste râpé d'un citron
1/2 c. à café (2 mL) de thym
Le jus d'un demi-citron

Les feuilles de vigne en bocal sont dans la saumure, il faut donc les laver. Défaire le rouleau de feuilles et les séparer avec soin, en les passant sous l'eau courante froide pour enlever la saumure. Assécher avec des serviettes de papier.

Faire cuire 1/3 de tasse (80 mL) de riz pour obtenir 1 1/2 tasse (375 mL) de riz cuit (le meilleur à utiliser est le riz à grains longs). Mélanger le riz cuit, l'agneau ou le boeuf haché, les noix de votre choix, les raisins, le sel et le poivre. Ajouter l'oeuf battu. Mélanger et façonner en boulettes.

Mettre une feuille de vigne sur une planche, la nervure sur le dessus. Placer une boulette de viande au centre de la feuille. Replier les pointes des côtés de la feuille vers le centre pour couvrir le remplissage. Rouler, en partant du bout de la tige. Replier les pointes du dessus, comme le rabat d'une enveloppe.

Disposer les feuilles farcies, le côté de l'ouverture au fond (pour éviter que la feuille ne se déroule à la cuisson), dans un grand poêlon. Ajouter l'huile d'olive, le jus et le zeste de citron et assez d'eau pour recouvrir les feuilles à moitié. Mijoter lentement, à couvert, de 15 à 18 minutes, en les retournant une fois avec soin durant la cuisson.

Mettre plusieurs épaisseurs de papier absorbant sur un plateau. Lorsque les feuilles sont cuites, les retirer avec soin de l'eau à l'aide d'une écumoire et les déposer sur le papier. Couvrir et faire refroidir.

Les servir froides avec un peu de l'eau de cuisson et un bol de yaourt, mélangé avec beaucoup de persil frais et un soupçon de thym frais, non pas séché, et des quartiers de citron. Servir chaudes avec la sauce *avgolemono*.

Donne 6 portions.

Sauce avgolemono

2 oeufs
Le jus d'un demi-citron
L'eau de cuisson des dolmathes

Battre les oeufs légèrement, ajouter le jus de citron et battre durant 1 minute, en ajoutant graduellement quelques cuillerées du jus de cuisson chaud.

Mettre les feuilles cuites sur un plateau et recouvrir de la sauce. Servir avec du pain grec.

Donne 6 portions.

Remarque: Deux intéressantes variantes au remplissage de riz et viande:

— ajouter 1 c. à café (5 mL) de catsup aux tomates et 1 c. à café (5 mL) de glace pilée;

— ajouter 1 c. à soupe (15 mL) de *ouzo* ou de brandy.

Légumes à la grecque

Chaque personne qui fait la cuisine en Grèce a son mélange personnel de légumes et souvent l'assaisonnement diffère. Les légumes sont dits "à la grecque" lorsqu'ils sont cuits dans un liquide où l'huile et le jus de citron sont les ingrédients de base. Les légumes varient selon la saison. Choisissez de belles combinaisons de couleurs et faites-en beaucoup — ils vont disparaître comme par enchantement. Servez-les refroidis comme ils le font en Grèce, avec des serviettes de papier en quantité et des pics de bois, accompagnés de bâtonnets de pain noir beurrés, ou avec une viande froide.

2 tasses (500 mL) d'eau
1 tasse (250 mL) d'huile végétale
1 c. à café (5 mL) de sel
1/4 de c. à café (1 mL) de poivre
1/4 de c. à café (1 mL) de cumin
1/2 c. à café (2 mL) de thym
10 graines de coriandre
Le jus de 1 ou 2 citrons
1 tasse (250 mL) de bâtonnets de céleri
2 tasses (500 mL) de petits champignons
1 tasse (250 mL) de bâtonnets de carotte
1 piment vert, taillé en bâtonnets
12 petits oignons entiers

Amener à ébullition les 7 premiers ingrédients dans une grande casserole. Laisser mijoter 5 minutes à feu doux. Ajouter le jus de citron et les légumes et faire mijoter à feu moyen de 10 à 15 minutes. Éviter de trop cuire. Verser dans un bol, couvrir et réfrigérer 12 heures au moins.

Pour servir, bien égoutter, mais garder le liquide qui peut servir à la cuisson d'un autre 2 lb (1 kg) de légumes.

Donne de 4 à 6 portions.

Pain grec

De tous les pains croûtés, celui-ci est le plus facile à faire et il peut être conservé deux à trois mois au congélateur. Sans le faire dégeler, le mettre au four à 375°F (190°C) de 20 à 30 minutes ou jusqu'à ce qu'il soit chaud et croustillant.

> *1 paquet de levure sèche active*
> *2 tasses (500 mL) d'eau tiède*
> *1 c. à soupe (15 mL) de miel*
> *1 c. à soupe (15 mL) de sel*
> *1 c. à soupe (15 mL) d'huile végétale*
> *4 1/2 à 5 tasses (1,1 à 1,2 L) de farine tout-usage ou*
> *une égale quantité de farine tout-usage*
> *et de farine de blé entier*
> *1 blanc d'oeuf*
> *Graines de sésame*

Verser la levure et le miel dans l'eau. Couvrir et laisser reposer 10 minutes. Ajouter alors l'huile et le sel, brasser et verser dans un grand bol. Ajouter la farine graduellement, en mélangeant bien à chaque addition (la pâte doit être plutôt ferme). La pétrir sur une planche légèrement enfarinée pendant 5 minutes. La mettre dans un bol graissé et recouvrir d'un linge. Laisser lever dans un endroit chaud. Après 1 1/2 heure à 2 heures la pâte devrait être légère et avoir doublé de volume.

Dégonfler la pâte, la renverser sur une surface légèrement enfarinée, la pétrir quelques secondes et la façonner en deux pains ronds. Les placer sur une tôle à cuisson graissée, couvrir et laisser lever encore une fois jusqu'à ce que la pâte soit légère et ait presque doublé de volume, de 1 à 1 1/2 heure.

Brosser généreusement avec le blanc d'oeuf légèrement battu. Avec une lame de rasoir, faire des incisions en forme de croix sur le dessus des pains. Saupoudrer copieusement de graines de sésame. Faire cuire au four à 400°F (200°C) pendant 30 minutes, réduire ensuite la chaleur à 350°F (180°C) et faire cuire de 20 à 30 minutes de plus, ou jusqu'à ce que les pains soient d'un beau doré.

Mettre au fond du four un plat peu profond d'eau bouillante pendant la cuisson du pain, pour obtenir un pain grec croustillant typique.

Donne 2 gros pains.

Gourmandises râpées, glacées et à la cuillère

Baklava

Cette fine pâtisserie grecque renommée partout dans le monde, avec ses nombreux rangs de pâte *phyllo* feuilletée remplis de noix, de miel et d'épices, est formidable. N'essayez pas de faire la *phyllo* — c'est très difficile et il faut une longue expérience. On l'achète à la livre dans les pâtisseries spécialisées en pains et gâteaux grecs. Avec la *phyllo*, il est facile de faire la *baklava* qui est meilleure deux ou trois jours après la cuisson.

1 tasse (250 mL) de noisettes
1 lb (500 g) de noix
1/2 tasse (125 mL) de sucre
1 c. à café (5 mL) de quatre-épices
1 c. à café (5 mL) de cannelle
1 lb (500 g) de phyllo
2 tasses (500 mL) de beurre fondu

Mettre les noisettes sur une plaque de cuisson et les faire dorer de 10 à 15 minutes au four à 350°F (180°C). Laisser tiédir. Hacher les noisettes et les noix et ajouter le sucre, le quatre-épices et la cannelle. Mettre de côté.

Faire fondre le beurre à feu doux. Badigeonner un moule de 9 x 13 x 2 po (22,5 x 32,5 x 5 cm) avec un peu du beurre.

Dérouler la *phyllo*, prendre une feuille avec soin, l'ajuster dans le moule et badigeonner de beurre fondu. Répéter ce procédé avec 4 feuilles de *phyllo*. Si une feuille se brise, simplement la remettre ensemble. Recouvrir de la moitié du mélange de noix et ajuster dans le moule 6 autres rangs de *phyllo* en beurrant chacun copieusement. Couvrir du reste du mélange des noix et ajuster 6 autres rangs de *phyllo*, toujours bien beurrés.

Avec les doigts, replier en dessous les côtés inégaux de la pâte. Faire des incisions dans les rangs supérieurs de la *baklava* (pour laisser échapper la vapeur), en faisant des bandes de 1 1/2 po (4 cm) avec un couteau tranchant et tailler ensuite en diagonale, en forme de losange.

Faire cuire au four préchauffé à 300°F (150°C) 1 heure, ou jusqu'à ce que la pâtisserie soit dorée et toute gonflée. Durant la cuisson, préparer la glace.

Glace au miel

1/2 tasse (125 mL) de sucre
2 tasses (500 mL) d'eau
2 tasses (500 mL) de miel
2 c. à café (10 mL) de vanille
1/4 de c. à café (1 mL) d'eau de rose

Faire bouillir ensemble le sucre et l'eau jusqu'à ce que le sucre soit dissous. Ajouter le miel et faire cuire à feu doux jusqu'à l'obtention d'un sirop. Ajouter la vanille et l'eau de rose et verser la glace chaude sur la *baklava* cuite. Laisser refroidir de 5 à 6 heures avant de servir.

Donne de 10 à 12 portions.

Ghlyka doutaliou (gourmandises à la cuillère)

Au cours de ma tournée d'étudiante en Grèce, je fus accueillie par ces paroles: "J'espère que mes *Ghlyka xon kontalou* sauront vous plaire", ce qui est une formule d'accueil et un signe d'hospitalité. Un choix de deux ou trois savoureux fruits confits très sucrées sont présentées sur un attrayant plateau, avec autant de petites cuillères d'argent qu'il y a d'invités. Un autre plateau porte des verres d'eau glacée et de petits verres à liqueur remplis d'*ouzo*.

Vous prenez d'abord une cuillerée de fruit confits, puis vous buvez un verre d'eau et un d'ouzo, en souhaitant bonne chance à votre hôte. Vous mettez ensuite votre cuillère dans le verre d'eau vide pour indiquer que vous avez fini.

Kataifi (gâteaux aux noix et au blé filamenté)

Il n'est pas facile de trouver le *kataifi* frais, alors j'ai réussi à en faire un bon avec de la céréale de blé filamenté. C'est une préparation facile; le seul inconvenient est qu'on a tendance à trop en manger.

Remplissage aux noix

12 rouleaux de blé filamenté*
1 1/4 tasse (325 mL) de noix hachées
1/4 de tasse (60 mL) de sucre
1 c. à café (5 mL) de cannelle
1/2 tasse (250 mL) de beurre doux, fondu
1/2 tasse (250 mL) de lait chaud

Tremper chaque rouleau de blé filamenté dans un bol d'eau chaude pour l'amollir, puis disposer 6 rouleaux les uns à côté des autres dans un moule à cuisson beurré.

---

* Si du *kataifi* frais est utilisé, il en faudra 1 lb (500 g). En étendre la moitié dans un plat beurré, recouvrir du remplissage aux noix, couvrir de l'autre moitié. Badigeonner le dessus de beurre fondu — ne pas utiliser de lait. Faire cuire tel qu'indiqué ci-dessus. Verser le sirop chaud sur le tout lorsque c'est cuit, puis refroidir tel que ci-dessus.

Mélanger les noix hachées, le sucre et la cannelle. Saupoudrer sur les rouleaux de blé filamenté. Arroser de la moitié du beurre fondu et recouvrir des rouleaux qui restent (qui auront aussi été trempés dans l'eau chaude). Verser dessus le lait chaud et le reste du beurre fondu.

Faire cuire au four préchauffé à 350°F (180°C) 40 minutes, ou jusqu'à ce que ce soit bien doré sur le dessus. Préparer le sirop durant la cuisson.

Le sirop

1 tasse (250 mL) de miel
1/2 tasse (125 mL) de sucre
2 tasses (500 mL) d'eau
Morceaux de pelure d'orange ou de citron
1 c. à café (5 mL) d'essence de vanille ou
de fleur d'oranger

Faire bouillir pendant 3 minutes le miel, le sucre, l'eau, la pelure d'orange ou de citron. Ajouter ensuite l'essence de vanille ou de fleur d'oranger. Verser le sirop chaud sur le *kataifi* aussitôt cuit. Mettre un linge sur le moule et couvrir d'un autre moule renversé. Laisser refroidir. Couper en carrés et servir.

Donne 6 portions.

Les Antilles

À la seule mention des Antilles surgissent à l'esprit des visions de plages sablonneuses baignées de fortes vagues, des évocations de douce musique de guitare, de soleil resplendissant et de fleurs à profusion. Néanmoins, l'enchantement de ces îles ne provient pas uniquement des coloris, de la musique ou du romanesque.

Il est établi depuis longtemps que la géographie a une énorme influence sur la cuisine d'un pays et dans les Antilles, les coutumes de la table proviennent directement de la chaleur du climat et de la richesse du sol.

Voilà pourquoi les Antillais sont passés maîtres dans l'art de la cuisine et de la combinaison des fruits: les plantains (de la famille des bananes, mais plus gros et moins sucrés), par exemple, sont utilisés dans bien des plats, depuis les ragoûts jusqu'aux desserts.

Un autre point intéressant qui me frappe toujours lorsque je visite les Antilles est que la cuisine du pays est aussi influencée par celle du pays colonisateur. Au fait, il est difficile d'établir avec certitude ce qu'est la cuisine typique des Antilles. Par exemple, en Haïti, en Guadeloupe et à la Martinique, l'influence de la cuisine française se fait sentir, tandis qu'aux Barbades, la cuisine est très britannique, et d'autres îles portent une empreinte hollandaise. Mais en tous lieux se retrouvent de magnifiques poissons, mollusques et crustacés frais et des fruits succulents.

Ce que l'on constate, c'est que la cuisine des Antilles diffère de la nôtre, non pas tellement du point de vue des méthodes de cuisson, mais dans les assaisonnements. Avec la connaissance de ces derniers, il est possible de préparer un véritable dîner "des Îles".

La saveur des Antilles

Les assaisonnements

Sofrito: une combinaison d'ingrédients utilisés comme assaisonnement, qui donne aux mets la saveur particulière de la cuisine des Antilles.

Lard achiote: un lard rouge-doré de préparation facile lorsque vous avez les graines d'*achiote* ou d'*annato*. Le paprika peut être substitué aux graines d'annato, mais la saveur n'aura pas cet aspect particulier. À l'occasion, on peut trouver ces graines dans des boutiques d'aliments portoricains ou mexicains. Les boutiques d'aliments de l'Inde vendent parfois de l'annato (voir la recette en page 283);

Lime (jus et zeste) — le citron peut remplacer la lime, mais la saveur est moins délicate.

Cilantro (coriandre fraîche) — disponible dans les marchés italiens ou grecs ou bien, cultivez-le dans votre jardin durant l'été. Peut être remplacé par du persil frais, bien que la saveur soit très différente.

Petits piments doux rouges ou verts; petits piments forts; poivre noir frais moulu ou en grains écrasés; cannelle, moulue ou en bâtons; clous de girofle, moulus; gingembre frais, disponible dans les boutiques d'aliments orientaux; ail; oignons; origan.

Poisson: calepeone — le remplacer par le saumon

Conque — la remplacer par le homard

Poisson volant — le remplacer par la perche

Thon — il est relativement facile de l'acheter frais

Crabe, crevettes, homard, maquereau — tous disponibles.

Caldero: un chaudron de fer profond, pour faire mijoter les aliments. L'authentique *caldero* a le fond rond et les parois droites. Une casserole de fonte émaillée peut être utilisée avec succès.

Fruits tropicaux: très disponibles — bananes, ananas, oranges, pamplemousses, citrons, limes, noix de coco, nectarines, grenades.

Difficilement disponibles et coûteux — mangues, papayes (pawpaw), plaquemines, abricots frais, *fruit ugli*, kiwi, groseilles, kumquats.

Le guide des fruits rares

Kumquats — En saison, de novembre à février, ce sont de petits fruits qui ressemblent à une orange, de forme semblable à la noix pacane. Ils se conservent au réfrigérateur. Pour les servir, les laver et les trancher, les aromatiser avec du sucre à fruits et du rhum ou du sherry, pour des salades ou des coupes de fruits. Ils sont également délicieux avec de la crème glacée ou le gâteau éponge.

Mangues — En saison de mai à septembre, leur poids varie de quelques onces à une livre (60 à 500 g). De couleur rouge ou jaune, elles ont une chair molle et juteuse. Pour les conserver, les envelopper de papier ciré et les réfrigérer. Pour les manger, tailler une large bande d'un côté dans la peau avec un couteau tranchant, écarter la peau et manger avec une cuillère. Répéter le procédé de l'autre côté. Comme dessert, elles sont très bonnes tranchées et saupoudrées de sucre à fruits, arrosées de rhum ou d'eau de fleur d'oranger. Elles sont aussi savoureuses pelées, tranchées, sucrées et servies avec de la crème glacée ou dans un nid de crème fouettée. Pour faire du chutney, utiliser des mangues vertes.

Nectarines — Elles ressemblent aux pêches, mais elles ont une peau lisse; en saison de juin à août. La peau est d'un blanc verdâtre avec une légère rougeur. Elles se mangent et s'utilisent comme des pêches.

Plaquemines — Elles peuvent être de bien des couleurs, suivant la variété et le degré de maturité, jaune, orange foncé, pourpre. Elles ont la forme de petites tomates, mais pointues en dessous.

Il faut les manger bien mûres, enlever une mince tranche sur le dessus et manger la chair avec une cuillère, ou y mélanger quelques gouttes de vinaigrette française ou quelques sections de pample-mousse. Elles peuvent aussi être pelées, tranchées et mangées avec du sucre et de la crème comme des pêches; également délicieuses avec de la crème glacée et je les adore avec du pain français grillé et du fromage à la crème.

Kiwis ou groseilles chinoises — Fruit d'un arbuste grimpant originaire de Chine et maintenant cultivé pour le commerce en Nouvelle-Zélande et en Floride. (Je préfère le type de Nouvelle-Zélande.) Il tire son nom de l'oiseau de Nouvelle-Zélande, le kiwi, qui ne vole pas; le fruit est de 2 à 3 po (5 à 7,5 cm) de long et d'en-viron 3/4 de po (2 cm) de diamètre. Sa pelure crêpelue est d'un brun pâle, la pulpe sucrée et juteuse est vert pâle avec une ligne beige au centre, remplie de petites graines noires. La saveur et la texture rappellent un peu le melon Honeydew, néanmoins, elle est distincte.

Tout se mange sauf la pelure. Le kiwi de Nouvelle-Zélande est disponible de mai à juillet. J'en achète généralement deux ou trois caisses et j'en garde toujours pour Noël; le kiwi est riche en vita-mine C, alors il se conserve longtemps au réfrigérateur. Pour le servir en salade, le peler, puis le couper en deux ou en tranches. Pour l'aromatiser, saupoudrer chaque moitié de gingembre frais mélangé à du jus de lime frais.

Papayes (parfois appelées melons d'arbre) — Elles furent dé-couvertes à l'état sauvage en Floride vers 1780; elles étaient culti-vées par les Indiens aztèques et les Mayas bien longtemps auparavant. Les papayes "Solo" de Hawaï sont grosses et très savou-reuses. C'est un de mes fruits préférés, d'une forte teneur en vitamine C et plein d'enzymes qui aident à la digestion. Simple-ment couper le fruit pelé en deux et retirer les graines noires du centre (on dirait des perles noires). Le servir nature, avec des quar-tiers de lime ou avec un peu de gingembre frais râpé et du jus de citron.

Grenades — Elles sont d'un rouge vif avec une pelure coriace. Plus la pelure est ferme, meilleur est le fruit car la chair autour des graines sera à point et le jus abondant. Avec le jus rougeâtre on fait un sirop de grenadine ou une gelée délicieuse. Les graines charnues peuvent être ajoutées à une salade ou une compote pour lui donner du piquant. Pour manger le fruit, le couper en deux et simplement retirer la chair et le jus avec une cuillère. Mais attention, le jus tache. Le jus peut être extrait en pressant chaque moitié comme une orange.

Noix de coco — Lorsqu'un insulaire achète une noix de coco, il la secoue pour s'assurer qu'elle est pleine de liquide. Plus il y en a, plus la noix de coco est fraîche.

Pour ouvrir une noix de coco, je procède de la façon que m'a enseignée ma grand-mère, la vraie façon des Îles. D'abord, il faut percer deux des yeux du dessus en y enfonçant un pic à glace ou autre outil pointu, à coups de marteau. Le liquide est recueilli dans une tasse. Il faut ensuite marteler toute la surface de l'écorce; elle devrait alors se retirer facilement de la chair. La peau brune sur la noix de coco s'enlève bien avec un petit couteau tranchant. Pour servir en dessert, mettre les morceaux aussitôt pelés dans un bol d'eau froide et les conserver au réfrigérateur, ou encore râper les morceaux. Les couteaux d'acier d'un combiné ménager font le travail rapidement et efficacement.

La manière d'obtenir le lait de coco: La noix de coco est un ingrédient très important dans la cuisine des Antilles. Il n'est pas nécessaire d'enlever la peau brune, simplement couper la chair en morceaux d'un pouce (2,5 cm). Les mettre dans la jarre du mélangeur (que je préfère au combiné ménager parce qu'on obtient plus de lait) avec une égale quantité d'eau chaude*, (non pas bouillante). Couvrir et mélanger à grande vitesse durant une minute. Arrêter et gratter les parois de la jarre. Couvrir et mélanger une autre minute, ou jusqu'à ce que la noix de coco ressemble à une purée lisse.

Mettre un linge humide plié en deux dans le fond d'une passoire au-dessus d'un bol. Y verser le lait de coco, en pressant fortement sur la noix de coco pour en extraire le plus de liquide possible. Puis ramasser le linge comme un sac et le tordre pour en extraire

---

* Pour un lait de coco plus riche, utiliser 1 tasse (250 mL) de lait tiède ou de crème riche pour remplacer l'eau.

tout le reste du liquide. Disposer de la pulpe (je la donne à mes poules, comme j'ai vu les femmes de la Guadaloupe le faire). Une tasse d'eau devrait donner 1 tasse (250 mL) de lait de coco.

Sofrito des Antilles

On peut l'utiliser non seulement dans les plats tropicaux, mais aussi dans nos ragoûts préférés, dans le pot-au-feu et les fèves au lard. Trois cuillerées (50 mL) ajoutées à une recette pour quatre à six personnes font généralement un bon assaisonnement.

1 lb (500 g) de lard salé gras
1/4 de lb (125 g) de graines d'"achiote" ou
  1/3 de tasse (80 mL) de paprika ou
  1/2 c. à café (2 mL) de safran
1 lb (500 g) de jambon cru
1 lb (500 g) de piments verts
4 gros oignons, coupés en 4
6 gousses d'ail
2 c. à soupe (30 mL) de poudre de chili
1 c. à soupe (15 mL) d'origan
15 tiges de cilantro (persil italien) ou
  de cerfeuil, haché fin

Couper le lard salé en carrés de 1 po (2,5 cm) et faire fondre à feu moyen de 30 à 60 minutes, jusqu'à ce que les lardons soient bien dorés. Égoutter le gras de la casserole.

Laver et égoutter les graines d'"achiote" et les ajouter au gras fondu, ou ajouter le paprika ou le safran. Mijoter 10 minutes à feu doux, brasser quelques fois. Égoutter les graines s'il y a lieu.

Passer au hachoir ou mettre en purée dans un robot culinaire le jambon, les piments verts, les oignons et l'ail. Les ajouter au gras. Mélanger et ajouter le reste des ingrédients. Couvrir et mijoter à feu doux 30 minutes, en remuant quelques fois. Laisser tiédir, puis verser dans un bocal de verre, couvrir et réfrigérer. Bien couvert, le sofrito se conservera de 4 à 6 semaines au réfrigérateur. Pour le congeler, le diviser en petites portions pour faciliter l'utilisation.

Donne 4 tasses (1 L).

Lard "achiote" ou lard rouge doré

La préparation du lard "achiote" est plus rapide que celle du *sofrito*, mais sa saveur est moins raffinée.

1 lb (500 g) de lard pur
1 tasse (250 mL) de graines d'"achiote" ou
1/2 tasse (125 mL) de paprika doux

Faire fondre le lard. Laver les graines et les égoutter. Les ajouter au lard ou ajouter le paprika. Mijoter 15 minutes à feu doux, en brassant quelques fois. Égoutter, si les graines d'"achiote" ont été utilisées. Laisser tiédir et conserver comme le *sofrito* (recette en page 282).

Donne 1 1/2 tasse (375 mL).

Sauce Tabasco maison

J'ai souvent été intriguée par le goût poivré avec de "petit quelque chose inusité" de certains plats antillais, jusqu'au moment où un médecin français qui habitait la Guadeloupe m'a donné sa recette qu'il qualifiait de "secrète". J'ai appris plus tard que c'était un secret de polichinelle. Si vous aimez la sauce Tabasco avec une saveur additionnelle, je vous recommande d'essayer cette recette. C'est délicieux dans le jus de tomate et le "Bloody Mary".

1 tasse (250 mL) de whisky anglais ou irlandais
2 oz (60 g) de petits piments rouges séchés

Mettre les ingrédients dans une bouteille et bien agiter une fois par semaine durant six semaines. Puis utiliser avec retenue jusqu'à ce que vous sachiez quelle quantité vous préférez pour chaque usage.

Une autre chose que j'ai apprise du "bon docteur", comme on l'appelait, c'est d'en verser une cuillerée à café (5 mL) sur un rosbif en le sortant du four. Le rôti et la sauce y gagnent quelque chose.

Donne 1 tasse (250 mL).

Mon petit déjeuner antillais

Le petit déjeuner en Guadeloupe est une expérience mémorable. La coutume veut que, dans les Antilles, un choix de fruits tropicaux soit offert au petit déjeuner. Et moi, je préfère les fruits pour ce repas, c'est donc une coutume qui m'enchante.

La table de fruits de la Guadeloupe est la plus belle et la plus somptueuse que l'on puisse jamais voir. Chaque fruit était présenté sur une feuille, prêt à manger: une demi-papaye, des quartiers d'ananas juteux, des paniers de kiwis, des bols de clémentines en quartiers, des bananes de toutes sortes et de toutes dimensions, des petits cantaloups mûris au soleil, coupés en deux, garnis de limes pour en presser le jus sur le dessus. Le tout à la température ambiante, comme il se doit pour les fruits tropicaux, et tous mûris à point.

Quelles délices! On en oubliait même le café; l'ananas juteux et la douce chaleur du soleil semblait nous communiquer une joie de vivre et nous mettre bien en éveil!

Confiture banane-orange

Voici un autre souvenir attachant de la Guadeloupe. Chaque repas était un régal — le petit déjeuner, délice de fruits frais ou de brioches chaudes accompagnées de cette confiture. Au moment de quitter l'hôtel La Caravelle, le chef, originaire des Îles, me présenta la recette de sa fameuse confiture.

3 oranges
6 bananes moyennes, tranchées mince
2 tasses (500 mL) de sucre

Râper le zeste d'orange. Extraire le jus des oranges et le passer. Mettre dans une grande casserole de fonte émaillée le jus, le zeste et les bananes. Brasser, verser le sucre sur le tout, couvrir et laisser reposer 1 heure.

Amener le mélange à ébullition très lentement; cela prendra environ 1 heure. Brasser alors et faire bouillir jusqu'au degré de cuisson pour la gelée, selon le test, ce qui pourrait prendre de 10 à 18 minutes. Embouteiller, couvrir et laisser reposer au réfrigérateur de 3 à 4 semaines avant d'utiliser.

Donne 2 tasses (500 mL)

Deux soupes spéciales

Crème de fruits de mer

Cette soupe nous a été servie à notre premier dîner à l'hôtel La Caravelle à la Guadeloupe. Elle était si bonne que je me suis promise d'en rapporter la recette, mais le chef ne voulait pas laisser échapper le secret de sa création. Néanmoins, un jour que nous visitions une plantation de bananes, on nous offrit le déjeuner, à mon mari et à moi, dans un petit restaurant au centre de la plantation. Je n'étais pas tout à fait rassurée par l'entourage, mais à ma stupéfaction, on nous servit cette formidable crème de fruits de mer, une spécialité créole connue de tous les insulaires.

Pleine d'entrain et d'amitié, la cuisinière, que l'on appelait "Maria-Maria", me donna la recette.

2 c. à soupe (30 mL) de beurre doux
3 c. à soupe (50 mL) de farine
2 tasses (500 mL) de jus de palourde en bouteille
1 tasse (250 mL) de vin blanc sec ou doux ou de
*   bouillon de poulet*
2 tasses (500 mL) de crème légère ou de lait
Sel et poivre
1/8 de c. à café (0,5 mL) de toute-épice
1 lb (500 g) de crevettes non cuites ou de
*   homard non cuit*
1/4 de tasse (60 mL) de sherry sec
Le zeste râpé et le jus d'une lime

Faire fondre le beurre dans une casserole, ajouter la farine et brasser à feu moyen jusqu'à l'obtention d'une couleur noisette. Ajouter le jus de palourde et le vin ou le bouillon de poulet, amener à ébullition, en remuant sans cesse, jusqu'à épaississement de la sauce. Ajouter la crème ou le lait, le sel, le poivre et le quatre-épices. Mijoter de 5 à 8 minutes.

Nettoyer les crevettes ou le homard et tailler la chair en dés (il est essentiel d'utiliser des fruits de mer non cuits). Les ajouter à la soupe chaude. Faire mijoter 3 minutes et ajouter le reste des ingrédients. Laisser mijoter 2 minutes de plus.

Donne 6 portions.

Soupe au poulet et au riz

La *Saucochi di gallinja*, comme celle de la Marie-Galante (une île que l'on atteint par avion ou en bateau de la Martinique), ne ressemble guère à ce que nous appelons la soupe au poulet. Elle compte au nombre de ses ingrédients une pomme de terre, de la citrouille et de la lime fraîche.

> *2 c. à soupe (30 mL) de riz à grains longs*
> *1/2 tasse (125 mL) d'eau froide*
> *4 tasses (1 L) d'eau chaude*
> *2 cuisses de poulet ou 6 ailes*
> *2 tasses (500 mL) de citrouille en dés*
> *1 gros oignon, en dés*
> *1 pomme de terre, pelée et râpée*
> *Le jus et le zeste râpé d'une lime*
> *2 c. à café (10 mL) de sel*
> *1 c. à café (5 mL) de poivre frais moulu*

Faire tremper le riz dans l'eau froide 30 minutes. Dans l'intervalle, mélanger le reste des ingrédients dans une casserole et amener le tout à forte ébullition. Couvrir et laisser mijoter ensuite 40 minutes à feu doux.

Égoutter le riz et l'ajouter à la soupe. Couvrir et laisser mijoter 20 minutes de plus.

Donne 6 portions.

Le meilleur des Îles:
les plats de résistance

Bifteck des Antilles

Cette intéressante garniture pour le bifteck est utilisée dans presque toutes les îles des Antilles. Elle peut être conservée une semaine au réfrigérateur. Elle s'utilise sur tout bifteck.

3 c. à soupe (50 mL) de rhum
2 oignons verts, hachés fin
1/3 de tasse (80 mL) de beurre ramolli
Le jus d'une lime ou d'un demi-citron
2 c. à soupe (30 mL) de persil ou cilantro,
*   finement haché*
1/2 c. à café (2 mL) de poivre frais moulu
1 c. à café (5 mL) de sel

Verser le rhum dans une casserole, ajouter les oignons verts et mijoter à feu moyen pour le réduire des deux tiers. Le laisser tiédir, puis y ajouter le beurre, le jus de lime ou de citron et le persil en brassant. Saler et poivrer. Battre pour bien mélanger. Couvrir et réfrigérer.

Mettre sur chaque portion de bifteck cuit 1/2 à 1 c. à café (2 à 5 mL) de beurre au rhum froid.

Donne de 6 à 8 portions.

Flétan grillé de la Martinique

Tout poisson blanc à chair ferme peut remplacer le flétan, même un petit poisson entier comme le bar ou le vivanneau (*red snapper*).

4 à 6 darnes de flétan de 1 po (2,5 cm) d'épaisseur
1/2 c. à café (2 mL) de sel

1/4 de c. à café (1 mL) de poivre frais moulu
1 c. à café (5 mL) de cumin moulu
1/2 c. à café (2 mL) de paprika
Une pincée de fenouil moulu
1/3 de tasse (80 mL) de beurre
1/3 de tasse (80 mL) de vermouth blanc
1/3 de tasse (80 mL) de fromage suisse râpé
*   et autant de miettes de biscuits soda*

Mélanger le sel, le poivre, le cumin, le paprika et le fenouil. Faire chauffer ensemble le beurre et le vermouth jusqu'à ce que le beurre soit fondu.

Rouler chaque darne d'abord dans le mélange de beurre, puis dans les épices. Mettre sur la grille du gril à 2 po (5 cm) de la source de chaleur et faire cuire 20 minutes, sans retourner, et badigeonner deux fois avec le mélange beurre-vin.

Mélanger le fromage et les miettes de biscuits et en saupoudrer chaque darne. Faire griller 1 minute pour dorer légèrement. Accompagner d'un bol de quartiers de citron et de lime.

Donne de 4 à 6 portions.

Petites côtes Ste-Croix

Ste-Croix est la plus grande et la plus sophistiquée des Îles Vierges.

Je coupe ces côtes en carrés d'un pouce (2,5 cm) et je les sers comme hors-d'oeuvre à l'heure du cocktail. Elles se conservent chaudes très aisément, dans le haut d'un bain-marie.

3 c. à soupe (50 mL) de sauce soja
3 c. à soupe (50 mL) de miel (du type foncé,
*   au sarrazin, de préférence)*
4 c. à soupe (60 mL) de rhum
1 c. à soupe (15 mL) de vinaigre de cidre
2 c. à café (10 mL) de cassonade foncée
3 c. à soupe (50 mL) de gingembre frais, râpé
1/3 de tasse (80 mL) de consommé de boeuf, non dilué

1 gousse d'ail, écrasée
2 à 3 lb (1 à 1 1/2 kg) de petites côtes, entières
    ou taillées

Mélanger tous les ingrédients, sauf les petites côtes, et verser le mélange sur celles-ci. Couvrir et laisser reposer de 2 à 4 heures, en les retournant de 5 à 6 fois.

Mettre les petites côtes sur une claie au-dessus d'une plaque de cuisson. Faire cuire au four préchauffé à 350°F (180°C) pendant 1 heure à 1 1/2 heure. Toutes les vingt minutes, enlever le gras (placer la claie sur un plateau et verser le gras dans un bol), puis badigeonner les côtes avec la marinade. Lorsque le gras aura été enlevé deux fois, badigeonner les côtes avec le reste de la marinade.

La cuisson terminée, couper en côtes individuelles si elles ont été laissé entières et les arroser du liquide accumulé sur la plaque.
Donne 6 portions.

Mayonnaise à la moutarde

C'est une autre spécialité de la Guadeloupe, servie avec tout légume cru. Pourquoi ne pas l'essayer aussi sur une salade de papaye pelée et tranchée sur des feuilles de laitue croustillante ou dans un nid de cresson. Magnifique.

1 tasse (250 mL) de vraie mayonnaise
1/2 tasse (125 mL) de moutarde de Dijon
1 c. à café (5 mL) de moutarde sèche
1 pimento rouge, haché fin
2 c. à soupe (30 mL) de persil émincé
2 oeufs cuits dur, hachés fin
Le jus et le zeste de 1 citron ou 2 limes

Mettre tous les ingrédients dans un bol et battre avec un fouet pour obtenir un mélange homogène ou mélanger dans un combiné ménager avec le couteau d'acier. Verser dans un bocal de verre et conserver au réfrigérateur. Excellente garniture pour le poisson, les tomates, les sandwiches au fromage, etc.
Donne 2 tasses (500 mL).

Desserts au rhum, café, fruits

Tarte créole au rhum

Voici une tarte meringuée inusitée; elle doit être réfrigérée de quatre à six heures avant d'être servie.

En Guadeloupe, vous pouvez boire un excellent rhum blanc qui porte le joli nom de "Coeur de Chaume". Il n'est pas facile à trouver, mais si vous avez un faible pour le rhum, il en vaut la peine.

4 à 5 blancs d'oeufs
1/4 de c. à café (1 mL) de crème de tartre
1 tasse (250 mL) de sucre
1 tasse (250 mL) de crème riche
1 c. à soupe (15 mL) de sucre à glacer
1/4 de tasse (60 mL) de rhum léger
Deux carrés de 1 oz (28 g) de chocolat amer

Employer pour faire la meringue un batteur électrique ou manuel.

Battre les blancs d'oeufs jusqu'à consistance mousseuse, ajouter la crème de tartre et bien mélanger; et ajouter le sucre, 2 c. à soupe (30 mL) à la fois; bien battre à chaque addition. Battre ensuite à grande vitesse jusqu'à ce que la meringue soit ferme et luisante et que des pointes se forment lorsque les batteurs sont retirés.

Graisser une assiette à tarte de 9 po (22,5 cm) avec de la graisse végétale ou de l'huile d'amande. Verser la meringue dans l'assiette, l'étendre sur le fond et les côtés, en laissant un creux au centre. Faire cuire au four préchauffé à 250°F (120°C) de 1 heure à 1 1/2 heure, ou jusqu'à ce qu'elle soit d'un beau doré. Éteindre le four, ouvrir la porte et laisser refroidir graduellement pendant 1 heure. Mettre la meringue sur un plat de service et laisser refroidir complètement — environ 30 minutes devraient suffire.

Fouetter la crème, ajouter 1 c. à soupe (15 mL) de sucre à glacer. Lorsqu'elle est ferme, y ajouter le rhum graduellement, 1 c. à café (5 mL) à la fois. Verser dans la meringue refroidie. Râper du chocolat sur le dessus. Réfrigérer de 6 à 8 heures.

Donne 6 portions.

Omelette tropicale

Voici une omelette facile pour le dessert. Je la prépare à la table dans un poêlon de céramique blanche. Le procédé plaît aux convives et l'omelette semble deux fois meilleure.

2 bananes
1/4 de tasse (60 mL) de rhum
1 c. à soupe (15 mL) de beurre
1 c. à soupe (15 mL) d'amandes blanchies, en filets
6 oeufs
1 c. à soupe (15 mL) de sucre
3 c. à soupe (15 mL) d'eau froide
1 c. à soupe (15 mL) de gelée de gadelles
    (groseilles) rouges

Faire tremper les tranches de bananes dans le rhum une heure avant la préparation de l'omelette. Faire fondre le beurre dans le poêlon et y faire dorer les amandes.

Battre les oeufs légèrement avec le sucre et l'eau froide. Verser sur les amandes et faire cuire comme toute omelette.

La cuisson terminée, mettre la gelée de gadelles au centre et replier l'omelette. Verser les bananes au rhum froides sur l'omelette.

Donne 6 portions.

Pouding glacé au café

Dans les Îles, le café noir fort est utilisé pour réussir ce dessert glacé. Il faut que le café utilisé soit un café fort, sinon noir. Le meilleur que j'ai goûté, je l'ai dégusté dans un petit café du musée Marie-Antoinette à la Martinique.

3 jaunes d'oeufs
3/4 de tasse (190 mL) de sucre
1 enveloppe de gélatine non aromatisée
1/2 tasse (125 mL) de rhum léger
4 c. à soupe (60 mL) de café instantané
ou de café noir à mouture fine
1 tasse (250 mL) de lait chaud
1 tasse (250 mL) de crème riche
1/3 de tasse (80 mL) de raisins secs, hachés fin

Battre ensemble les jaunes d'oeufs et le sucre pour obtenir un mélange léger et pâle.

Ramollir la gélatine dans le rhum. Dissoudre le café dans le lait chaud. Si on utilise du café à mouture fine, il ne se dissoudra pas, mais le résultat n'en souffrira pas. Ajouter la crème et faire cuire à feu doux, en brassant souvent, jusqu'à ce que le mélange soit léger et crémeux.

Ajouter le mélange gélatine-rhum au liquide chaud et remuer pour faire dissoudre la gélatine.

Battre les blancs d'oeufs en neige ferme avec une pincée de sel. Les incorporer à la crème chaude, puis y mélanger les raisins. Huiler un moule de votre choix avec de l'huile d'amande douce (que l'on peut trouver en pharmacie) et y verser le mélange. Couvrir et mettre au congélateur de 12 à 14 heures.

Donne 8 portions.

Gratin de bananes

Tous les insulaires utilisent les bananes à leur façon. Ce gratin est généralement servi comme légume avec le poulet frit ou le rôti de porc.

4 à 6 bananes vertes
1/4 de tasse (60 mL) de beurre
Sel et poivre, saupoudrés généreusement
1/8 de c. à café (0,5 mL) de muscade
1/2 tasse (125 mL) de chapelure fine
1/2 tasse (125 mL) de fromage suisse, râpé

Faire fondre le beurre dans un long plat à cuisson. Peler les bananes, les rouler dans le beurre et disposer les unes à côté des autres. (Les bananes peuvent aussi être coupées en deux, ce qui donne de petites portions.)

Saupoudrer de sel, de poivre et de muscade. Mélanger le fromage et la chapelure et en saupoudrer les bananes. Faire cuire au four préchauffé à 350°F (180°C) de 15 à 20 minutes. Servir chaud.

Donne de 4 à 8 portions.

Gelée de Nassau

C'est une gelée fraîche et de saveur un peu piquante; elle est très agréable quand on la garnit de tranches de mangue, de papaye ou de banane.

2 enveloppes de gélatine non aromatisée
2 tasses (500 mL) d'eau
2/3 de tasse (160 mL) de sucre
1/2 tasse (125 mL) de sherry, de rhum ou de
*   vin de votre choix*
1/3 de tasse (80 mL) de jus d'orange frais
3 c. à soupe (50 mL) de jus de lime ou de
*   citron*

Faire tremper la gélatine dans 1/2 tasse (125 mL) d'eau durant 5 minutes. Amener le reste de l'eau à ébullition. Y ajouter la gélatine trempée et le sucre et brasser jusqu'à dissolution. Retirer du feu. Ajouter le reste des ingrédients et brasser pour bien mélanger. Verser dans un moule humide de 1 pinte (1 L), de votre choix. Réfrigérer, couvert jusqu'au lendemain.

Pour servir, laisser dans le moule ou démouler.

Donne 6 portions.

Pouding à la noix de coco Les Saintes

Les îles Les Saintes sont, au dire de bien des gens, les plus belles des Antilles. Il est étonnant d'y rencontrer une importante population de pêcheurs bretons. Ce dessert est une de leurs spécialités.

1 tasse (250 mL) de raisins secs épépinés
1/4 de tasse (60 mL) de rhum
3 oeufs, battus légèrement
2 tasses (500 mL) de lait de coco ou de
   crème légère
1/2 tasse (125 mL) de sucre
1 tasse (250 mL) de noix de coco râpée
Muscade râpée

Verser le rhum sur les raisins et laisser macérer de 40 à 60 minutes.

Mélanger les oeufs, le lait de coco ou la crème et le sucre. Ajouter la noix de coco et les raisins trempés dans le rhum. Verser dans un plat à pouding beurré. Saupoudrer légèrement de muscade.

Faire cuire au four à 350°F (180°C), de 25 à 35 minutes, ou jusqu'à ce que la crème soit prise. Tiédir et réfrigérer de 6 à 8 heures. Servir froid.

Donne 4 portions.

Liqueur à l'orange

Cette excellente recette est connue de toutes les femmes en Martinique.

5 oranges, non pelées et dont les noyaux
   ne sont pas enlevés
4 tasses (1 L) d'alcool pur ou de vodka
1 lb (500 g) de sucre blanc
Un bâton de cannelle de 2 po (5 cm)

Faire 6 incisions avec la pointe d'un couteau dans chaque orange non pelée.

Verser l'alcool dans un bocal à grande embouchure, y ajouter les oranges, après les avoir pressées légèrement au-dessus de l'alcool.

Ajouter le sucre et le bâton de cannelle. Bien mélanger. Couvrir et mettre dans un endroit sombre pendant au moins 8 semaines. Agiter le bocal toutes les semaines. Puis, filtrer (un filtre à café fait très bien l'affaire), jeter les oranges après les avoir pressées une fois de plus au-dessus de l'alcool avant de le filtrer. Mettre en bouteille.

Donne 4 tasses (1 L).

Le Japon

J'ai fait mon premier voyage au Japon en 1977; ce que j'en ai ressenti fut formidable. Il y avait tout un monde de différence entre ce à quoi je m'attendais et ce que j'y ai trouvé. Le sens de la culture, de la tradition et de la vie courante des Japonais s'harmonisent naturellement et paisiblement chaque jour et pourraient servir d'exemple à un grand nombre. Ils ont une compréhension et un amour de la nature qu'il est difficile de raconter; c'est quelque chose qui se ressent dans tout ce que l'on voie.

En parlant de la cuisine japonaise, je préfère parler des "indispensables" plutôt que des ingrédients, car chaque détail de la production d'un plat vise à atteindre la perfection.

Au cours de mon premier repas au Japon, un dîner à Tokyo, j'ai entendu le mot *kisetsukau* employé dans la description d'un petit melon. On m'expliqua que cela signifiait "impression saisonnière", c'est-à-dire que le fruit avait été cueilli en pleine maturité. Le melon était *kisetsukau*, par conséquent, à son meilleur. Et il l'était! Voilà qui explique la qualité de tous les aliments et à quel point est appréciée leur consommation à leur apogée.

Dans tout le pays, j'ai vu des terrains travaillés avec soin, bien fertilisés et bien irrigués, produisant de magnifiques récoltes d'une variété considérable de légumes, disponibles frais durant toute l'année. J'ai vu aussi de grandes rizières où les gerbes de riz étaient disposées sur de longues tiges de bambou pour sécher au soleil.

J'ai également apprécié le fait que la plupart des restaurants au Japon se spécialisent dans quelques plats seulement, parfois même un seul. Je suis depuis longtemps persuadée que c'est la seule façon d'atteindre la perfection: la présentation d'un seul plat sous diverses formes, chacune à son meilleur.

La présentation des aliments, avec goût et élégance — jusque dans la couleur, la forme et la dimension des assiettes, ajoute une touche de grâce et de beauté. Et lorsque vous constatez que tout est coupé, tranché, taillé en dés et pelé, d'abord en vue de retenir la saveur maximale, puis de conserver au maximum la beauté des lignes et des couleurs, mon enthousiasme s'explique facilement. En d'autres mots, au Japon, il est aussi important de nourrir la vue que l'estomac.

Je me dois d'ajouter à ces quelques remarques que, durant mon séjour au Japon, j'étais l'invitée de Mashita Electric et que j'ai été traitée aux petits soins. Ce qui m'a enchantée, c'est que mon désir de manger une cuisine japonaise authentique fut respecté et qu'on m'a offert la meilleure. Il y avait tant à découvrir que je n'ai fait qu'en effleurer la surface.

La saveur japonaise

Shoyû: sauce de soja, l'assaisonnement fondamental japonais. La plupart des sauces de soja produites en Amérique sont plus fortes et plus épaisses; je préconise donc l'utilisation de la sauce de soja japonaise dans la préparation de mets japonais. On peut en trouver dans nombre de boutiques, même dans certains super-marchés.

Shôga: racines de gingembre frais qui peuvent être râpées ou tranchées et utilisées dans les soupes et les sauces ou avec la viande. N'utiliser que le gingembre frais.

Wasabi: raifort japonais, vert pâle et très fort. On peut s'en procurer en conserve. On peut sans inconvénient le remplacer par notre raifort beaucoup plus doux, et son usage est pour nous celui de la moutarde sèche. Délayer simplement un peu de la poudre dans de l'eau froide. Laisser reposer de 20 à 30 minutes avant usage.

Su: vinaigre japonais; il provient de la distillation du riz, avec une saveur et une légèreté distinctes de tous nos vinaigres. Le vinaigre japonais de premier choix se trouve dans les boutiques d'alimentation orientale. Il y en a du naturel et du sucré. J'en ai des deux (pour des usages différents); le non sucré est utilisé deux fois plus souvent.

S'il était introuvable, voici comment le remplacer: À une chopine (500 g) de vinaigre de cidre, ajouter 3 c. à soupe (50 mL) de sucre granulé fin. Bien agiter tous les jours durant une semaine.

Dashi (préparé): on peut aussi en trouver dans les boutiques d'alimentation orientale. Il est parfois étiqueté: *Soup-No-Moto*. Apprendre à faire le *dashi* est très important dans la cuisine japonaise.

Kombu: le varech ou les herbes marines séchées; c'est un des ingrédients des plus importants et des plus fondamentaux dans la préparation du bouillon pour la soupe (*dashi*).

Miso: purée de soja qui est utilisée dans presque tous les mets japonais. Ils en font même un genre de bonbon sucré. Le *shiro-miso*, ou le type blanc (beige pâle), est préféré par la plupart des non-Japonais. Il est salé et de saveur douce.

Goma: graines de sésame, crues ou grillées; elles s'emploient dans bien des plats. Généralement, on les fait dorer légèrement dans un poêlon, à feu moyen, jusqu'à ce qu'elles commencent à sauter, ce qu'elles ne manquent pas de faire! Ou bien quelques gouttes d'huile de sésame japonaise ajoutées à un plat lui confèrent une saveur particulière.

Matsutake: champignons de pin; ils sont recherchés et coûtent très cher; on ne les trouve au Japon qu'à l'automne. Ils ne poussent que dans les forêts de pins. On en trouve peu ici, mais on les remplace avec succès par des champignons frais ou des cêpes français en boîte.

Tofu: aliment très doux qui est presque comme une crème. C'est pour ainsi dire une protéine pure, obtenue par la cuisson et la mise en purée de graines de soja qui sont ensuite passées. On en trouve dans toutes les boutiques orientales. Lorsque le *tofu* est légèrement grillé des deux côtés, on l'appelle *yakidofu*.

Katsuobushi: la chair séchée et râpée de la bonite (un poisson), un autre indispensable pour le bouillon de base (*dashi*). S'achète d'une pièce, pour être râpé, ou déjà râpé et en paquet, ce qui est beaucoup plus commode.

Mirin: un *sake* doux, utilisé très souvent en cuisine, mais jamais bu. Il donne aux aliments japonais une de ses saveurs les plus distinctes. Un sherry sec et doux peut remplacer le *mirin*, mais on doit l'utiliser en quantité moindre.

Sake: vin de riz. J'ai goûté au *sake* pour la première fois en 1933, à une réception donnée par un jeune couple japonais à Toronto; c'est alors devenu ma boisson préférée. Lors de mon séjour au Japon, j'ai constaté que le *sake*, comme le vin français, variait selon les années et que chacune avait ses caractéristiques propres.

Gohan: le mot japonais pour désigner le riz veut dire: "aliment honorable"; c'est ce que j'appris à un déjeuner végétarien dans un temple bouddhiste Zen à Nara. Il semble que les jeunes préfèrent dire *raisu*, qui est l'équivalent phonétique du mot anglais "rice".

Il est important de bien cuire le riz, car c'est l'aliment principal du Japon, de même que le poisson. De fait, un cuisinier japonais est jugé d'après sa compétence à bouillir le riz. Comme notre riz est cultivé surtout en terrain sec, il absorbe plus d'eau que le riz asiatique, qui est cultivé dans des champs irrigués. Par conséquent, où 1 1/3 tasse (320 mL) d'eau est requise pour 1 tasse (250 mL) de riz asiatique, il faut 2 tasses (500 mL) d'eau pour notre riz.

Voici la manière japonaise de cuire le riz: Laver 1 tasse (250 mL) de riz à l'eau courante froide. Verser dans une passoire et le laisser égoutter et sécher durant 1 heure. Le mettre dans une casserole de métal épais avec 2 tasses (500 mL) d'eau froide. (J'utilise leur méthode avec les mesures d'eau pour notre riz.) Couvrir, amener à ébullition à feu vif, baisser le feu pour laisser mijoter 20 minutes pour le riz à grain long et 15 minutes pour le riz à grain court. Puis, sans découvrir, mettre à feu vif pendant 30 secondes. Retirer du feu, toujours sans découvrir.

Laisser reposer 10 minutes (c'est ce qui rend le riz plus léger). Il est alors prêt à être servi. Quantité: 3 tasses (750 mL) de riz cuit.

Shirataki: un genre de nouille fine, transparente, faite avec les racines d'un légume appelé "langue du diable" qui se transforme en amidon à la cuisson. C'est un ingrédient important du *sukiyaki*.

Menrui: il existe au Japon une grande variété de nouilles, mais elles ont toutes ces qualités communes: elles sont délicates et cuisent très rapidement. On en trouve généralement dans les boutiques d'aliments orientaux.

Soba: une nouille brune faite de farine de sarrazin; ma préférée.

Udon: une nouille blanche faite de farine de blé.

Sômen: une nouille très fine, faite aussi de farine de blé.

Soupes et bouillons

Dashi

Ce consommé est la base de presque tous les mets japonais, il est donc de première importance d'apprendre à le faire. Le bouillon de poulet peut remplacer le *dashi*, mais il y manque une certaine saveur.

6 tasses (1,5 L) d'eau
1/2 oz (14 g) d'herbe marine kombu
1/2 oz (14 g) de bonite séchée râpée (katsuobushi)

Amener l'eau à forte ébullition. Ajouter l'herbe marine *kombu*. Brasser de 2 à 3 minutes pour en dégager la saveur, puis la retirer avec une écumoire (la saveur serait trop prononcée si elle était laissée dans la soupe).

Ramener l'eau à forte ébullition et ajouter la bonite râpée. Ramener à ébullition et retirer vivement du feu. Laisser les morceaux de bonite se déposer au fond de la casserole; cela prend généralement de 2 à 3 minutes. Passer; le *dashi*, ou bouillon, est prêt à être utilisé.

Donne 6 tasses (1,5 L).

Bouillon de poulet japonais

Cette recette m'a été donnée au Japon et je l'utilise pour tous les genres de recettes qui demandent du bouillon de poulet, ou lorsque je désire remplacer le dashi.

1 lb (500 g) d'ailes de poulet
1 lb (500 g) d'os de poulet ou
2 lb (1 kg) d'ailes de poulet
2 oignons verts, coupés en 4, la partie verte
*   incluse*
Un morceau de racine de gingembre frais de
*   2 po (5 cm)*
2 c. à soupe (10 mL) de sel
8 tasses (2 L) d'eau

Mettre tous les ingrédients dans une casserole et amener à ébullition. Couvrir et mijoter à feu doux 1 heure. Laisser tiédir et passer dans une passoire très fine afin que le bouillon soit aussi clair que possible. Couvrir et réfrigérer. Retirer toutes les particules de gras formées sur le dessus.

Donne 8 tasses (2 L).

Soupe au poulet et aux champignons

C'est à Osaka que j'y ai goûtée, lors d'un déjeuner mémorable de *teriyaki* au poulet. La soupe fut servie dans un bol d'un ton cendré sur une attrayante assiette verte, avec une petite fleur d'oranger parfaite, et fraîche, bien entendu.

1 poitrine de poulet
3 c. à soupe (50 mL) de sake
2 c. à soupe (30 mL) de farine de riz ou
   de fécule de maïs
6 gros champignons frais
6 tasses (1,5 L) de bouillon de poulet
6 minces tranches de lime ou de citron

Tailler la poitrine de poulet en longs filets. Mettre dans un bol. Arroser de *sake* et laisser macérer de 30 à 40 minutes.

Couper les champignons en petits quartiers (des champignons *matsutake* avaient été utilisés à Osaka, alors j'ai ajouté 1 champignon importé séché pour rehausser la saveur).

Égoutter le poulet, en gardant le *sake*. Rouler chaque morceau de poulet dans la farine de riz ou la fécule de maïs. Laisser tomber dans une casserole d'eau bouillante et pocher 10 minutes. Retirer avec une écumoire et mettre de côté.

Amener le bouillon de poulet à ébullition, ajouter le *sake* et vérifier l'assaisonnement. Ajouter les champignons et faire mijoter 5 minutes. Ajouter les morceaux de poulet.

Pour servir, mettre quelques morceaux de poulet et de champignons dans des bols individuels, et remplir de bouillon. Garnir d'une tranche très mince de lime ou de citron.

Donne 6 portions.

Plats de résistance grillés, frits, rôtis, marinés

Crevettes grillées

Lorsque vous aurez goûté des crevettes grillées à la japonaise, vous ne désirerez plus que celles-là. J'ai mangé des crevettes ainsi apprêtées pour la première fois à Nora, dans un attrayant petit restaurant rempli d'un parfum de roses que je croyais venir des fleurs, mais qui était de l'essence de rose qui brûlait. Soit dit en passant, l'encens au Japon coûte cher, mais il est extraordinaire.

Nous avons fait griller nos propres crevettes préparées sur un très joli *hibachi* miniature qui ne contenait que deux morceaux de charbon de bois. Les crevettes préparées étaient embrochées sur une courte brochette de bambou qui avait auparavant trempé une heure dans l'eau.

À peu près 18 à 24 grosses crevettes vertes
1/2 tasse (125 mL) de sake
1/2 tasse (125 mL) de sauce de soja japonaise
1/3 de tasse (80 mL) d'huile d'arachide
3 c. à soupe (50 mL) d'huile de sésame
1 gousse d'ail, pressée
1 c. à soupe (15 mL) de gingembre frais râpé

Décortiquer les crevettes. Préparer une marinade en mélangeant dans un bol le reste des ingrédients. Ajouter les crevettes et brasser pour bien mélanger. Couvrir et laisser mariner de 3 à 4 heures, en remuant une fois ou deux.

Enfiler chaque crevette sur de petites brochettes de bambou et faire griller sur du charbon de bois de 2 à 3 minutes de chaque côté, en ne retournant qu'une fois. Servir sur les brochettes.

Donne de 4 à 6 portions.

Yakitori

Le *yakitori* est une brochette de poulet grillé. Les minuscules restaurants que je voyais dans les différentes villes m'intriguaient et, un jour, j'ai demandé à être amenée à l'un d'entre eux. Là le yakitori pouvait être servi de deux façons. Nous avons choisi de nous asseoir sur un banc en face du jeune chef, revêtu d'un sarreau de coton blanc immaculé. Il avait à la main un éventail de papier avec lequel il soufflait doucement le feu de l'*hibachi*, constitué de deux tiges de fer et d'un feu de charbon de bois dessous. Alors, il commença la cuisson du yakitori sur commande, en attisant le feu sans cesse. La cuisson terminée, il nous servit la brochette disposée sur une serviette de papier joliment pliée et il en prépara une autre pendant que nous nous régalions de la première. Il y avait aussi un petit bol de sauce-trempette.

L'autre façon, c'était de nous asseoir sur deux bancs de chaque côté d'une petite table de bois de cyprès, au centre de laquelle était placé un genre de hibachi rond, avec des tiges de fer plates sur le feu de charbon de bois. Des bouchées de poulet et des oignons verts étaient préparés pour être placés sur le *hibachi*, directement sur les tiges légèrement huilées. Sur la table se trouvait un contenant de poivre *sancho* (que je garde maintenant avec ma salière et ma poivrière). Il provient des feuilles et de baies séchées d'une plante indigène appelée *shiso*.

1 poitrine de poulet, taillée en
  carrés de 1 1/2 po (3 cm)
2 à 4 cuisses de poulet, désossées et
  taillées comme la poitrine
10 gros oignons verts, coupés en morceaux
  de 2 po (5 cm), le blanc et le vert
1/2 tasse (125 mL) de sauce de soja japonaise
1/2 tasse (125 mL) de sake
2 c. à soupe (30 mL) de sucre
Poivre sancho (facultatif)

Enfiler des morceaux de poulet et d'oignon alternativement sur des brochettes de bambou ou de métal d'environ 6 po (15 cm) de longueur; en général, 4 morceaux de poulet et 3 morceaux d'oignon constituent une belle brochette.

Mélanger le reste des ingrédients, en brassant durant 1 minute pour faire dissoudre un peu le sucre. Badigeonner ensuite les brochettes avec ce mélange. Faire griller à environ 4 po (10 cm) au-dessus de la chaleur. Retirer souvent du feu et badigeonner chaque fois avec le mélange. La cuisson devrait s'effectuer en 3 à 5 minutes. Servir chaudes, saupoudrer de poivre *sancho*, si vous en avez.

Donne 4 portions.

Tempura

Le *tempura* consiste en morceaux de poisson et de légumes trempés dans une pâte et cuits dans l'huile en friture profonde. La superbe finesse d'un tempura parfait n'est pas facile à réaliser. Là encore, c'était dans les voies de Dieu, mon premier tempura avait été préparé par un homme reconnu au Japon comme l'un des maîtres du tempura. Nous étions trois dans une jolie pièce décorée d'un magnifique bouquet de fleurs et où régnait un grand calme. On nous fit asseoir sur des coussins et alors, le maître, un homme dans la soixantaine, entra, nous salua et prit place de l'autre côté de la table basse. Tous les ustensiles requis lui furent apportés.

En silence, il prépara la pâte qui doit avoir une consistance particulière pour retenir les aliments, tout en étant légère et croustillante. À côté de lui, un bol de forme semblable à celle d'un *wok* était posé sur un petit hibachi et de l'huile fraîche y chauffait. Il plaça alors au centre de notre table une attrayante assiette de paille triangulaire, couverte de papier de parchemin joliment plié. Il nous observa durant quelques secondes, et trempa la première crevette dans la pâte, puis dans l'huile; le tout avec grande dextérité, tenant la crevette avec des baguettes noires. Toujours en silence, il la déposa sur l'assiette de paille, nous regarda une seconde et lorsque la moitié de la crevette fut mangée il en apprêta une autre, changea le parchemin et déposa une autre crevette brûlante dans le plateau. Après quelques minutes de ce rituel il dit à mon compagnon: "Cette dame aime beaucoup manger et elle connaît la cuisine." J'ai trouvé cette observation intéressante, car il ne me connaissait absolument pas.

Le maître du tempura ne m'adressa pas la parole; l'expression de son visage disait tout. Il m'enseigna à faire le tempura parfait simplement par un regard particulier, ses gestes étudiés appuyant sur les points importants. Nous avions conscience de son sourire plus que nous ne le voyions, quand il se rendait compte combien nous nous régalions de ce qu'il déposait sur le plateau de paille et aussi que je comprenais le point sur lequel il insistait, sans prononcer un seul mot.

La recette suivante est celle qu'il m'écrivit en japonais, qui fut traduite plus tard. C'est devenu un de mes succès; je le fais cuire devant mes convives.

12 grosses crevettes vertes
6 filets d'éperlan
1 racine de lotus
6 champignons frais moyens
1 oignon moyen, coupé en tranches de 1/4 po (0,625 cm)
1 c. à soupe (15 mL) de vinaigre japonais

Tous ces ingrédients peuvent être variés; de minces languettes de filet de sole peuvent remplacer l'éperlan, la racine de lotus peut être remplacée par du céleri.

Le lotus en conserve est souvent d'une seule pièce, alors l'égoutter et le tailler en minces bâtonnets ou en tranches. Le mettre dans de l'eau froide avec du vinaigre. Couper les champignons, les laver et les égoutter sur du papier absorbant.

Saupoudrer un soupçon de sel sur tous les ingrédients, et les arroser d'un peu de *sake*.

La pâte

1 oeuf
1/2 tasse (125 mL) d'eau froide
1/2 tasse (125 mL) de farine
1/4 de tasse (60 mL) de farine de riz ou
de fécule de maïs

La préparation de cette pâte est un art car une pâte collante et lourde donnera un *tempura* lourd, détrempé. Il est de première importance de ne préparer la pâte qu'au moment de l'utiliser. Il est tout aussi important de ne pas trop mélanger. Le maître du tempura utilisait des baguettes, mais moi j'utilise 2 fourchettes. Comme la pâte doit être plus claire pour le poisson, faire cuire le poisson en premier lieu, puis y ajouter 1 ou 2 cuillerées de farine en battant, au moment de faire cuire les légumes.

307

Battre l'oeuf pour bien mélanger le jaune et le blanc et ajouter l'eau froide, continuer de battre pour bien mélanger. Mélanger la farine et la farine de riz ou la fécule de maïs, et la tamiser graduellement dans le mélange d'oeuf, en brassant légèrement et rapidement. Il ne faut pas oublier qu'il est très important de ne pas trop mélanger. Le maître écrivit dans sa recette qu'une pâte légère avec quelques grumeaux est très satisfaisante. Elle semble difficile à faire, mais elle ne l'est pas vraiment. Il est bon de l'essayer pour commencer avec quelques simples aliments que vous désirez faire frire dans une pâte.

Pour la friture du *tempura*

2 tasses (500 mL) d'huile d'arachide
1/4 de tasse (60 mL) d'huile de sésame (facultatif)

Faire chauffer dans une casserole de 2 à 3 po (5 à 7,5 cm) d'huile à une température de 350°F (180°C). Bien s'assurer que le poisson et les légumes sont parfaitement secs. Tremper 1 morceau à la fois dans la pâte, puis le glisser doucement dans l'huile chaude. Cuire jusqu'à ce qu'il soit d'un beau doré; de 2 à 3 morceaux peuvent être frits à la fois — une plus grande quantité refroidirait l'huile et affecterait la qualité de la pâte. Servir aussitôt prêt, chaud et croustillant.

Donne 4 portions.

Le maître me donna aussi cette recette de trempette qu'il appela *tentsuyu.*

Trempette

1 tasse (250 mL) de dashi ou de bouillon
de poulet
1/3 de tasse (80 mL) de mirin
1/3 de tasse (80 mL) de sauce de soja japonaise

Mélanger tous les ingrédients et les réchauffer. Mettre dans un petit bol dans lequel chaque convive trempe les morceaux frits. Un petit bol de *wasabi* râpé ou de raifort peut aussi accompagner le tempura, chacun en use à son gré.

Sukiyaki de Tokyo

Au Japon, il existe plusieurs genres de *sukiyaki*, mais c'est avant tout un plat de viande. Il est amusant de connaître la signification du mot, qui veut dire "rôti sur la charrue". On me raconta l'histoire qui s'y rattache, à Osaka, où on me servit un délicieux *mizu-taki*, qui est une version de sukiyaki bouilli dans le *dashi*. Cette cuisson sur la charrue était pratiqué dans les champs au temps où il était interdit de manger de la viande. Lorsque les travailleurs aux champs capturaient un lapin ou un oiseau, ils s'empressaient de faire un feu sous le socle de la charrue, et y faisaient rôtir leur gibier, pour réduire le risque d'être appréhendés.

Le sukiyaki est une spécialité de Tokyo et l'un des plats japonais les mieux connus en Amérique.

Parfois un petit bol contenant un oeuf battu est placé devant chaque personne. La viande y est trempée avant de la manger. Pour moi, c'est trop riche, mais d'autres aiment ça.

Pour rehausser les délices d'un bon *sukiyaki*, l'accompagner d'une tasse ou plus de *sake* chaud!

*1/2 lb (250 g) de filet de boeuf, coupé en tranches
    très minces*

*2 oignons moyens, pelés et coupés en tranches
    très minces*

*8 à 10 oignons verts, taillés en biais en
    utilisant aussi la partie verte*

*1 tasse (250 mL) de champignons, coupés en
    tranches minces*

*1/2 tasse (125 mL) de pousses de bambou
    coupées en tranches*

*1/2 lb (250 g) de feuilles d'épinard fraîches,
    chacune taillée en 4 morceaux*

Quelques carrés de 1 po (2,5 cm) de tofu

1/2 lb (250 g) de nouilles soba ou sômen, cuites

Un carré de 2 po (5 cm) de suif de boeuf

Pour obtenir un résultat parfait, il faut que la viande soit taillée aussi mince qu'une feuille de papier. S'il est impossible de trancher le boeuf, demander au boucher de le faire ou placer la viande au congélateur durant 1 heure; elle sera froide mais non gelée. La couper avec un couteau bien tranchant. La disposer joliment avec les légumes dans un grand plateau.

Dans un joli bol, mélanger les ingrédients de la sauce.

Sauce de cuisson

1/3 de tasse (80 mL) de sauce soja japonaise
3 c. à soupe (50 mL) de sake ou de sherry sec
1/2 tasse (125 mL) de dashi ou d'eau
3 c. à soupe (50 mL) de sucre

La cuisson se fait à la table. À Tokyo, une attrayante casserole noire, ronde, peu profonde, sans poignée, était placée sur un hibachi. À défaut de cet ustensile (il est vendu ici), utiliser un poêlon électrique; le romantisme y perd, mais le travail se fait bien.

Faire chauffer la casserole, et la frotter sur toute la surface intérieure avec le morceau de suif, en le laissant fondre 1 minute. Le pousser vers le bord ou le retirer. Mettre environ un tiers de la viande dans le poêlon chaud et la faire saisir des deux côtés; la viande ne dore pas comme un bifteck dans le beurre, mais elle perd sa crudité. L'arroser d'un tiers de la sauce. Brasser la viande dans la sauce une demi-minute, la pousser sur un côté et ajouter à peu près un tiers des légumes; les nouilles comme les légumes sont ajoutées dans la sauce les uns après les autres.

Disposer joliment la viande et les légumes dans des assiettes ou des bols et répéter le procédé jusqu'à ce que tout soit cuit. Cette méthode de cuisson assure une saveur fraîche et des aliments chauds.

Donne 4 portions.

Tsukemono

Ce mot signifie "légumes marinés"; ils occupent une place importante au dîner dans tout le Japon. Étant considérés comme une salade, ils peuvent être servis avant ou après le plat principal, ou même à la fin du repas avec un thé chaud.

J'ai goûté à plusieurs variétés de *tsukemono* au Japon, dont quelques-unes salées, certaines douces, d'autres sures, mais toujours croustillantes, savoureuses, attrayantes et excitant la curiosité. Bon nombre de restaurants jouissent d'une certaine renommée pour leurs légumes marinés.

Voici deux hors-d'oeuvre que j'ai choisis, tous deux faciles à faire. Le "tsukemono" doit toujours être servi rafraîchi, dans des petits bols aux couleurs vives.

Rouge et blanc

1 tasse (250 mL) de daikon* ou de
*   navet, râpé*
1/2 tasse (125 mL) de carottes, râpées
1/4 de tasse (60 mL) de dashi ou de bouillon
*   de poulet*
3 c. à soupe (50 mL) de jus de citron frais
*   ou de vinaigre de cidre*
2 c. à café (10 mL) de sucre
Sel et aji-no-moto**

Tremper les légumes dans de l'eau glacée durant 30 minutes. Bien égoutter.

Mélanger le reste des ingrédients. Faire chauffer pour dissoudre le sucre, puis refroidir. Mélanger aux légumes au moment de servir. Empiler le mélange de façon attrayante dans un bol de couleur ou dans des bols individuels. Quantité: 1 1/2 tasse (375 mL).

---

* Daikon — un gros radis oriental vendu frais dans les marchés orientaux sous le nom de daikon, mais aussi parfois de "radis oriental". Sa taille varie de petit à très gros.

** Aji-no-moto, ou "poudre de saveur" — pour nous, c'est le glutamate de mono-sodium. Au Japon, il est utilisé autant que nous utilisons le sel, c'est un dérivé de protéine végétale. Si vous désirez l'utiliser, recherchez le type japonais dans les boutiques orientales.

Cornichons frais

*3 tasses (750 mL) de navets blancs,
    taillés en minces filets
3 c. à soupe (50 mL) de piments verts,
    en petits dés
Le zeste râpé d'un citron
1/2 c. à café (2 mL) de sel*

C'est une façon facile et rapide de préparer des cornichons; ils peuvent être servis de 6 à 8 heures plus tard.

Mélanger tous les ingrédients dans un bol. Recouvrir d'une assiette ou d'un bol qui s'ajuste sur les légumes. Mettre un poids (par exemple, une boîte de conserve) sur le dessus. Réfrigérer de 6 à 8 heures. Jeter le liquide salé qui s'est accumulé dans les légumes. Saupoudrer d'un peu de zeste de citron.

Donne 3 1/4 tasses (810 mL).

Déjeuner dans un temple
bouddhiste Zen

Au Japon, la consommation de légumes est "de rigueur". Ce qui est encore plus important, c'est qu'ils doivent conserver leurs caractéristiques propres, leur couleur et leur saveur, et que leur fraîcheur doit être non seulement certaine, mais aussi visible. J'ai souvent vu des femmes choisir leurs légumes au marché avec le plus grand soin. Je me rappelle qu'elles les aiment jeunes, tendres et n'ayant pas atteint leur pleine maturité, ce qui m'a étonnée. Pour faire suite à un achat si minutieux, la plus grande attention, et même réflexion, est accordée à la manière de trancher, tailler en dés et peler ces légumes, car cela rehausse la saveur et l'attrait visuel.

À Nara, j'ai été invitée à déjeuner dans un temple bouddhiste Zen, où les moines sont strictement végétariens. Je n'aurais jamais pu prévoir ce qui m'y attendait; ce fut une expérience extraordinaire. J'étais accompagnée de deux Japonais charmants, dont un parlait un français impeccable et l'autre un anglais tout aussi parfait. On nous conduisit par une route très étroite, et de là nous nous engageâmes à pied le long de ce que nous appellerions un chemin de terre à la campagne. À un détour du chemin, il y avait une grosse pierre carrée, vieille de bien des siècles, disposée de telle façon qu'au cours des années la pluie y avait creusé un trou en plein centre. Il était presque toujours rempli d'eau, à l'usage du voyageur las qui pouvait s'y désaltérer, tout en reposant ses pieds endoloris en s'asseyant sous les pins sur une douce couverture résultant de l'amoncellement des aiguilles de pin tombées au cours des années.

Soudain, au bout du petit chemin tortueux apparut une vision: un magnifique vieux temple entouré d'un jardin vert impeccable. Le Supérieur du temple nous accueillit et nous pria de nous asseoir à un endroit déterminé sur la grande véranda de bois qui faisait tout le tour du temple. Une fois assis, tous, à ma grande surprise, observèrent dix minutes d'un silence absolu. Je fis de même avec la plus grande aisance, car un spectacle enchanteur s'offrait à ma vue: des forêts vertes de tous les tons, le ciel bleu foncé, et tout au loin, une haute montagne en pointe. On m'apprit plus tard que c'étaient des moments de détente pour le corps et l'esprit, et ils le furent vraiment! Un jeune Japonais nous servit alors un thé vert épais appelé *matcha*, provenant des feuilles les plus jeunes et les plus tendres du sommet des arbustes et toujours cueillies par des jeunes filles à la première cueillette du printemps. Notre hôte ajouta que la dégustation de ce thé se faisait pour cultiver les quatre vertus: la politesse, la pureté, la courtoisie et la sérénité. Il mentionna que l'association du thé et de la pensée était attribuée à un jeune prêtre Zen. J'eus l'impression que tout cela était très vrai.

Alors nous nous sommes levés lentement et avons quitté toute cette sérénité pour prendre part au déjeuner végétarien, une autre expérience. Chaque service (il y en avait huit) donnait l'impression d'être totalement distinct.

Il me fait plaisir de vous offrir quelques-uns de ces plats, que j'ai appris à faire avec l'aide de notre hôte qui parlait l'anglais à la perfection et qui aussi connaissait bien des choses sur le Canada.

313

Épinards Zen

Ces épinards sont blanchis et servis à la température ambiante. J'aime les utiliser comme salade ou pour accompagner le poisson poché.

1 lb (500 g) d'épinards frais
1/2 c. à café (2 mL) de sel
3 c. à soupe (50 mL) de sauce de soja japonaise
2 c. à soupe (30 mL) de jus de citron frais
1 c. à café (5 mL) de sucre
1 c. à soupe (15 mL) de vin mirin pour la cuisson
1/4 de c. à café (1 mL) d'aji-no-moto*

Utiliser les feuilles et les tiges des épinards. Les laver à l'eau froide. Amener à ébullition 2 tasses (500 mL) d'eau avec le sel. Ajouter les épinards et bouillir 1 minute à feu moyen. Égoutter et laisser tiédir. Couper les feuilles et les tiges en bouts de 1 1/2 po (3 cm). Mettre dans un plat profond à fond plat.

Mélanger le reste des ingrédients. En verser quelques cuillerées sur les épinards et brasser. Mettre la sauce sur la table pour ceux qui désirent y tremper chaque morceau d'épinard.

Donne 2 portions.

* Consulter la remarque en page 311.

Céleri sauté

C'est un plat qui émerveille par sa simplicité. À Nara, il était accompagné de très minces lamelles de haricots verts à peine cuits à l'eau bouillante. Le céleri tenait lieu d'assaisonnement pour les haricots; néanmoins, servi seul il est aussi délicieux.

4 tasses (1 L) de céleri, taillé
en diagonale en morceaux de 1/4 po (0,625 cm)
1/4 de tasse (60 mL) d'huile végétale
3 c. à soupe (50 mL) de sauce de soja japonaise
1 c. à café (5 mL) de sucre

*1 c. à soupe (15 mL) de racine de gingembre
    frais râpé*

Faire chauffer l'huile dans le poêlon, ajouter le céleri et sauter à feu vif, 3 minutes tout au plus, en remuant constamment. Ajouter le reste des ingrédients. Brasser pour bien mélanger et chauffer. Servir aussitôt réchauffé.

Donne 4 portions.

Aubergine tanaka

Ce plat fut servi comme entremets pour accompagner des roulés au chou qui, de prime abord, ressemblaient beaucoup aux nôtres par la forme, mais qui étaient fourrés de purée de pommes de terre, de champignons tranchés très minces, d'oignons verts hachés, le tout lié avec un oeuf ou deux. Ils étaient salés et poivrés puis cuits dans le dashi avec quelques cuillerées de sauce de soja. Pour servir les roulés en soupe, les faire plus petits et lorsqu'ils sont cuits, en placer un dans chaque assiette à soupe et verser le dashi dessus.

*1 petite aubergine longue
3 c. à soupe (50 mL) d'huile végétale
2 c. à soupe (30 mL) de sauce de soja japonaise
2 c. à soupe (30 mL) de sucre
1/3 de tasse (80 mL) de sake
1/4 de c. à café (1 mL) d'aji-no-moto**

Laver l'aubergine, ne pas la peler. La tailler en cubes de 1/2 po (1 cm).

Faire chauffer l'huile végétale dans un grand poêlon. Ajouter les cubes d'aubergine et faire sauter à feu vif jusqu'à ce qu'ils soient légèrement dorés, à peu près 2 minutes. Ajouter le reste des ingrédients. Bien mélanger, couvrir la casserole et laisser mijoter à feu doux jusqu'à ce que l'aubergine soit tendre et que la sauce ait quelque peu épaissi.

Donne 2 portions.

* Consulter la remarque en page 311.

Index général

317

Index de catégories de plats

Table des matières

Achevé d'imprimer sur les presses de

L'IMPRIMERIE ELECTRA*
*Division de l'A.D.P. Inc.

pour

LES ÉDITIONS DE L'HOMME*
*Division de Sogides Ltée

Imprimé au Canada/Printed in Canada

Ouvrages parus aux
ÉDITIONS DE L'HOMME

* Pour l'Amérique du Nord seulement.
** Pour l'Europe seulement.

ALIMENTATION — SANTÉ

* **Allergies, Les,** Dr Pierre Delorme
* **Apprenez à connaître vos médicaments,** René Poitevin
* **Art de vivre en bonne santé, L',** Dr Wilfrid Leblond
* **Bien dormir,** Dr James C. Paupst
* **Bien manger à bon compte,** Jocelyne Gauvin
* **Boîte à lunch, La,** Louise Lambert-Lagacé
* **Cellulite, La,** Dr Gérard J. Léonard
  Comment nourrir son enfant, Louise Lambert-Lagacé
  Congélation des aliments, La, Suzanne Lapointe
* **Conseils de mon médecin de famille, Les,** Dr Maurice Lauzon
* **Contrôlez votre poids,** Dr Jean-Paul Ostiguy
* **Desserts diététiques,** Claude Poliquin
* **Diététique dans la vie quotidienne, La,** Louise Lambert-Lagacé
  En attendant notre enfant, Yvette Pratte-Marchessault
* **Face-lifting par l'exercice, Le,** Senta Maria Rungé

* **Femme enceinte, La,** Dr Robert A. Bradley
* **Guérir sans risques,** Dr Émile Plisnier
* **Guide des premiers soins,** Dr Joël Hartley
  Maigrir, un nouveau régime... de vie, Edwin Bayrd
* **Maman et son nouveau-né, La,** Trude Sekely
** **Mangez ce qui vous chante,** Dr Leonard Pearson et Dr Lillian Dangott
* **Médecine esthétique, La,** Dr Guylaine Lanctôt
  Menu de santé, Louise Lambert-Lagacé
* **Pour bébé, le sein ou le biberon,** Yvette Pratte-Marchessault
* **Pour vous future maman,** Trude Sekely
* **Recettes pour aider à maigrir,** Dr Jean-Paul Ostiguy
  Régimes pour maigrir, Marie-José Beaudoin
* **Soignez-vous par le vin,** Dr E.A. Maury
  Sport — santé et nutrition, Dr Jean-Paul Ostiguy

ART CULINAIRE

* **Agneau, L',** Jehane Benoit
* **Art d'apprêter les restes, L',** Suzanne Lapointe
  Art de la cuisine chinoise, L', Stella Chan
* **Bonne table, La,** Juliette Huot
* **Brasserie la mère Clavet vous présente ses recettes, La,** Léo Godon
* **Canapés et amuse-gueule**

* **Cocktails de Jacques Normand, Les,** Jacques Normand
* **Confitures, Les,** Misette Godard
  Conserves, Les, Soeur Berthe
* **Cuisine aux herbes, La,**
* **Cuisine chinoise, La,** Lizette Gervais
* **Cuisine de maman Lapointe, La,** Suzanne Lapointe
* **Cuisine de Pol Martin, La,** Pol Martin

DOCUMENTS — BIOGRAPHIES

* **Maîtresse, La,** W. James, S. Jane Kedgley
* **Mammifères de mon pays, Les,** St-Denys, Duchesnay et Dumais
* **Masques et visages du spiritualisme contemporain,** Julius Evola
* **Mon calvaire roumain,** Michel Solomon
* **Moulins à eau de la vallée du Saint-Laurent, Les,** F. Adam-Villeneuve et C. Felteau
* **Mozart raconté en 50 chefs-d'oeuvre,** Paul Roussel
* **Musique au Québec, La,** Willy Amtmann
* **Objets familiers de nos ancêtres, Les,** Vermette, Genêt, Décarie-Audet
* **Option, L',** J.-P. Charbonneau et G. Paquette
* **Option Québec,** René Lévesque
* **Oui,** René Lévesque
  OVNI, Yurko Bondarchuck
* **Papillons du Québec, Les,** B. Prévost et C. Veilleux
* **Petite barbe. J'ai vécu 40 ans dans le Grand Nord, La,** André Steinmann
* **Patronage et patroneux,** Alfred Hardy

Pour entretenir la flamme, T. Lobsang Rampa
* **Prague l'été des tanks,** Desgraupes, Dumayet, Stanké
* **Premiers sur la lune,** Armstrong, Collins, Aldrin Jr
* **Provencher, le dernier des coureurs de bois,** Paul Provencher
* **Québec des libertés, Le,** Parti Libéral du Québec
* **Révolte contre le monde moderne,** Julius Evola
* **Struma, Le,** Michel Solomon
* **Temps des fêtes, Le,** Raymond Montpetit
* **Terrorisme québécois, Le,** Dr Gustave Morf
  Treizième chandelle, La, T. Lobsang Rampa
* **Troisième voie, La,** Émile Colas
* **Trois vies de Pearson, Les,** J.-M. Poliquin, J.R. Beal
* **Trudeau, le paradoxe,** Anthony Westell
* **Vizzini,** Sal Vizzini
* **Vrai visage de Duplessis, Le,** Pierre Laporte

ENCYCLOPÉDIES

* **Encyclopédie de la chasse, L',** Bernard Leiffet
* **Encyclopédie de la maison québécoise,** M. Lessard, H. Marquis
  Encyclopédie de la santé de l'enfant, L', Richard I. Feinbloom
* **Encyclopédie des antiquités du Québec,** M. Lessard, H. Marquis

* **Encyclopédie des oiseaux du Québec,** W. Earl Godfrey
* **Encyclopédie du jardinier horticulteur,** W.H. Perron
* **Encyclopédie du Québec, vol. I,** Louis Landry
* **Encyclopédie du Québec, vol. II,** Louis Landry

LANGUE *

Améliorez votre français, Jacques Laurin
Anglais par la méthode choc, L', Jean-Louis Morgan
Corrigeons nos anglicismes, Jacques Laurin

Notre français et ses pièges, Jacques Laurin
Petit dictionnaire du joual au français, Augustin Turenne
Verbes, Les, Jacques Laurin

LITTÉRATURE *

Adieu Québec, André Bruneau
Allocutaire, L', Gilbert Langlois
Arrivants, Les, Collaboration
Berger, Les, Marcel Cabay-Marin

Bigaouette, Raymond Lévesque
Bousille et les justes (Pièce en 4 actes), Gratien Gélinas
Cap sur l'enfer, Ian Slater

LIVRES PRATIQUES — LOISIRS

PHOTOGRAPHIE — CINÉMA

8/super 8/16, André Lafrance
Apprenez la photographie avec Antoine Desilets, Antoine Desilets
Apprendre la photo de sport, Denis Brodeur
* **Chaînes stéréophoniques, Les,** Gilles Poirier
* **Chasse photographique, La,** Louis-Philippe Coiteux
Ciné-guide, André Lafrance
Découvrez le monde merveilleux de la photographie, Antoine Desilets
Je développe mes photos, Antoine Desilets
Je prends des photos, Antoine Desilets
Photo à la portée de tous, La, Antoine Desilets
Photo de A à Z, La, Desilets, Coiteux, Gariépy
Photo-guide, Antoine Desilets
Photo reportage, Alain Renaud
Technique de la photo, La, Antoine Desilets
Vidéo et super-8, André A. Lafrance et Serge Shanks

PLANTES — JARDINAGE *

Arbres, haies et arbustes, Paul Pouliot
Culture des fleurs, des fruits et des légumes, La
Dessiner et aménager son terrain
Guide complet du jardinage, Le, Charles L. Wilson
Jardinage, Le, Paul Pouliot
Jardin potager, Le — La p'tite ferme, Jean-Claude Trait
Je décore avec des fleurs, Mimi Bassili
Plantes d'intérieur, Les, Paul Pouliot
Techniques du jardinage, Les, Paul Pouliot
Terrariums, Les, Ken Kayatta et Steven Schmidt
Votre pelouse, Paul Pouliot

PSYCHOLOGIE — ÉDUCATION

* **Âge démasqué, L',** Hubert de Ravinel
Aider son enfant en maternelle et en 1ère année, Louise Pedneault-Pontbriand
Aidez votre enfant à lire et à écrire, Louise Doyon-Richard
Amour de l'exigence à la préférence, L', Lucien Auger
* **Caractères et tempéraments,** Claude-Gérard Sarrazin
* **Caractères par l'interprétation des visages, Les,** Louis Stanké
Comment animer un groupe, Collaboration
Comment déborder d'énergie, Jean-Paul Simard
* **Comment vaincre la gêne et la timidité,** René-Salvator Catta
Communication dans le couple, La, Luc Granger
Communication et épanouissement personnel, Lucien Auger
* **Complexes et psychanalyse,** Pierre Valinieff
Contact, Léonard et Nathalie Zunin
* **Cours de psychologie populaire,** Fernand Cantin
Découvrez votre enfant par ses jeux, Didier Calvet
* **Dépression nerveuse, La,** En collaboration
Développement psychomoteur du bébé, Le, Didier Calvet
* **Développez votre personnalité, vous réussirez,** Sylvain Brind'Amour
Douze premiers mois de mon enfant, Les, Frank Caplan
* **Dynamique des groupes,** J.-M. Aubry, Y. Saint-Arnaud
Être soi-même, Dorothy Corkille Briggs
Facteur chance, Le, Max Gunther
* **Femme après 30 ans, La,** Nicole Germain

* **Futur père,** Yvette Pratte-Marchessault
Hatha-yoga pour tous, Suzanne Piuze
Hypnose, bluff ou réalité? Alain Marillac
Interprétez vos rêves, Louis Stanké
J'aime, Yves Saint-Arnaud
Jouons avec les lettres, Louise Doyon-Richard
* **Langage de votre enfant, Le,** Professeur Claude Langevin
* **Maladies psychosomatiques, Les,** Dr Roger Foisy
* **Maman et son nouveau-né, La,** Trude Sekely
* **Méditation transcendantale, La,** Jack Forem
Mise en forme psychologique, La, Richard Corriere et Joseph Hart
Naissance apprivoisée, Une, Edith Fournier et Michel Moreau
Personne humaine, La, Yves Saint-Arnaud
Première impression, La, Chris L Kleinke
Préparez votre enfant à l'école, Louise Doyon-Richard
* **Relaxation sensorielle,** Pierre Gravel

** **Rythmes de votre corps, Les,** Lee Weston
S'affirmer et communiquer, Jean-Marie Boisvert et Madeleine Beaudry
S'aider soi-même, Lucien Auger
Savoir organiser: savoir décider, Gérald Lefebvre
Savoir relaxer pour combattre le stress, Dr Edmund Jacobson
Se comprendre soi-même, Collaboration
Se connaître soi-même, Gérard Artaud
* **Séparation du couple, La,** Dr Robert S. Weiss
Vaincre ses peurs, Lucien Auger
Vivre avec sa tête ou avec son coeur, Lucien Auger
* **Volonté, l'attention, la mémoire, La,** Robert Tocquet
* **Vos mains, miroir de la personnalité,** Pascale Maby
Vouloir c'est pouvoir, Raymond Hull
* **Yoga, corps et pensée,** Bruno Leclercq
* **Yoga des sphères, Le,** Bruno Leclercq

SEXOLOGIE

---

* **Adolescent veut savoir, L',** Dr Lionel Gendron
* **Adolescente veut savoir, L',** Dr Lionel Gendron
* **Amour après 50 ans, L',** Dr Lionel Gendron
Avortement et contraception, Dr Henry Morgentaler
* **Déviations sexuelles, Les,** Dr Yvan Léger
* **Fais voir!** Dr Fleischhauer-Hardt
Femme enceinte et la sexualité, La, Elisabeth Bing, Libby Colman
* **Femme et le sexe, La,** Dr Lionel Gendron
* **Helga,** Eric F. Bender
Guide gynécologique de la femme moderne, Le, Dr Sheldon H. Sheny

* **Homme et l'art érotique, L',** Dr Lionel Gendron
* **Maladies transmises par relations sexuelles, Les,** Dr Lionel Gendron
* **Mariée veut savoir, La,** Dr Lionel Gendron
* **Ménopause, La,** Dr Lionel Gendron
* **Merveilleuse histoire de la naissance, La,** Dr Lionel Gendron
* **Qu'est-ce qu'un homme?,** Dr Lionel Gendron
* **Quel est votre quotient psycho-sexuel?,** Dr Lionel Gendron
* **Sexualité, La,** Dr Lionel Gendron
Sexualité du jeune adolescent, La, Dr Lionel Gendron
Sexe au féminin, Le, Carmen Kerr
Yoga sexe, S. Piuze et Dr L. Gendron

SPORTS

---

* **ABC du hockey, L',** Howie Meeker
Aïkido — au-delà de l'agressivité, M. N.D. Villadorata et P. Grisard

* **Apprenez à patiner,** Gaston Marcotte
Armes de chasse, Les, Charles Petit-Martinon